作業療法学

第3版

ゴールド・マスター・テキスト

発達障害作業療法学

[監修] 長﨑重信
文京学院大学 保健医療技術学部 作業療法学科 教授

[編集] 神作一実
文京学院大学 保健医療技術学部 作業療法学科 教授

MEDICAL VIEW

本書では，厳密な指示・副作用・投薬スケジュール等について記載されていますが，これらは変更される可能性があります．本書で言及されている薬品については，製品に添付されている製造者による情報を十分にご参照ください．

Gold Master Textbook : Developmental Disorders, 3rd edition
(ISBN 978-4-7583-2047-4 C3347)

Chief Editor : NAGASAKI Shigenobu
Editor : KAMISAKU Hitomi

2011. 2. 10 1st ed
2015. 1. 25 2nd ed
2021. 10. 1 3rd ed

©MEDICAL VIEW, 2021
Printed and Bound in Japan

Medical View Co., Ltd.
2-30 Ichigayahonmuracho, Shinjyukuku, Tokyo, 162-0845, Japan
E-mail ed@medicalview.co.jp

第3版 監修の序

　今回,『作業療法学ゴールド・マスター・テキスト』シリーズは2010年の発刊から2回目の改訂を迎え,第3版出版の運びとなりました。

　本テキストシリーズは「作業療法学概論」・「作業学」・「作業療法評価学」・「身体障害作業療法学」・「高次脳機能障害作業療法学」・「精神障害作業療法学」・「発達障害作業療法学」・「老年期作業療法学」・「地域作業療法学」・「日常生活活動学（ADL）」・「福祉用具学」の11巻に新しく「義肢装具学」を加え,全12巻となります。

　改訂作業が始まった2020年は作業療法教育の変革の年でもありました。臨床実習の形態においては,従来の,学生が臨床実習指導者の下で対象者の評価から治療まで行うものから,学生が実習指導者の行う対象者の評価から治療までを傍らで見学し,模倣してみる,一部対象者で実施するという流れで,その場で実習指導者が学生にフィードバックするクリニカル・クラークシップの作業療法参加型臨床実習への転換,地域実習の追加という大きな変更がありました。

　そこで執筆者の先生方には,教科書の内容が作業療法参加型臨床実習にどのように関連しているのか示していただき,一部ですが,動画も提供していただきました。

　また,2020年はコロナ禍により多くの学校が教育方法の変革を求められた年でもありました。対面授業を遠隔授業に切り替え,実習や実技科目が大きな影響を受けました。学外での臨床実習は模擬患者を用いた学内実習に切り替えたところも多かったかと思います。このような状況の中でアクティブ・ラーニングの重要性が再認識されたように思います。従来の,教室に学生を集めて講義し試験やレポートを課すスタイルから,学生が自宅でネット配信された講義動画を視聴し,その都度,課題レポートを提出し,教員が評価とコメントをつけて返却することが毎回繰り返されました。こう書くと何がアクティブ・ラーニングなのかと思われるかもしれませんが,学生が講義動画から課題を理解するために自分のペースに合わせて動画を繰り返し観て,理解したうえで調べ,課題を分析するということを学生自身が行う授業形態です。これを進めるために,教員は個々の学生と双方向の情報をやり取りする機会を増やした結果,個々の学生への指導量は増えましたが,学生の主体的な学びが伸びたように思われます。

　eラーニングに関しては,文部科学省が2024年には小中高でデジタル教科書の配布を始めます。今回の遠隔授業の経験から,動画媒体がアクティブ・ラーニングにも役立つと考えます。作業療法学ゴールド・マスター・テキストシリーズも,時代の要請に応えられるよう変化させていきたいと考えています。

　本シリーズをよりよいものにするためにも諸氏の忌憚ないご意見を聞かせていただければ幸いです。

2020年12月

文京学院大学

長﨑重信

第3版 編集の序

　第3版の編集にあたり，より発達障害領域の作業療法学を学生が学びやすいように，図やイラストのカラー化，QRコードを読み込むことによる動画閲覧など，初学者が容易にイメージを共有できるよう内容を刷新した．また，作業療法の臨床実習が作業療法参加型実習に変更となり，学生がより発達障害領域の作業療法実習で理解を深めることが可能となるよう，重要なポイントについては基礎および臨床のチェックテストを設けた．あわせて，臨床思考過程を理解しやすいように，巻末付録として事例集を掲載した．このように，第3版においては，子どもの生活や発達，評価，疾患や障害に沿った治療的アプローチについてさらに理解しやすいように工夫を行った．

　発達障害領域の作業療法を取り巻く状況は，大きく変化している．発達障害領域における作業療法の対象児の多くは地域で生活し，保育園・幼稚園，学校に通いながら作業療法を受けている．つまり，発達支援センターなどの専門療育機関での作業療法アプローチに加えて，保育園や幼稚園，学校等の中で，どのようにその子の困りごとに対処するか，対象児を取り巻く関連職種との連携が重要となってくる．

　近年，重要なセルフケアである「食べること」は多くの対象児で困難さをかかえており，対象児の育児に携わる保護者にとっても非常に大きな関心事である．「食べること」は全身および顎顔面領域の感覚運動機能だけでなく，感覚統合機能発達に大きく影響を受ける．そのため，作業療法士は，摂食・嚥下リハビリテーションチームに不可欠な職種となっている．

　作業療法の対象はさらに拡大・多様化しており，対象児の問題だけではなく，保護者の問題も含めて総合的な対応が求められるようになってきている．特に，問題が複雑に絡み合っている被虐待児を担当することも多く，対象児の治療のみならず，作業療法士のコミュニケーションスキルや高い対人援助技能が求められる．

　本書では，発達障害領域の作業療法学を学ぶうえでの基礎的な知識から，臨床的に作業療法士が求められる内容までを網羅している．作業療法士が社会からの期待に応え，障害をもった対象児とその家族が幸せに暮らしていけるよう，有効なアプローチを行うことに本書が役に立つことを心より願っている．

2021年8月

文京学院大学
神作一実

改訂第2版 編集の序

改訂第2版の編集にあたり，より発達障害領域の作業療法学を学生が学びやすいように，図やイラストの追加のみならず「用語解説・MEMO」や臨床にて役立つ「Case Study」をも数多く追加した．各項目の冒頭の「全体像」も本文の流れとシンクロさせ，イラストに解説もつけてより理解しやすいようにし，「まとめのチェック」も全体的に統一感をもたせ，学生の理解の到達度を図れるようにした．このように，改訂第2版においては，子どもの発達，評価，疾患や障害に沿った治療的アプローチについてさらに理解しやすいように工夫を行った．

また，作業療法士は，対象児の様々な現象を作業療法の視点からどのようにとらえるのか，また，どのように解釈し，治療に結びつけていくのかをよりわかりやすく解説した．すでに臨床実践を行っている作業療法士にとっても，基礎知識を再確認し，臨床実践を振り返る際に利用しやすい内容とした．

発達障害領域の作業療法を取り巻く状況は，第1版発行時にもまして，大きく変化している．医療機関，相談機関，療育施設を訪れる対象児は，圧倒的に広汎性発達障害や学習障害，注意欠陥・多動性障害などの"発達障害"児が増えている．これらはすでに一般用語のように使われ，社会に浸透してきている．一方，発達障害を持つ子どもへの理解や支援はまだ不十分な点が多く，適切な支援がかならずしも受けられるとは限らないという実態もある．

近年，作業療法の対象はさらに拡大・多様化しており，対象児の問題だけではなく，保護者の問題も含めて総合的な対応が求められるようになってきている．とくに，問題が複雑に絡み合っている被虐待児を担当することも多い．摂食嚥下リハビリテーションだが，近年は摂食嚥下リハビリテーションチームに不可欠な職種として作業療法士が参加するようになってきている．作業療法や作業療法士を取り巻く状況の変化は，作業療法士にさらに広く深い知識と技術を求める，社会からの期待が大きくなったあらわれでもある．

障害を持っている子どもたちの多くは，地域で家族とともに暮らしている．対象児の評価や治療だけではなく，保護者の育児不安への対応や保護者指導など，保護者へのアプローチがますます重要となってきている．本書では，発達障害領域の作業療法学を学ぶ上での基礎的な知識から，臨床的に作業療法士が求められる内容までを網羅している．作業療法士が社会からの期待に応え，障害を持った対象児とその家族が幸せに暮らしていけるよう，有効なアプローチを行うことに本書が役に立つことを心より願っている．

2014年12月

文京学院大学
神作一実

第1版 編集の序

本書は,『作業療法学 ゴールド・マスター・テキスト』のうち,「発達障害領域の作業療法」に関する教科書である。

本書では,発達障害領域の作業療法を学生が学びやすいように,子どもの発達,評価,疾患や障害に沿った治療的アプローチについて書かれており,系統だった構成となっている。また,すでに臨床実践を行っている作業療法士にとっては,基礎知識を再確認したり,臨床実践を振り返る際に利用しやすい内容とした。

発達障害領域の作業療法を取り巻く状況は,近年大きく変化している。医療機関,相談機関,療育施設を訪れる対象児は,圧倒的に広汎性発達障害や学習障害,注意欠陥・多動性障害などの"発達障害"児が増えている。また,社会的にも大きな問題となっており,かつ,問題が複雑に絡み合っている被虐待児を担当することも多い。さらに,以前は一部の作業療法士のみが関わってきた,摂食嚥下リハビリテーションだが,近年は摂食嚥下リハビリテーションチームに不可欠な職種として作業療法士が参加するようになってきている。作業療法や作業療法士を取り巻く状況の変化は,作業療法士にさらに広く深い知識と技術を求める,社会からの期待が大きくなったあらわれでもある。

多くの発達障害を有する人たちは,地域で家族とともに暮らしている。ますます,対象児の評価や治療だけではなく,保護者の育児不安への対応や保護者指導など,保護者へのアプローチが重要となってきている。本書では,発達障害領域の作業療法を学ぶ上での基礎的な知識から,臨床的に作業療法士が求められる内容までを網羅している。特に,保護者への対応や育児支援,作業療法士の基本的な態度,特別支援教育との連携などについては,具体的な対応方法やポイントがわかりやすいように記載されている。

作業療法士が社会からの期待に応え,障害を持った対象児とその家族が幸せに暮らしていけるよう,有効なアプローチを行うことに本書が役に立つことを心より願っている。

2010年12月

文京学院大学
神作一実

執筆者一覧

監修

長﨑重信　文京学院大学 保健医療技術学部 作業療法学科 教授

編集

神作一実　文京学院大学 保健医療技術学部 作業療法学科 教授

執筆者（掲載順）

神作一実　文京学院大学 保健医療技術学部 作業療法学科 教授

茂井万里絵　文京学院大学 人間学部 児童発達学科 准教授

西方浩一　文京学院大学 保健医療技術学部 作業療法学科 准教授

酒井康年　うめだ・あけぼの学園 副園長/作業療法士

森田浩美　世田谷区保健センター 作業療法士

田中栄一　北海道医療センター 一般作業療法主任

田山智子　元 千葉県山武健康福祉センター 作業療法士

野部裕美　文京学院大学 保健医療技術学部 作業療法学科 准教授

三浦香織　東京都児童相談センター 治療指導課ぱお 指導員

目次

本書の特徴 ... xii
動画の視聴方法 ... xiii

0 Introduction ... 1

1 発達障害領域の作業療法 　　　神作一実 ... 2
- ❶ 発達障害 ... 2
- ❷ 発達障害領域の作業療法における対象疾患 ... 3
- ❸ ライフステージと作業療法実践の場 ... 3
- ❹ 定型発達について学ぶ必要性 ... 4
- ❺ チームアプローチの重要性 ... 5
- ❻ 発達障害領域の作業療法の対象：当事者とその家族 ... 5
- ❼ 発達障害領域の作業療法を学ぶにあたって ... 6

1 子どもの発達と作業療法 ... 7

1 姿勢・運動発達とその背景 　　　神作一実 ... 8
- ❶ 粗大運動発達 🎥Web動画 ... 8
- ❷ 微細運動発達 🎥Web動画 ... 10
- ❸ 口腔運動発達（摂食嚥下機能を中心に） 🎥Web動画 ... 11
- ❹ 正常筋緊張 ... 13
- ❺ 原始反射の統合と立ち直り反応・平衡反応の出現 🎥Web動画 ... 14
- ❻ 粗大運動機能発達を促すために 🎥Web動画 ... 16

2 感覚統合機能の発達 　　　神作一実 ... 18
- ❶ 感覚統合 ... 18
- ❷ 感覚統合機能の発達 ... 18

3 認知・思考機能の発達 　　　茂井万里絵 ... 21
- ❶ 認知・思考機能の発達段階 ... 21
- ❷ 認知・思考機能の発達段階の特徴 ... 22

4 コミュニケーション機能の発達 　　　茂井万里絵 ... 24
- ❶ コミュニケーション機能とは ... 24
- ❷ 前言語期のコミュニケーション ... 24
- ❸ 非言語的コミュニケーション（non-verbal communication） ... 25
- ❹ 定型発達児のコミュニケーションの発達 🎥Web動画 ... 25

5 子どもの発達と遊び 　　　神作一実 ... 27
- ❶ 遊びとは ... 27
- ❷ 遊びの機能による分類 🎥Web動画 ... 27
- ❸ 集団による分類 ... 29
- ❹ 遊びの発達的意義（感覚運動遊びと操作的遊びを中心に） ... 30

6 セルフケアの発達と遊び 　　　神作一実 ... 33
- ❶ セルフケアの発達の前提 ... 33
- ❷ セルフケアの発達 🎥Web動画 ... 33

7 作業の見方 −作業の発達と変容− 　　　　　　　　　　西方浩一　36

- ① はじめに ……………………… 36
- ② 作業とは ……………………… 37
- ③ 作業科学：作業の理解を深める学問 …… 37
- ④ 作業の見方：作業的存在を理解する …… 38
- ⑤ 作業の発達と変容 ……………… 42
- ⑥ まとめ ………………………… 45

2 評価　　　　　　　　　　　　　　　　47

1 発達障害領域の作業療法評価 　　　　　西方浩一　48
- ① 発達障害領域での作業療法評価 …… 48
- ② 作業療法評価の過程 …………… 49

2 情報収集および面接，観察の視点 　　　西方浩一　51
- ① 情報収集および面接 …………… 51
- ② 観察 …………………………… 53

3 発達像を把握するための検査 　　　　　西方浩一　57
- ① 発達像を把握するための検査 …… 57

4 評価結果の分析と解釈 　　　　　　　　西方浩一　63
- ① 評価結果の分析と解釈 ………… 63
- ② PEO モデル …………………… 63
- ③ 国際生活機能分類（ICF） ……… 64
- ④ 国際生活機能分類を用いた事例の考え方 …… 67

3 治療的アプローチ：発達の各領域に対するアプローチ　69

1 感覚統合機能に対するアプローチ 　　　酒井康年　70
- ① 感覚統合とは ………………… 70
- ② 感覚統合理論 ………………… 72
- ③ 感覚統合にトラブルを抱える子どもたちの行動を理解する …… 72
- ④ 感覚統合の視点に立ったアプローチ …… 73
- ⑤ 行動観察の方法 ……………… 75
- ⑥ 感覚統合へのアプローチ Web動画 …… 78
- ⑦ 行為機能不全に対するアプローチ …… 86
- ⑧ 治療的介入のヒント ………… 100
- ⑨ 発達障害の特徴と介入のポイント …… 105
- ⑩ 適応行動を促すための環境調整 …… 114
- ⑪ セルフケアの援助 …………… 117
- ⑫ 関連施設との連携 …………… 120

2 姿勢と運動へのアプローチ：脳性麻痺を中心に 　森田浩美　124
- ① 脳性麻痺の概要 ……………… 124
- ② 姿勢と運動の障害 …………… 125
- ③ 姿勢と運動の評価 …………… 126
- ④ 姿勢と運動へのアプローチ -予想される問題とその対応 Web動画 …… 130
- ⑤ 適応行動を促すための環境調整 …… 152
- ⑥ セルフケアの援助 …………… 159
- ⑦ 関連施設との連携 …………… 166

3　知的障害に対するアプローチ　　酒井康年　170
- ❶ 知的障害とは　170
- ❷ 知的障害のある人の評価　170
- ❸ ライフステージとアプローチ　Web動画　175

4　摂食嚥下障害に対する作業療法　　神作一実　192
- ❶ 発達領域の作業療法と摂食嚥下　192
- ❷ 発達期の摂食嚥下機能評価について　193
- ❸ その他の評価　198
- ❹ 発達期の摂食嚥下障害とそのアプローチ　199
- ❺ 保護者に対する配慮　201

5　各種対象疾患に対する作業療法アプローチ：デュシェンヌ型筋ジストロフィー　　田中栄一　206
- ❶ 筋ジストロフィーのいろいろなタイプ　206
- ❷ デュシェンヌ型筋ジストロフィー（DMD）　206
- ❸ デュシェンヌ型筋ジストロフィーの発症　207
- ❹ デュシェンヌ型筋ジストロフィーの診断　207
- ❺ デュシェンヌ型筋ジストロフィーの臨床症状　207
- ❻ デュシェンヌ型筋ジストロフィーの治療　208
- ❼ デュシェンヌ型筋ジストロフィーの各機能障害の特徴　209
- ❽ デュシェンヌ型筋ジストロフィーの作業療法　216

6　各種対象疾患に対する作業療法アプローチ：二分脊椎　　田山智子　238
- ❶ 二分脊椎とは　238
- ❷ 二分脊椎の評価　240
- ❸ 二分脊椎のアプローチ　244
- ❹ セルフケアの援助　246
- ❺ 適応行動を促すための環境調整　249
- ❻ 関連施設との連携　249

7　各種対象疾患に対する作業療法アプローチ：分娩麻痺　　田山智子　252
- ❶ 分娩麻痺とは　252
- ❷ 分娩麻痺の評価　255
- ❸ 分娩麻痺のアプローチ　257
- ❹ 適応行動を促すための環境調整（物理的環境と人的環境の調整）　260
- ❺ 社会生活に対する援助　262
- ❻ 関連施設との連携　262

8　薬の基礎知識　　野部裕美　264
- ❶ 薬とは　264
- ❷ 薬の作用　264
- ❸ 薬物の投与経路　265
- ❹ 小児における薬物療法と体内分布　267
- ❺ てんかんとその治療薬　268
- ❻ 統合失調症とその薬剤　270

9　医療的ケア児とその家族　　西方浩一　272
- ❶ はじめに　272
- ❷ 医療的ケア児　272
- ❸ 医療的ケア児と家族が抱える課題　273
- ❹ 作業療法士に求められる視点　274

Case Study Answer　278

4 家族，地域を含めた支援　　　281

1 子どもの虐待の作業療法　　三浦香織　282
- ① 子どもの虐待とは　282
- ② なぜ虐待は起こるのか　283
- ③ 子どもの虐待をどのように発見するか　284
- ④ 虐待を受けている（おそれのある）子どもを発見したときには　284
- ⑤ 虐待の子どもへの影響　285
- ⑥ 被虐待児と関わる前に知っておくべきこと　285
- ⑦ 被虐待児の作業療法　286
- ⑧ 感覚統合と快体験・目的的活動　287

2 保護者への対応　　三浦香織　291
- ① 保護者にも支援が必要である　291
- ② 保護者ががんばっていること，できるところをみつける　292
- ③ 子育ての成功体験を　292
- ④ "抱えられる"体験を　293
- ⑤ 支援時期別 保護者への作業療法の役割　293

3 作業療法士の基本的態度　　三浦香織　295
- ① 子どもの作業療法「あいうえお」　295

4 特別支援教育と作業療法　　三浦香織　297
- ① はじめの質問　297
- ② 特別支援教育とは　298
- ③ 特別支援教育への道のり　298
- ④ 特別支援教育では何をするのか　299
- ⑤ 特別支援教育で作業療法士ができること／すべきこと　299
- ⑥ 実際に作業療法士は何をしているか　300

Case Study Answer　303

事例集　305

- ① 自閉症スペクトラム障害，知的障害　　酒井康年　306
- ② 脳性麻痺（両麻痺）　　森田浩美　308
- ③ ダウン症　　神作一実　310
- ④ デュシェンヌ型筋ジストロフィー　　田中栄一　313

索引　316

> 本書に関連した動画配信サービスにあたり，動画をご提供いただいたご本人，保護者の方，佐々木清子先生に深謝いたします。

本書の特徴

本書では，学習に役立つ以下の囲み記事を設けております。

アクティブラーニング
学生の考える力を養う質問をご提案しています。

試験対策 point
学内試験や国家試験に役立つ内容を掲載しています。

作業療法参加型臨床実習に向けて
新しい実習形式に役立つ解説を掲載しています。

Case Study・Question
授業や自習で活用できる，事例に関する質問を掲載しています。

補足
本文の内容をさらに掘り下げた内容や関連情報，注意点などを解説しています。

チェックテスト
各項目のまとめを質問形式でまとめた囲み記事です。質問の解答は，当社ウェブサイトに掲載しています。下記URLまたは右のQRコードよりアクセスしてください。

メジカルビュー社ウェブサイト

https://www.medicalview.co.jp/download/ISBN978-4-7583-2047-4

動画の視聴方法

　本書掲載の内容の一部は，メジカルビュー社ウェブサイト動画配信サービスと連動しています。動画を配信している箇所には Web動画 マークが付属しています。動画は，パソコン，スマートフォン，タブレット端末などで観ることができます。下記の手順を参考にご利用ください。なお，動画は今後も追加していく予定でございますので，当社ウェブサイトを随時ご確認ください。

※動画配信は本書刊行から一定期間経過後に終了いたしますので，あらかじめご了承ください。

動作環境
下記は2021年9月時点での動作環境で，予告なく変更となる場合がございます。

● **Windows**
- OS ：Windows 10 / 8 1 /（JavaScriptが動作すること）
- ブラウザ ：Edge 最新バージョン，Internet Explorer 11
　　　　　　Chrome・Firefox 最新バージョン

● **Macintosh**
- OS ：10.15 ～ 10.8（JavaScriptが動作すること）
- ブラウザ ：Safari・Chrome・Firefox 最新バージョン

● **スマートフォン，タブレット端末**
2021年9月時点で最新のiOS端末では動作確認済みです。Android端末の場合，端末の種類やブラウザアプリによっては正常に視聴できない場合があります。
動画を見る際にはインターネットへの接続が必要となります。パソコンをご利用の場合は，2.0 Mbps以上のインターネット接続環境をお勧めいたします。また，スマートフォン，タブレット端末をご利用の場合は，パケット通信定額サービス，LTE・Wi-Fiなどの高速通信サービスのご利用をお勧めいたします（通信料はお客様のご負担となります）。
QRコードは（株）デンソーウェーブの登録商標です。

■ **メジカルビュー社ウェブサイトで動画一覧ページから動画を観る方法**

インターネットブラウザを起動し，メジカルビュー社ウェブサイト（下記URL）にアクセスします。

https://www.medicalview.co.jp/movies/

↓

表示されたページの本書タイトルそばにある「動画視聴ページ」ボタンを押します。

ここを押す → 動画視聴ページ

スマートフォン，タブレット端末で閲覧する場合は，下記のQRコードからメジカルビュー社ウェブサイトにアクセスします。

メジカルビュー社ウェブサイト

↓

パスワード入力画面が表示されますので，利用規約に同意していただき，下記のパスワードを半角数字で入力します。

23234896

↓

本書の動画視聴ページが表示されますので，視聴したい動画のサムネイルを押すと動画が再生されます。

0章

Introduction

Introduction

1 発達障害領域の作業療法

神作一実

Outline
● ここでは，発達障害領域の作業療法を概観するとともに，発達障害という言葉の意味，発達障害領域の作業療法の基本的な考え方について説明する。

1 発達障害

発達障害という言葉は，現在2種類の定義がある。1つは，「発達障害者支援法」により定義されているものである。これは，狭義の発達障害の定義である。

発達障害者支援法[1]による定義
「発達障害」とは，自閉症，Asperger症候群[*1]その他の広汎性発達障害[*2]，学習障害，注意欠如・多動性障害[*3]，その他これに類する脳機能の障害であって，その症状が通常，低年齢において発現するものとして政令で定めるもの

小児という未発達な段階で発生した障害に対しては，少なからずその後の発達に影響を及ぼすこと，発達の一領域に発生した障害は他の領域に影響を及ぼすこと，また，1人の子どもが重複した障害を有することがまれでないことから，全人的なアプローチが必要となる。そのため，発達障害領域の作業療法では，発達障害を広くとらえてきた。しばしば参考としてきた発達障害の定義としては，1970年の「アメリカ合衆国公法[2]」が挙げられる。

発達障害とは，以下の事項を含む
1. 知的障害・癲癇（てんかん）・脳性麻痺・知的障害同等の知能面の問題などを抱えた人々に必要な治療・対処を必要とする人で，保健・教育・福祉の担当長官に認定された神経学的症状に限定した能力障害。
2. 18歳までにその発達障害の症状・問題が発生する。
3. 現在から将来にわたってその症状・問題が慢性的かつ無制限に継続し，発達障害をもつ者に本質的な社会的不利を形成する。

[*1] **アスペルガー症候群**
広汎性発達障害の一種であり，知的障害を伴わないものの興味・関心や非言語的コミュニケーションの困難さ，想像力の障害などを有する。DSM-5では，自閉スペクトラム症/自閉症スペクトラム障害に分類される。

[*2] **広汎性発達障害**
DSM-Ⅳ-TRでは，対人的相互反応における質的障害，意思伝達の質的障害，行動・興味・活動が限定していて反復・常同的であることが特徴として挙げられている。知的機能は障害が軽度から重度までの幅がある。

[*3] **注意欠如・多動性障害**
多動性，衝動性，不注意の状態が不適応的で，発達に見合わない状態。DSM-5では，多動症/注意欠如・多動性障害に分類される。

2 発達障害領域の作業療法における対象疾患

　発達障害領域の作業療法における対象疾患としては，発達障害をもたらす疾患すべてが含まれる（表1）。

　姿勢・運動の障害を中心とするものとしては，中枢および末梢神経の障害によるもの，神経・筋疾患，骨・筋の障害が含まれる。知的発達，認知機能，精神機能の障害を中心とするものとしては，知的障害，自閉症スペクトラム障害，注意欠如・多動性障害，学習障害などが含まれる（これらについては，本書でその評価と治療，対象児支援を包括して記述しているので参照していただきたい）。視覚障害や聴覚障害などの感覚障害や内部障害については，これらによって二次的に生じた発達上の障害や生活上の障害に対して作業療法を実施する。

表1　発達障害領域の作業療法の主な対象疾患や障害

姿勢・運動の障害を中心とするもの	知的発達，認知機能，精神機能の障害を中心とするもの
●中枢および末梢神経の障害 　脳性麻痺 　頭部外傷 　脳血管障害 　二分脊椎 　分娩麻痺　など ●神経・筋疾患 　筋ジストロフィー 　Werdnig-Hoffmann病（進行性脊髄性筋萎縮症）など ●骨・筋の障害 　先天性四肢欠損・切断 　骨形成不全　など	知的障害 自閉症スペクトラム障害 注意欠如・多動性障害 学習障害など

3 ライフステージと作業療法実践の場

　発達障害領域の作業療法は，ライフステージに応じて，さまざまな場面で展開されている（図1）。

図1　ライフステージと作業療法の関わり

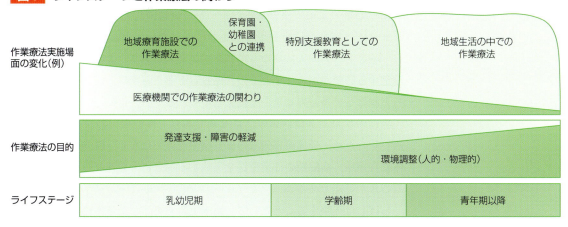

障害の種類によって，出生後どの時期に発見されるか異なる。多くの場合，医療機関や保健所での検診で発達像の指摘を受け，医療機関を受診することで確定診断を受けることが多い。作業療法は，診断を受けた医療機関で開始されることが多いが，地域療育施設が充実している地域では地域の療育機関にて作業療法が開始されることも多い。

　対象児は，療育機関では，作業療法をはじめ，必要に応じて理学療法，言語療法，心理指導，集団での生活指導により，発達促進のアプローチを受ける。乳幼児期に療育機関で指導を受けたのち，一部は所属集団が保育園や幼稚園に移行する。その間も，作業療法サービスが継続され，保育園などとの連携のなかで，対応方法や環境の調整などのコンサルテーションを行っていく。対象児が学齢期を迎えると，特別支援教育の一部として作業療法が行われる場合と，地域療育施設が継続して作業療法サービスを提供する場合がある。今後は，特別支援教育の有効なアプローチ方法としてさらに作業療法実践が展開されることが期待される。学齢期以降，デイケアなどでは継続して作業療法が実施される。以上のように，作業療法実践の場は，対象者のライフステージに応じて変化していく。対象者の障害像および発達課題に応じて，作業療法サービスを提供していく。

　作業療法の実践では，大きく分けて2つの側面に対してアプローチを行う。1つ目は，対象児・者の発達支援・障害の軽減である。対象児が低年齢の時期には，発達を促すためのアプローチが重要である。あわせて，その後発生する危険性の高い二次的障害の予防を視野に入れながら，アプローチを行うことが必要である。ライフステージの変化に伴い，発達支援に加えて人的・物理的環境調整が重要となってくる。対象児・者の暮らしをサポートするために環境を調整することは，遊び，セルフケア，学習，生活全般にわたって対象者の作業遂行状況の改善に有効である。

4 定型発達について学ぶ必要性

　定型発達は，ヒトという生物が成長し，さまざまな機能を獲得していくうえで効率のよい方法である。しかし，発達障害児・者のリハビリテーションでは定型発達を目標とするわけではない。どんな子どもであっても，子ども一人一人に異なった発達プロセスがあり，その子どもの目標を設定する必要がある。子どもの目標設定を考える際に，定型発達は一つのモデルとして多くのヒントを提供してくれる。

　発達のプロセスは回復のプロセスであり，機能獲得のプロセスでもある。そのため，発達障害領域の作業療法だけではなく，精神障害領域や身体障害領域，高齢期の作業療法を実践する場合にも発達プロセスを応用することが可能である。

　しばしば体験することとして，臨床実習を終了した学生のセミナーでは

発達障害領域以外の実習を行った学生が，しばしば「発達障害の勉強をして実習に望むべきだった」と反省のコメントをすることがある。臨床場面では，目標設定や治療上，発達的視点が重要となる。

5 チームアプローチの重要性（図2）

発達上どこかの領域で障害が発生した場合，子どもの場合にはその影響が子どもの発達全体に及ぶ。そのため，発達途上の子どもに対しては，さまざまな職種が多角的に関わり，チームでリハビリテーションを進めていく必要がある。

リハビリテーションチームは，職種ごとに業務分担するのではなく，対象者のニーズに対して協業的に各職種が有機的に機能するtransdisciplinary team approachが求められる[3]。

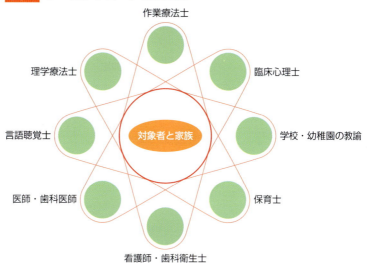

図2 チームアプローチの重要性

6 発達障害領域の作業療法の対象：当事者とその家族

発達障害領域の作業療法は，さまざまな場面で展開されているが，対象児・者の多くは家族とともに地域で暮らしている。作業療法場面にも，多くの場合，保護者や家族が同席する。作業療法場面では，対象児に対して直接的に行うアプローチに加え，対象児の治療を行いながら同時に保護者の質問や不安に答えたり，思いを受け止めたり，場合によっては家族間の調整を行ったりと，家族に対するアプローチも行っている。近年では，虐待児とその加害者である保護者に対するアプローチ場面が多く（p.281 4章参照），作業療法士のカウンセリング技術も求められている。元来，作業療法士には広い知識と対人援助技術が求められているが，発達障害領域の

○補足

作業療法士の　カウンセリング技術
作業療法士はカウンセリングの専門教育を受ける機会は少ないものの，傾聴と共感的・受容的な態度で対象者や家族と関わる必要がある。

作業療法士には，家族が幸せに暮らしていけるよう援助できることが望まれる。

7 発達障害領域の作業療法を学ぶにあたって（図3）

　発達障害領域の作業療法では，対象児・者のライフステージによって変化する発達課題の理解と対象者のニードにあった治療的介入が求められる。また，対象者の生活の理解と作業遂行改善のために必要な環境調整の方法についても，知識と技術が必要となる。作業療法では，対象者だけではなく対象者の家族に対しても有効かつ適切な対応ができるよう，対人援助技術も求められる。作業療法士に求められるものは，広く深い。探求心をもって学習することが望まれる。

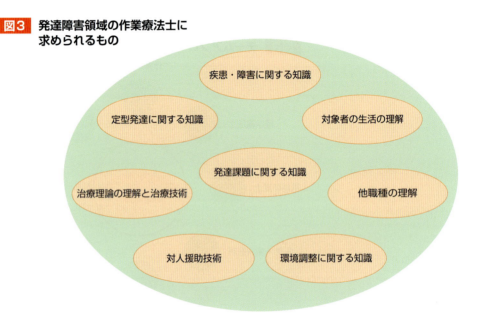

図3　発達障害領域の作業療法士に求められるもの

【参考文献】
1) 発達障害者支援法 (平成16年12月10日　法律第167号).
2) 根ヶ山俊介 ほか：アメリカの発達障害法をめぐって．発達障害研究，1(1)：57-61，1979．
3) 上田　敏 編：リハビリテーションの理論と実践．第2章リハビリテーション医学とは何か，23-34，ミネルヴァ書房，2007．

✔チェックテスト

Q
①発達障害者支援法での発達障害とは何か (☞p.2)。 基礎
②広義の発達障害の定義上，障害を受ける時期はいつか (☞p.2)。 基礎
③対象者のライフステージに応じて作業療法士はどんなことにアプローチを変化させる必要があるか (☞p.4)。 基礎
④チームアプローチはなぜ重要か (☞p.5)。 基礎
⑤発達障害領域の作業療法の対象は誰か (☞p.5)。 基礎

1章

子どもの発達と作業療法

子どもの発達と作業療法

1 姿勢・運動発達とその背景

神作一実

> **Outline**
> ● 発達障害領域の作業療法の基礎となる定型発達について理解を深める。運動発達のプロセスを理解することで，発達支援のモデルとして利用することが可能である。
> ● 粗大運動機能の発達プロセスを理解することで，応用動作の背景にある基本的な運動機能を理解する。

人間の基本的な運動機能をみると，粗大運動機能の歩行，微細運動機能の指尖つまみ，口腔領域の運動としての咀嚼など，いずれも1歳ごろ獲得される。認知機能やコミュニケーション機能，社会性など，運動機能以外の基礎的な機能獲得には生後数年を要することと比較すると，運動機能については生後1年で成人の機能を獲得することがわかる。運動発達は，それぞれの領域が単独で発達するのではなく，ここで述べるように，筋緊張，原始反射の統合や立ち直り反応・平衡反応の獲得，姿勢保持機能と上肢や口腔領域の運動機能発達が密接に関連している。

Web動画

＊1　背臥位
いわゆる「あおむけ」のことをいう。抗重力的活動が不十分な場合は，頭部を正中位に保つことが困難で，その結果，頸部・体幹・下肢がねじれを伴った非対称性姿勢をとりやすい。

＊2　腹臥位
いわゆる「うつぶせ」のことをいう。乳児の粗大運動発達は，腹臥位の抗重力的活動が基礎となっている。

1 粗大運動発達

新生児期は，背臥位*1，腹臥位*2ともに強い屈曲位をとっている（図1）。顔面は左右どちらかを向いており，頸部の回旋運動はごくわずかである。生後3カ月ごろになると，背臥位では頭部を正中位に保つことができるようになる（図2）。また，手が顔面に到達するようになり，握った手をなめる様子が観察されるようになる。腹臥位では，前腕での体重支持ができるようになり（on elbows, on hands），空間で頭部を保持したり回旋することが可能となる。

生後6カ月ごろになると，背臥位では下部体幹の屈曲を伴ったbottom lifting が観察されるようになり，自分の足部を持って足をなめる様子もみられるようになる（図3）。腹臥位では，**抗重力伸展活動**の高まりにより，全身の伸展位をとりながら腹部を支点に支える pivot turn がみられるようになる（図4）。生後5カ月ごろより**保護伸展反応**が観察されるようになる。これに伴って，持ち込み座位や上肢での支持を伴わない座位が可能となってくる。生後6カ月ごろには，寝返りが可能となるが，寝返りのパターンや獲得時期には個人差がみられる（図5）。

個人差はあるものの，生後8カ月ごろには，臥位から座位への姿勢変換

や四つ這い移動が観察されるようになる。生後9カ月ごろには，つかまり立ち，伝え歩きを獲得する。その後，1歳3カ月ごろまでに独歩を獲得する[1-6]。

図1 新生児期に観察される屈曲姿勢

　　a　背臥位　　　　　　　　　　　　　　b　腹臥位

図2 生後3カ月ごろに観察される抗重力伸展活動と正中指向

　　a　背臥位　　　　　　　　　　　　　　b　腹臥位

図3 生後6カ月ごろの背臥位
（bottom liftingがしばしば観察される）

図4 生後6カ月ごろの腹臥位

　a　on hands（オンハンズ）での重心移動

　b　pivot turn（ピボットターン）

図5 寝返りのパターン

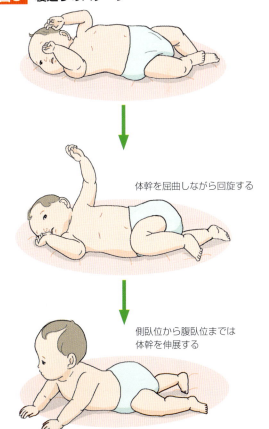

体幹を屈曲しながら回旋する

側臥位から腹臥位までは体幹を伸展する

子どもの発達と作業療法

Web動画

*3　手掌
手の平のこと。手の甲は「手背」という。

2 微細運動発達

■把握の発達（図6）

　新生児期は，手掌把握反射が優位であり，随意的な把握はみられない。生後4カ月ごろになると，手掌*3と尺側手指を使った尺側手掌把握が観察されるようになる。このころは物を握った際には手関節は屈曲位をとっている。生後6カ月ごろになると，手掌と橈側手指を使った橈側手掌把握が観察されるようになる。生後8カ月ごろになると，物が手掌面に触れずに対立位の母指の指腹面とその他の指腹面で把握する橈側手指把握がみられる。

　一方，自食では，手と口の協調が必要になる。食品を側腹つまみや指腹つまみで把持するものの，生後8〜14カ月ごろまでは，食品を口裂の中央部に運ぶことが難しい。加えて，食品を把持している指が口唇を超えて口の中に入る様子が観察され捕食が困難な様子が観察される。同様に，食具食べ開始まもなくは，スプーンを橈側手掌把握で握ることはできても，スプーンが口腔内の奥まで挿入され，捕食が難しい状況が観察される。手と口の協調性が発達するに従って，食具の把持方法も手掌回内握り，手指握り，ペンホルダーへと変化していく。この間に一時的に手掌回外握りが観察されることもある（図7）。

図6　把握の発達

a　尺側手掌把握

b　橈側手掌把握

c　手指握り

図7　スプーン把持の発達

a　手づかみ食べ

b1　手掌回内握り　　b2　手掌回外握り

c　手指握り

d　ペンホルダー

Web動画

■ **つまみの発達**（図8）

　生後7カ月ごろまでは，小さい物をねらって触れたり掻くようにして，つかもうとする様子がみられるが，手指のみでつまむことは難しい。生後8カ月ごろになると，**側腹つまみ**が観察されるようになる。生後10カ月ごろからは対立位をとった母指と他の指（多くは示指か中指）の指腹を使った**指腹つまみ**が観察されるようになる。1歳ごろには指尖（指腹と爪の間）を使って細いものをつまむ**指尖つまみ**がみられるようになる[5-7]。

図8　つまみの発達

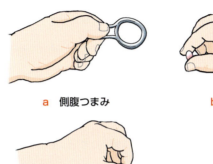

a　側腹つまみ　　　　　　b　指腹つまみ

c　指尖つまみ

Web動画

3　口腔運動発達（摂食嚥下機能を中心に）（表1）

　原始反射が統合されたのちの生後5カ月ごろから離乳食が開始される[8]。一般的に離乳食は，食品の内容や1日の摂取量で示されることが多い。しかし実際には，離乳食は子どもの摂食嚥下機能の発達に合わせて進めていく必要がある。定型発達児の場合，おおむね月齢と機能発達が一致しているが，発達障害を有する場合には留意を要する。

　向井[9]は摂食嚥下機能発達を8段階に分類した。それぞれの発達像は以下のとおりである[10]。なお，それぞれの段階は重なりながら移行していく。

補足

原始反射
原始反射には，主に生命維持に関わる反射と姿勢反射に関連するものがある。摂食嚥下機能に関する原始反射は生後3カ月ごろには統合され，随意的な運動に移行する。

表1　摂食機能獲得段階と獲得される機能

	獲得する機能	特徴的な運動
①経口摂取準備期	乳児嚥下による乳首からの液体摂取	吸啜反射，指しゃぶり，おもちゃなめ
↓		
②嚥下機能獲得期	成人嚥下，舌尖の横口蓋ヒダへの固定，食塊移送	下唇の内転
↓		
③捕食機能獲得期	捕食，顎・口唇の随意的閉鎖	上唇での取り込みの開始
↓		
④押しつぶし機能獲得期	舌での押しつぶし，舌尖の横口蓋ヒダへの押しつけ	口角が左右対称にひける
↓		
⑤すりつぶし機能獲得期	咀嚼，頬と口唇の協調運動，口角・顎の偏位，食塊形成	口角が左右非対称にひける
↓		
⑥自食準備期	介助食べで一口量の咬み取りができること	歯がため遊び，部分的な手づかみ食べ（菓子など）
↓		
⑦手づかみ食べ機能獲得期	自食での前歯での咬み取り，口唇中央部からの捕食，頸部の回旋の消失	口唇中央部へ食物を運び，咬み取る。自食での一口量が決定できるようになっていく
↓		
⑧食具（食器）食べ機能獲得期	口唇中央部からの食器の挿入，食器からの捕食，頸部の回旋の消失，食器上の食品から一口量を摂り込める	口唇中央部に食器を持っていく。食器から，捕食によって一口量を摂る。後に，食具で口に運ぶ量を調整できるようになる

（文献10より引用，著者加筆）

①経口摂取準備期

　離乳食開始前の時期に相当する。乳児嚥下により乳首からの液体摂取を行う時期である。原始反射であるルーティング反射や吸啜反射が観察される。

②嚥下機能獲得期

　離乳を開始する生後5～6カ月の時期に相当する。この時期は，ピューレ状（ドロドロ状）の食物を成人嚥下にて摂取することができるようになる。この時期は，嚥下時に下唇が上唇に巻き込まれる様子（下唇の内転）が観察される。

③捕食機能獲得期

　上唇での捕食を獲得する時期である。嚥下機能獲得期から押しつぶし機能獲得期にかけて捕食機能を獲得していく様子が観察される。おおむね生後7～8カ月ごろに該当する。捕食により，口唇にて食物からの感覚情報を得られるようになる。さらに，捕食が可能となると食物は舌尖と横口蓋ヒダの間に入り，舌尖からも感覚情報を得ることが可能となり，さまざまな食品への対応が可能となる。

　捕食は，ただ単に食品を口の中に摂り込むだけでなく，上記の機能を含むため，摂食嚥下機能へのアプローチを行ううえでも重要な機能である。

④押しつぶし機能獲得期

捕食が可能となることで，舌尖と横口蓋ヒダの間に食物が入り，そのまま舌での押しつぶしへと一連の動作が可能となる。押しつぶし機能獲得期には，左右の口角が対称的に引かれる様子が観察される。この時期には，舌でつぶせる程度の硬さの形のある食品やマッシュ状の食品を食べることができるようになる。

⑤すりつぶし機能獲得期

定型発達の場合，生後9～11カ月ごろにあたる。捕食が可能となることで，食物は舌尖部に入る。舌尖が側方へ移動することにより，食物を臼歯部(将来臼歯が萌出[*4]する歯茎部)へ移送することが可能となる。すりつぶし機能獲得期の初期は下顎は単純な上下運動が中心だが，少しずつ臼磨運動[*5]が可能となり，咀嚼運動が完成する。また，すりつぶし機能獲得期では食塊形成が可能となる。この時期には，歯茎部ですりつぶすことが可能な程度の硬さであれば，固形物を摂取することができるようになる。

⑥自食準備期

自食を行ううえで必要な「口が自分にとって妥当な一口量を決める」ことを学習する時期であり，離乳の完了する12カ月以降の時期にあたる。手と口の協調発達が未熟な段階で，介助で口元に運ばれた食品を捕食と前歯での咬断によって一口量を咬み取ることを獲得する段階である。

⑦手づかみ食べ機能獲得期

上肢によって口唇中央部に運ばれた食物を，前歯で咬断することによって一口量を口腔内に取り込むという，手と口の協調が獲得される段階である。

⑧食具(食器)食べ機能獲得期

食具を使用して食物を口唇中央部に運び，捕食によって妥当な一口量を摂り込むことができるようになる時期である。大久保[11]によれば2～3歳になると，おおむね食具から妥当な一口量を摂り込むことができるようになる。3歳以降は，スプーンですくう際に量を調整することが少しずつ可能となる。

4 正常筋緊張(図9)

正常運動の背景には，正常運動パターンと正常筋緊張がある[12]。正常筋緊張とは一定の水準が決まっているのではなく，覚醒水準，重心の高さや支持基底面の広さ，心理的な緊張によっても変化する。関節運動を行う場

---

*4 萌出
歯が生えること。

*5 臼磨運動
下顎の運動は顎関節による。咀嚼時の下顎は単純に上下するのではなく臼歯部の咬合面を擦り合せたり，一側の臼歯部を強く咬合させる。このような食物をすりつぶすための協調的な運動を臼磨運動という。

合は関節が動く程度の筋緊張の低さが必要であり，体重を支持する場合は，関節が安定する程度の筋緊張の高さが必要となる。また，歩行時の立脚相のように，体重を支持しながら運動を行う場合には，さらに運動の要素と安定の要素の両方を得られる程度の筋緊張にコントロールすることが必要となる。すなわち，**正常筋緊張**とは，必要に応じて筋緊張をコントロールできることを意味している。

図9 "正常"といわれる筋緊張

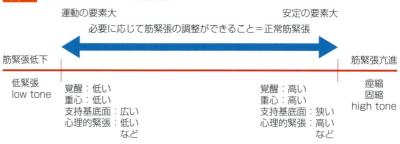

アクティブラーニング ① 正常筋緊張とは何か，自分の言葉で説明してみよう。

5 原始反射の統合と立ち直り反応・平衡反応の出現（図10）

正常運動発達の背景には，**原始反射の統合**と**立ち直り反応，平衡反応の出現**がある[13]。生後3カ月ごろまでは，霊長類において生命維持と関連の深い，ルーティング反射，吸啜反射，手掌把握反射やモロー反射（いずれも母親から振り落とされないために必要な反射）などの原始反射が観察される（図11）。生後3カ月以降は，徐々に立ち直り反応が出現し，生後6カ月ごろ以降はパラシュート反応などの平衡反応が出現するようになる[14]。その後，ホッピングやステッピングなどの立位での平衡反応が出現する。

立ち直り反応は，支持基底面のなかに重心を戻す働きであり，平衡反応

図10 原始反射の統合と立ち直り反応・平衡反応の出現

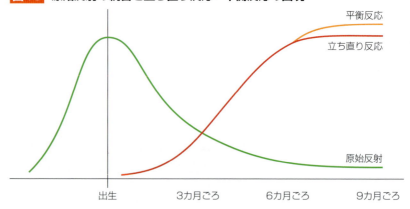

は，新しい支持基底面をつくる働きである（図12）。移動機能を獲得する生後8カ月ごろ以降は，立ち直り反応と平衡反応は一体化した動作として観察されるようになる。

移動機能の獲得には，立ち直り反応による姿勢の安定性に加え，平衡反応により新しい支持基底面をつくり，新たに得た支持基底面に重心移動を行うことの繰り返しにより可能となる。移動機能獲得を支援する際には，抗重力伸展活動や耐久性改善のアプローチに加え，立ち直り反応と平衡反応の促通が必要である。

子どもの発達と作業療法

図11 原始反射

a ルーティング反射
頬などに触れると刺激位置に口唇中央部を持っていくように頸部の運動が観察される。

b 吸啜反射
口腔内に乳首を挿入するとリズミカルな吸啜運動が生じる。

c 手掌把握反射
手掌面が刺激されると，手指の屈曲が発生する。

d モロー反射
急な頭部の位置の変化に対して，上肢が伸展しその後ゆっくり屈曲する（反射の本体は，強い前庭刺激に対して屈曲姿勢が強まるといわれている）。

図12 立ち直り反応と平衡反応

a 立ち直り反応
支持基底面のなかに重心を戻す反応

b 平衡反応
新しい支持基底面をつくる反応

運動発達に関して

粗大運動機能，微細運動機能，口腔機能（主に摂食に関わる機能）の発達は，おおむね1歳になるまでにヒトとしての基本的な機能が獲得される。獲得月齢を暗記するのではなく，運動発達の3領域がどのような関係で発達するのかを理解することで，より対象児を総合的に評価することができる。

領域	3カ月	6カ月	8カ月	10カ月	12カ月
粗大運動機能	定頸	座位保持	四つ這い移動	つかまり立ち	伝い歩き・独歩
微細運動機能		橈側手掌把握	橈側手指把握 側腹つまみ	指腹つまみ	指尖つまみ
口腔機能		成人嚥下	舌での押しつぶし	すりつぶし （2〜3回の咀嚼）	咀嚼運動 （ダイナミックな咀嚼）

（獲得月齢は個人差があるものとして考える）

 ② 原始反射の統合と立ち直り反応・平衡反応の出現の関係を説明してみよう。

6 粗大運動機能発達を促すために

粗大運動機能の構成要素には，立ち直り反応・平衡反応，重心移動，支持基底面の変化，抗重力的活動などが含まれている（**表2**）。

作業療法場面において，粗大運動機能の発達を促すアプローチを行う場合には，対象児の原始反射の統合，立ち直り反応・平衡反応の状況，支持基底面と重心移動の関係，抗重力伸展活動の評価を行う必要がある。発達課題をクリアするために，次のステップの機能獲得を目的にアプローチを行う場合には，単に繰り返し練習を行うのではなく，機能獲得の背景にある構成要素に対してアプローチを行うことが重要である。

表2 獲得する機能と機能獲得の背景

	立ち直り平衡反応	重心移動・支持基底面・抗重力的活動など
定頸	空間で頸部の立ち直り	頸部の抗重力伸展活動，正中指向
寝返り	頸部に対する体幹の立ち直り	背臥位での抗重力屈曲活動，腹臥位での抗重力伸展活動，bottom lifting，背臥位・腹臥位での重心移動
座位保持	パラシュート反応（平衡反応） 空間での頸部体幹の立ち直り	座位での抗重力的な活動，立ち直りの際の骨盤の分離運動
臥位・座位から四つ這い位への姿勢変換	立ち直り反応と平衡反応が複合的に作用	抗重力的活動のなかで頸部体幹のスムーズな回旋運動
四つ這い移動	立ち直り反応と平衡反応が複合的に作用	新しい支持点をつくることにより，支持基底面を変化させる。新たにつくった支持基底面のなかに重心移動をする。これを連続で行う
つかまり立ち	上肢と両足部を支持点とした立ち直り反応	立位での抗重力伸展活動
独歩	立位での立ち直り平衡反応，ステッピングなどの平衡反応	支持基底面の連続的変化

【参考文献】
1) Frankenburg WK 著：日本小児保健協会，Denver Ⅱ デンバー発達判定法，日本小児医事出版社，2009.
2) 遠城寺宗徳：遠城寺式乳幼児分析的発達検査法，慶應義塾大学出版会，1978.
3) 津守 真 ほか：増補乳幼児精神発達診断法―0歳～3歳まで，大日本図書，1995.
4) 生澤雅夫 ほか：新版K式発達検査2001 実施手引書，京都国際社会福祉センター，2002.
5) 鷲田孝保 編：作業療法士 イエロー・ノート 専門編，メジカルビュー社，2007.
6) 長﨑重信：イラスト作業療法ブラウン・ノート，200-204，メジカルビュー社，2007.
7) Erhardt RP 著，紀伊克昌 訳：手の発達機能障害，医歯薬出版，1988.
8) 授乳・離乳の支援ガイド，厚生労働省雇用均等・児童家庭局 母子保健課，2007.
9) 金子芳洋 ほか 監修：摂食・嚥下リハビリテーション，医歯薬出版，1998.
10) 田角 勝 編著：小児の摂食嚥下リハビリテーション，医歯薬出版，2006.
11) 大久保真衣 ほか：摂食機能発達を考慮した自食スプーンの研究：ハンドル部とボール部の角度の違いによる捕食動作への影響，小児保健研究，61(3)：503-511，2002.
12) 紀伊克昌 監修：ボバース概念の実践ハンドブック，パシフィックサプライ，1998.
13) 田中 繁 ほか 監訳：モーターコントロール 原著第3版，医歯薬出版，2009.
14) 城戸正明：Milani-Comparetti の運動発達評価表，理学療法と作業療法，11(3)：161-169，1977.

✓ チェックテスト

①筋緊張はどのような要素で変化するか説明せよ（☞p.13, 14）。　基礎
②定頸とはどのような要素を含んでいるか（☞p.16）。　基礎
③生後6カ月ころに観察される立ち直り反応・平衡反応は何か（☞p.8）。　臨床
④座位保持が可能となるためにはどのような条件が整う必要があるか（☞p.16）。　臨床
⑤四つ這い移動が可能となるためにはどのような条件が整う必要があるか（☞p.16）。　臨床
⑥独歩が可能となるためにはどのような条件が整う必要があるか（☞p.16）。　臨床
⑦微細運動発達の発達順序について説明せよ（☞p.10）。　基礎
⑧上肢が体重支持から解放される生後6カ月以降は，どのように機能を獲得していくか説明せよ（☞p.10）。　臨床
⑨捕食機能とは何か。定型発達時ではいつごろ獲得されるか（☞p.12）。　基礎
⑩舌での押しつぶしとは何か。定型発達時ではいつごろ獲得されるか（☞p.13）。　基礎

子どもの発達と作業療法

2 感覚統合機能の発達

神作一実

> **Outline**
> - 子どもの発達をとらえる際に，運動機能発達や認知機能発達が重要である．一方，これらの発達の背景には，感覚統合機能の発達がある．
> - 感覚統合機能の評価は，対象者の全体像をとらえる際には，重要なポイントである．
> - ここでは，感覚統合機能の発達について，感覚統合理論に基づき，Ayresの感覚統合機能の発達段階を用いて説明をする．

1 感覚統合

　感覚統合とは，身体の表面や内部からの感覚入力を脳で組織化し，環境に対して適応的に対応するための一連の処理過程である[1]．本書の3章（p.70）では，感覚統合機能障害に対する評価と治療的介入を含めて詳細に示されているので，参照していただきたい．

2 感覚統合機能の発達

　Ayres（エアーズ）は，感覚統合機能の発達を4段階に区分して説明している（図1）．

図1 感覚統合の発達

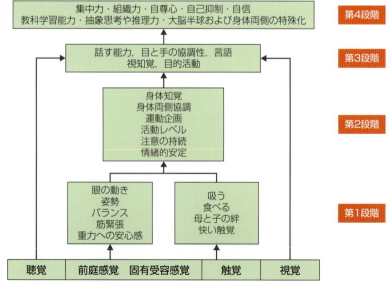

（文献1より引用）

> *1 前庭系
> 前庭感覚は内耳平衡器官である三半規管と前庭の耳石器が受容器となり加速度刺激を感じている。三半規管は回転加速度、耳石器が直線加速度を感知している。前庭系は、これらの加速度刺激からの入力に加え、視覚および体性感覚からの入力が統合される。これらは感覚情報処理を経て前庭動眼反射や前庭視運動性眼振反射などの眼球運動系、姿勢制御などの前庭脊髄反射系、自律神経系のコントロールに出力される。

> *2 固有受容系
> 筋紡錘、腱紡錘、関節包や靱帯にある受容器（ルフィニ小体・ゴルジ小体・羽値に小体などの被包性終末、自由神経終末）から入力され統合される。身体の位置関係を感知するとともに、運動学習、運動出力の調整に不可欠な感覚系である。

> *3 重力加速度
> 地球の重力は物体に及ぼす加速度である。地球上の物体は約9.8m/s2の加速度を受け続けている。

> *4 目的的活動
> 子ども自身が目的を持って実行する活動であり、その活動が目的にかなったものである活動

① 第1段階：自分を取り巻く環境からの感覚情報を受容する段階である。前庭系*1と固有受容系*2の統合により、地球という重力加速度*3の環境に適応する段階である。これにより、眼球運動、姿勢、バランス、筋緊張などのコントロールと、重力への安心感を獲得する。また、触覚系の感覚を受容し、快い触覚をベースに、哺乳や食べること、母と子の絆を築いていく時期である。

② 第2段階：自分の体を使って合目的的に環境と関わる段階である。第2段階では、身体知覚、身体両側協調性、運動企画、活動レベル、注意の持続、情緒の安定性などを獲得する段階である（運動企画は3章1 p.89参照）。この時期、子どもは、探索行動を通して自分の身体と身体の関係や身体と物の関係を体験・理解を深める。身体知覚が向上すると、アスレチックのように全身運動を伴いながら身体と空間関係を変化させる遊びが多く観察されるようになる。また、ブランコやすべり台などの加速度刺激に伴って姿勢のコントロールが必要な遊びも楽しい遊びとなってくる。子どもにとって「ちょっと難しい」ことに挑戦することは、子どもの達成感を高めるとともに、次の発達段階の基礎となる。

③ 第3段階：前庭系、固有受容系、触覚系の3つの主要感覚系の統合に、視覚系や聴覚系が統合する段階である。言語、話す能力や目と手の協調性、視知覚、目的的活動*4が高まる時期である。この段階では、視覚・聴覚の知覚や認知により、合目的活動が増え、遊びのバリエーションが大幅に広がる。

④ 第4段階：感覚統合の最終段階である。集中力、組織力、自尊心、自己抑制、自信、教科学習能力、抽象的思考や推理力、大脳半球および身体両側の特殊化が高まる時期である。第4段階は、第3段階までの感覚統合が基礎となり獲得されてくる。つまり、大脳皮質の分化が発達するためには、脳全体が感覚情報を処理するための基盤が整っている必要がある。第4段階は、小学校入学時の段階といわれており、集団での学習や課題遂行、その間の注意の持続などが可能となる。

【参考文献】
1) 佐藤　剛, 土田玲子 ほか：みんなの感覚統合その理論と実践, パシフィックサプライ, 1996.
2) Ayres AJ 著, 佐藤　剛 監訳：こどもの発達と感覚統合, 協同医書出版社, 1982.

✅ チェックテスト

Q
① 感覚統合発達の第1段階で統合される感覚系は何か（☞p.19）。 基礎
② 感覚統合の第1段階で獲得されるものは何か（☞p.19）。 基礎
③ 感覚統合発達の第2段階で統合される感覚系は何か（☞p.19）。 基礎
④ 感覚統合の第2段階で獲得されるものは何か（☞p.19）。 基礎
⑤ 感覚統合発達の第3段階で統合される感覚系は何か（☞p.19）。 基礎
⑥ 感覚統合の第3段階で獲得されるものは何か（☞p.19）。 基礎
⑦ 感覚統合発達の第4段階で統合される感覚系は何か（☞p.19）。 基礎
⑧ 感覚統合の第4段階で獲得されるものは何か（☞p.19）。 基礎
⑨ 感覚統合発達の最終段階は定型発達では何歳ごろか（☞p.19）。 基礎

子どもの発達と作業療法

3 認知・思考機能の発達

茂井万里絵

Outline
- 具体的な作業療法のアプローチを考えるための基本として，子どもの認知発達を理解する。
- 思考の発達も含め，発達段階によってそれぞれ課題の違いがあることを理解する。

1 認知・思考機能の発達段階

「右手を挙げてください」という指示に従えるのは，何歳からだろうか。そもそも言葉が理解できない，「挙げる」という行為がわからない，「右手」がわからない，など子どもの場合には認知・思考機能にさまざまな段階があることを知らなければならない。

認知・思考機能の発達については，さまざまな段階説がある。乳幼児からの発達に関心があれば，心理学者Piaget（ピアジェ）の認知発達段階説，そして発達心理学者Erikson（エリクソン）の発達段階説「心理社会的発達理論」の両者を理解しておく必要がある。この両者の基本的な違いを簡単に説明すると，以下のとおりである。

ピアジェは子ども自身の身体感覚から知識を獲得すると考え，それぞれの時期によって外部の環境を認識する「シェマ（スキーマ構造）」[*1]の質的変化の違いを段階的にとらえる。その変化を青年期までの4つの段階（感覚運動期，前操作期，具体的操作期，形式的操作期）に分類し，やがて成人して完成するという考えによる理論である。

一方エリクソンは，人間の発達はその人の生活している社会との相互作用によるものという考え方を示した。人は生涯をかけて発達するものであり，それぞれの年齢に従って存在する超えるべき「発達課題」をもとに，生涯を8つの段階に分類するが，人間の発達を包括的にとらえた理論であることを特徴とする。

「発達課題」の中でも，乗り越えるべき「心理社会的危機」のうち，青年期の「自我同一性[*2]」は覚えておくべきである。今回はそれまでの乳幼児期〜青年期までについて述べる。

ピアジェの青年期までの4つの発達段階は，エリクソンの提唱する発達段階では8つのうち5つの段階までに対応する（表1）。

> [*1] シェマ（スキーマ構造）
> これまでの経験によって身につけられた認知構造のこと。

> [*2] 自我同一性
> アイデンティティのこと。自己同一性ともいわれる。

表1 エリクソンとピアジェの各発達段階
※年齢は定型発達児のおおよその目安

/年齢	0歳〜	1	2	3	4	5	6	7	〜12	〜18
エリクソン	乳児期	幼児前期			幼児後期			児童期		青年期
(発達課題)※1	基本的信頼	自律性			自主性			勤勉性		自我同一性
ピアジェ	感覚運動期				前操作期※2			具体的操作期		形式的操作期

※1 エリクソンは各段階に解決すべき「発達課題」があると考えそれを「心理社会的危機」とよぶ。
※2 前操作期は，前半：前概念的思考段階，後半：直感的思考段階に分かれる。

2 認知・思考機能の発達段階の特徴

　保育・教育で扱う定型発達児のおおまかな年齢区分を用い，各段階の特徴について述べる。個人差が大きい時期であり，年齢という固定概念にとらわれすぎないように留意し，それより「発達の順序性」を重視することが求められる。

①乳児期（0歳からおよそ1歳半〜2歳ごろ）

　この時期は感覚器官の発達とともに，感覚運動を通してその反応から学ぶ段階である。ピアジェはこの時期，ほぼ2歳までを「感覚運動期」とよび実際の活動や動作を通じて事象や物を認識する時期ととらえている。模倣行動も盛んな時期である。一方，エリクソンはおよそ1歳半までをその反応が自分を取り巻く人や社会を信頼することから獲得できる，「基本的信頼」の時期であるとし，ここでの心理社会的危機は「不信感」となる。

②幼児前期（1歳半〜2歳から3〜4歳ごろ）

　ピアジェは，この時期は見立て遊びやごっこ遊びにみられる，イメージが表象の主体となってくる時期であるが，まだ一般的な抽象的概念としてではなく，具体的な対象や活動に結びついたものとする「前操作期」のうち「前概念的思考段階」としている。一方，エリクソンは遊びを通して生活，すなわち身辺自立(自律)の感覚をもつようになる段階ととらえ，「自律性」を獲得する，自分でなんでも思い通りにできる，またはやりたい意欲の旺盛な時期としている。この時期にまわりの大人や社会の期待することができないときに生じる「恥」や「疑惑」が心理社会的危機となる。

③幼児後期（2〜3歳から4〜7歳ごろ）

　ピアジェは「前操作期」の後半，7歳くらいまでを「直感的思考段階」とした。「前操作期」は保存の概念の理解，自己中心性，アニミズム[*3]などが特徴であり，少しずつ論理的思考がみられるようになる時期を指す。またエリクソンによれば自発的に活動に取り組むようになり，失敗や葛藤経験を通して少しずつ適切にできるようになることを身につける段階とし，「自主性」の獲得の時期ととらえている。親などのまわりの身近な大人から

*3 **アニミズム**
無生物や動物，植物などを擬人化すること。

の過度なしつけや非難によって生じる「罪悪感」が心理社会的危機となる。

④学童期（6〜7歳から12歳ごろ）

思考が直接的なものから，自分が具体的に理解できる範囲においては論理的に思考できるようになる段階である。ただし，論理的思考も具体的なものに限られるため，ピアジェはこの段階を「具体的操作期」とした。この時期になると，小学生になり学習を通して幅広く学ぶようになり，宿題など興味関心のあること以外にも，一生懸命かつ忍耐強く学び続ける姿勢が求められるようになる時期であり，エリクソンはこの段階を「勤勉性」，つまり自分に能力があることを自覚した「有能感」の獲得の段階としている。この時期はつまずきや失敗などによる「劣等感」が心理社会的危機である。

⑤青年期

抽象的な概念を用いた論理的思考が可能となる。つまり観念的な操作が可能になる段階である。これをピアジェは「形式的操作期」とした。一方，エリクソンは「自分とは何者か」という命題に向かう時期として，「自我同一性（アイデンティティ）」を確立する段階ととらえている。この時期の心理社会的危機は，自分が何であるのか，生きる目標はなんなのか，と悩み続けることなどにみられる「同一性の拡散」である。

> **アクティブラーニング ①** 自分自身，あるいは身近な人がどの時期にどのような発達課題を乗り越えてきたか考えてみよう。

参考文献
1) J. Vauclair 著，明和政子 ほか 訳：乳幼児の発達．新曜社，2014．
2) U. Goswami，岩男卓実 ほか 訳：子どもの認知発達．新曜社，2003．
3) 若尾良徳 ほか 編著：発達心理学で読み解く保育エピソード．北樹出版，2018．

✓ チェックテスト

Q ①ピアジェの述べる「感覚運動期」の時期は，どのような発達と関連づけて考えるべきか（☞p.22）。 **臨床**
②発達心理学者のエリクソンは，それぞれの発達段階にある乗り越えるべき課題のことを，何とよんでいるか（☞p.21）。 **基礎**
③発達段階は年齢が低い時期には個人差が大きい。従って重視するのはどのようなことだと考えるか（☞p.22）。 **臨床**
④定型発達の就学前の幼児期には，さまざまなことが自分でできるようになる。エリクソンはこの時期の課題を何と述べているか（☞p.22）。 **基礎**
⑤アニミズムの特徴について，具体的な事例を挙げて説明せよ（☞p.22）。 **臨床**

子どもの発達と作業療法

4 コミュニケーション機能の発達

茂井万里絵

> **Outline**
> ● 言葉によるコミュニケーション手段の獲得以前の発達について理解する
> ● 主に乳児期の前言語期の表現・伝達方法について知り，子どものもつさまざまな非言語的コミュニケーション手段を理解しておく。

1 コミュニケーション機能とは

日々の生活の中でコミュニケーション手段といえば，言葉によるものが最も一般的である。しかし，獲得量は言語的コミュニケーションより，視覚刺激を含め非言語による場合が大きな比重を占めている。

例えば，子どもに「おばけ」と言葉で伝えた場合，概念形成されていれば何であるかは伝わるが，「お～ば～け～！」と声色や表情，ジェスチャーなどを伴うことによって，おばけを具体的かつ明確に理解することができる。

乳幼児の場合，学習経験も少なく意思伝達力・理解力ともにまだ未熟である。まず，子どものコミュニケーション機能がどのように発達していくのかを理解しておく必要がある。

> **補足**
> Birdwistell（バードウィステル）(1970)によれば，「会話や相互作用における社会的意味のうち，言葉によって伝えられる情報は35％に過ぎない」といわれている。

2 前言語期のコミュニケーション

言語獲得前の乳児期に，養育者（大人）の言語的働きかけ（要求あるいは表現など）に対し，クーイング*1などによる応答的反応，すなわち「原コミュニケーション構造」が認められるようになる。これが前言語期のコミュニケーションである。例えば，泣くことで不快であることを伝えるとき（お腹がすいた，おしっこが出た，など），あるいは気持ちよさそうな発声をするなどして感情や状態を伝えるときに表出する。また，やがて指差し行動（pointing）も盛んになり，あっちに行きたい，これが欲しい，などを指1本で伝えることが可能になる。筆者はこの行動を「指がしゃべる」と説明することがあるが，語彙数の乏しい時期には言語よりもはるかに雄弁である。

> **＊1 クーイング**
> 子どもの身体が快適な機嫌のいい状態にあるときに出る，泣き声ではない「あぅ～」や「くぅ～」などという喉の奥からの発声。主に母音中心。

> **アクティブラーニング①** 友達同士で同じ言葉（例えば「今テストが終わりました」など）を使い，抑揚，または表情やジェスチャーを変化させ伝えてみよう。その違いから伝わる内容について話し合ってみよう。

3 非言語的コミュニケーション（non-verbal communication）

次第に子どもは，意味のある言葉を表出するようになってくるが，完全ではない。そのため，コミュニケーションが盛んに行われる時期である一方，言語能力が未熟なために身振り手振りが多く使われる。また，語彙数は少ないものの，言葉を感情表現や遊びに盛んに用いるようになるが，伝えようとするときには，非言語的コミュニケーションが主体である。「あのねあのね，これ〜！」というような言語表現のため，これだけでは意味がとれないなか，身振りやジェスチャーを交えているので内容が理解できる。想像力や思考においても，言語によるコミュニケーション手段が発達していくが，成人しても非言語的コミュニケーションが重要な手段となることには変わりはない。以心伝心，阿吽の呼吸など，高度なコミュニケーション手段は最終的に言葉がなくても通じる。従って，非言語によるコミュニケーション手段は人間関係においても常に重要な役割を果たすことを知っておかなければならない。

**アクティブラーニング② ** 相手の非言語的コミュニケーションを理解するためには，どのようなことが必要になるか，考えてみよう。

4 定型発達児のコミュニケーションの発達（表1）

【Web動画】

月齢はおおよその目安である。認知・思考の発達同様に定型発達児の場合，コミュニケーションの発達は順序性が守られていることに注目すべきである。

表1 定型発達児のコミュニケーションの発達

月齢	表出言語（発語）	言語理解	対人関係
出生〜	泣く，声を出す（クーイング），舌がよく動く	大きな音に反応する	生理的微笑
3カ月〜	笑う，人に向かって声を出す（過渡的喃語*2）	人の声で泣き止む	社会的微笑
6カ月〜	マ，パ，バなどの音声 喃語（基準喃語*3）	母の声を聞き分ける	鏡に写った自分の顔に反応する
9カ月〜	喃語（ジャーゴン*4）	「だめ！」などと言われると手を引っ込める	身振りを真似する 人見知りが始まる
12カ月〜	初語・有意味語の発現	バイバイがわかる	ほめられると同じ動作を繰り返す
18カ月〜	語彙数の増加	絵本を見てものの名前を言う	困難なことがあると助けを求める
24カ月〜	2語文を話す（助詞抜け）	主な体の部分の名称がわかる	簡単なごっこ遊び出現
36カ月〜	友達と会話する	簡単な形容詞（大小，高低など）がわかる	ごっこ遊びで役を演じる 順番にものを使う

*2 **過渡的喃語**
クーイングから明確な喃語に変わる移行期で，「子音＋母音」がまだ不明瞭な喃語。

*3 **基準喃語**
複数の音節による「子音＋母音」の構造をもつ喃語。

*4 **ジャーゴン**
喃語の最終段階。まるで何か喋っているような，長い喃語。

> **アクティブラーニング ③** クーイング，過渡的喃語がどのようなものか，実際に観て理解しよう。
> https://www.igakueizou.co.jp（医学映像教育センター「子どもの発達と支援 Vol.4 ことばの発達（サンプルムービー）」より

参考文献
1) Birdwistell RL：Essays on body motion communication. University of Pennsylvania Press, 1970.
2) 日本医学教育学会 編：基礎的臨床技能の学び方・教え方. 南山堂, 2002.
3) 秦野悦子：ことばの発達入門. 大修館書店, 2001.
4) 遠城寺宗徳 ほか：遠城寺式・乳幼児分析的発達検査表. 慶應義塾大学出版会, 1997.
5) 長尾圭造 ほか：ことばの発達検査マニュアル. 明石書店, 2009.
6) 岩立志津夫 ほか 編：よくわかる言語発達. ミネルヴァ書房, 2017.

チェックテスト

Q ①クーイングの特徴について述べよ（☞p.24）。 [臨床]
②定型発達児の生後6カ月ごろからみられる「子音＋母音」によって構成される喃語を何とよぶか（☞p.25）。 [臨床]
③前言語期に最も有効なコミュニケーション手段とは何か（☞p.24）。 [基礎]
④「まんま」「ぶーぶ」などの意味のある言葉を発するようになるのは，定型発達児の場合，おおよそいつごろからか（☞p.25）。 [基礎]
⑤2語文にはどんなものがあるか，例を挙げよ（☞p.25）。 [臨床]

5 子どもの発達と遊び

神作一実

> **Outline**
> - 子どもにとって遊びは，生活そのものであるばかりでなく，発達像をよく表す活動である。
> - ここでは，遊びとは何か説明するとともに，子どもの発達にとって遊びがどのような意味をもつかを概説する。

1 遊びとは

　子どもの生活を見ていると，ほとんどの時間を遊びに費やしている。遊びは，子どもにとって重要な作業活動である。遊びは子どもの発達像をよく反映しており，対象児の発達像の把握のためには，遊びの観察を行うことが重要である。

　遊びとは，

- 遊びは，喜び，楽しみ，おもしろさを求める活動
- 遊びは，自由で自発的な活動
- 遊びは，その活動自体が目的である非実用的な活動
- 遊びは，日常の現実経験に根ざしながら，日常性を離脱した活動

とされている[1]。

　また，遊びの要素として，心から楽しいこと，ほかから強要されていないことが重要であり，楽しくない遊びは真の遊びではないといわれている[2]。

2 遊びの機能による分類（表1）

　遊びの機能による分類はさまざまなものが示されている[2～6]。以下のように遊びの機能に注目することで，発達障害領域の作業療法実践で遊びを治療に応用しやすい。

①感覚運動遊び（図1）

　体を動かすことによってフィードバック[*1]される感覚を楽しむ遊びである。幼児期になると，運動機能の発達に伴って，感覚運動遊びのバリエーションが飛躍的に広がる。学童期になると，ゲーム的な要素も加わって，スキー，水泳などのスポーツへ移行する。スポーツは，感覚運動遊びの延長線上にあるということもできる。

*1 感覚のフィードバック
運動がおきると，前庭系，固有受容系，触覚系，視覚・聴覚等の感覚情報に変化が生じ，変化により発生した感覚情報は再度これらの感覚入力となる。感覚運動遊びは，この感覚の変化を楽しむ遊びである。また，感覚のフィードバックを利用して，運動の微調整を行う。精度の高い運動を行ううえでは不可欠な機能である。

表1	遊びの機能的分類と具体例
	具体例
①感覚運動遊び	・乳児期：指しゃぶり，ハイハイで動き回る，など ・幼児期：すべり台，ブランコ，水遊び，ジャングルジム，アスレチック，など
②操作的遊び	ガラガラ，スイッチ遊びの玩具，クーゲルバーン，積み木，ブロック，パズル，描画，など
③模倣的遊び	・実物を使った物：大人に食べさせてあげる，大人に歯磨きをしたがる，調理場面で実際の鍋とお玉を使ってかき回したがる，母親の化粧品を顔中に塗ってしまう，など ・日常生活の再現：おままごとセットを使ったおままごと，人形へのお世話遊び，お医者さんごっこ，など ・ごっこ遊び：ヒーローごっこ，プリンセスごっこ，など
④受容的遊び	テレビ，DVD，絵本を見る，音楽を聴く，映画を観る，など
⑤対人的な遊び	・乳児期：いないいないばあ，くすぐり遊び，など ・幼児期以降：場面を共有しながら楽しさや困難さへの共感，感情の受容など

図1 室内アスレチック

②**操作的遊び**

　ガラガラの操作のように簡単なものから始まる（ガラガラなどで遊ぶことは感覚運動遊びと操作的遊びの両面をもつ）。上肢機能の発達に伴って，スイッチ遊びなどの操作を中心とした遊びから，積み木やブロックなどの構成的な遊びへと発展していく。

③**模倣的遊び・想像的遊び（図2）**

　生後10カ月ごろから大人の模倣が始まり，生後1歳ごろには子ども向けのテレビを見ながら動作を模倣する様子が観察されるようになる。また，日常生活場面では実物を使った模倣が盛んに行われる。

図2 実物のお玉を使った模倣（a）とコスチュームを着たごっこ遊び（b，c）

a

b

c

その後，実際の生活場面とは別の場面において生活場面を再現するようなおままごとやごっこ遊びが観察されるようになる。

言語機能の発達やイメージの操作が可能になると，日常生活から離れたごっこ遊びもみられるようになり，子どもの模倣遊びが発展していく。

④受容的遊び

テレビ，DVD，絵本を見る，音楽を聴くなど，外部からさまざまな映像やストーリーを得ることで楽しむものをいう。受容的な遊びは，楽しみの幅を広げ，実体験することができないことを擬似体験することができる。受容的な遊びを通して体験したものをごっこ遊びで再現するなど，子どもの遊びを豊かにすることに寄与していると考えられる。

⑤対人的な遊び

出生直後より養育行動と愛着行動のなかで，対人的な遊びが始まる。子どもの感覚運動遊び・操作的遊び・模倣的遊び・受容的な遊びはそのこと自体楽しい。しかし，身近な養育者と一緒に遊んだり，楽しさや困難さに共感を得たり，賞賛を得ることなどは，その遊びの楽しさを広げることになる。また，養育者との交流を通して基本的な信頼関係を形成することから，対人的な遊びは非常に重要な遊びであるといえる。

幼児期になり，同年齢の子どもたちとの遊びが広がっていくと，遊びを通して対人関係やルールなど，社会性を学ぶ場面となる。

3 集団による分類

社会的存在としての人にとって，仲間遊びはとても重要である。しかし，乳児期では，同年齢の子ども同士の関わりは困難で，養育者などの大人の援助によって他児との関わりが可能となる。子どもの発達に伴い，遊び集団に変化がみられるようになる[4]。

他児との関わりによって，以下のように分類される[5]。

①傍観者的遊び：他児の遊びに加わることはしないが，他児の遊んでいる様子を眺めたり，話しかける様子が観察される。
②一人遊び：他児と近くにいるものの関わりをもたず一人で遊ぶ。
③並行的遊び：他児の近くで同じようなおもちゃで遊ぶが，近くにいるだけで他児とは関わりをもたない。
④連合遊び：他児と同じ遊びを行うものの，ルールや役割分担などは明確になっていない。子どもの興味は遊びよりも一緒にいることが中心である。
⑤協調的（組織的補完）遊び：他児と協力して役割分担を行ったり，リーダーが出現するなど，集団の組織化がみられる集団遊び。子どもたちは，その集団に対する所属意識をもっている。

4 遊びの発達的意義（感覚運動遊びと操作的遊びを中心に）[7]

■ 感覚運動遊びの発達的意義

● 感覚運動機能の向上

感覚運動遊びは粗大な身体運動を伴う。そのため，筋力の向上，立ち直り反応・平衡反応の促通[*2]，心肺機能の向上など，身体活動を行ううえで必要な機能の向上がみられる。

● 体幹中枢部の安定性の促通

ダイナミックな身体運動を通して，体幹中枢部の安定性も促通される。これは，上肢の正確な操作を行うために必要な座位の安定性や四肢の中枢部の安定性でもあり，感覚運動遊びは上肢の正確な操作の基礎となっている。

● 視機能の発達

視機能のうち，環境視は運動系の成長に基盤があり，姿勢調整や空間での移動に影響を受けるとされている。また，視覚の活動は，運動が基礎となっており，姿勢や運動によって入力される前庭系や固有受容系などの感覚入力により眼球運動のコントロールがなされている[8]。感覚運動遊びでは，姿勢運動と眼球運動の協調性が促通されるとともに，視機能の発達を促す機能をもつ。

● アクティブタッチ

触覚には粗大触圧覚伝導路（原始系・非判別系）と識別性触覚伝導路（識別系・判別系）[*3]がある[9]。非判別系はその刺激が侵害刺激かどうかを感知する系であり，判別系はその触覚刺激がどのような物かを判別する系である。非判別系優位な状態から判別系優位な状態となるには，自分から対象物に触れるアクティブタッチが有効である。感覚運動遊びのプロセスのなかで，さまざまなものに触れる経験をし，判別系優位に変化する。

● ボディーイメージ

ボディーイメージには2つの側面がある。1つは触覚系によるもので，皮膚からの感覚入力により，自分の身体と自分以外の境界を知ることができる。2つ目は前庭および固有受容系の入力により，自分の身体のアライメントと空間での位置関係を知ることができる。これらの情報を利用することで，スムースな身体運動や精度の高い運動をつくり出すことが可能となる。ボディーイメージの形成に必要な経験はダイナミックな感覚運動遊びのなかで多く得られる。本書では，身体図式として3章1 p.92で詳細に解説する。

---

*2 促通
通常は，神経系に対する複数の刺激による効果が単独の刺激の効果の和よりも大きくなる現象を指すが，作業療法の臨床場面では，直接的・間接的な介入により目的となる適応的な反応を誘発することを指す。

*3 粗大触圧覚伝導路と識別性触覚伝導路
粗大触圧覚伝導路は前脊髄視床路をさす。識別性触覚伝導路は後索・内側毛帯路であり，上行路が異なる[10]。

■ **操作的遊びの発達的意義**

　微細運動機能は，上肢単独の機能ではなく，姿勢コントロールなどの粗大運動機能を背景に成り立っている。そのため，微細運動機能は感覚運動遊びや感覚運動遊びによって促される諸機能によって支えられている。

　操作的な遊びは上肢の巧緻性が高まることで，バリエーションが広がってくる。ここでは，操作的な遊びが発達にどのように寄与するか，その発達的意義について述べる。

● **巧緻性の向上**

　基本的手指機能は生後1年で成人とほぼ同じ機能を獲得する。しかし，手と目や手と口など，手以外の身体部位との協調が必要な動作については，スピード，精度ともに操作的な遊びを通して促される。繰り返し行われる操作的な遊びを通して，さらに巧緻性が増し，より正確な操作が可能となる。

● **構成的な遊びの準備として**

　感覚運動遊びや操作的な遊びを通して，子どもは自分と物との関係を知り，さらには物と物の関係を知る。これらの関係を操作することにより，積み木を積む，ブロックで物をつくる，絵を描くなど，構成的な遊びが可能となる。

● **セルフケアの準備として**

　セルフケアの遂行には，ある程度の粗大運動機能および微細運動機能が必要である。セルフケアに必要な巧緻動作は操作的な遊びを通して獲得されていく。セルフケアのうち，微細運動と姿勢コントロールの必要な更衣については，2歳以降，部分的に可能となる[11〜14]。また，自食については，未熟な手づかみ食べは生後9カ月ごろから観察されるが，十分な手と口の協調をもって食具を利用しながらの自食は，3歳近くになって可能となる。

　このように，セルフケアはその種類によって必要な技能が異なるが，就学までに自立が望まれる（セルフケアの詳細はp.33参照）。

● **抽象的概念形成の基礎として**

　指さしや対象物を具体的に操作することができるようになると，対象物と言葉の対応が可能となる。色，大きさ，長さ，数，形などの概念形成の初期には，対象物を具体的に操作することが不可欠である。操作的な遊びは概念形成の基礎づくりに役立っている。

【参考文献】
1) 清水美智子：遊びの発達と教育的意義，波多野・依田／心理学ハンドブック，金子書房，1983．
2) 伊藤隆二，坂野 登 編：子どもと遊び．講座入門子ども心理学4，日本文化科学社，1987．
3) 青柳 肇，野田 満 編：ヒューマン・ディベロップメント，ナカニシヤ出版，2007．
4) 高橋たまき：乳幼児の遊び・その発達プロセス，新曜社，1984．
5) Reilly M 編，山田 孝 訳：遊びと探索学習，協同医書出版社，1982．
6) 岩崎清隆 著，鎌倉矩子 ほか編：発達障害と作業療法[基礎編]，三輪書店，2001．
7) 山根 寛 ほか編：移ることの障害とアプローチ，三輪書店，2004．
8) Erhardt RP，紀伊克昌 監訳：視機能の発達障害その評価と援助，医歯薬出版，1988．
9) 日本感覚統合障害研究会 編：感覚統合研究第1集，協同医書出版社，1984．
10) 中野 隆 編著：機能解剖で斬る神経系疾患．第Ⅱ章 体知覚伝導路の機能解剖．メディカルプレス，p40-74，2011．
11) Frankenburg WK 著：日本小児保健協会，Denver Ⅱデンバー発達判定法，日本小児医事出版社，2009．
12) 遠城寺宗徳：遠城寺式乳幼児分析的発達検査法，慶應義塾大学出版会，1978．
13) 津守 真，稲毛教子：増補乳幼児精神発達診断法—0歳～3歳まで，大日本図書，1995．
14) 生澤雅夫 ほか：新版K式発達検査2001 実施手引書，京都国際社会福祉センター，2002．

チェックテスト

Q ①子どもにとって遊びはどのような意味があるか（☞p.27）。 **基礎**
②対人的な遊びが重要な理由を説明せよ（☞p.29）。 **基礎**
③感覚運動遊びの発達的意義は何か（☞p.30）。 **基礎**
④操作的遊びの発達的意義は何か（☞p.31）。 **基礎**

子どもの発達と作業療法

6 セルフケアの発達と遊び

神作一実

> **Outline**
> ● セルフケアを遂行するために必要な諸機能は，遊びによって獲得される。
> ● 作業療法士が対象児のセルフケア獲得のアプローチを行う場合には，遂行に必要な構成要素を遊びの中で獲得できるようにプログラムを考えていく。

1 セルフケアの発達の前提

　子どものセルフケア獲得のプロセスをみると，子どもはセルフケア遂行の必要性を感じて行っているのではないことがよくわかる。食事場面では，食器や食物に興味をもってさわったり自分ですくってみる，自分で食べると同時に養育者に食べさせてあげるなど，そのこと自体が遊びとなっている様子が観察される。更衣や排泄などでも模倣とともに養育者とのやり取りを楽しみながら（対人的な遊びの側面が大きい）行われる。つまり，子どもにとってセルフケア獲得のプロセスは遊びとしての側面が大きいといえる。

　このことから，作業療法実践のなかでセルフケア獲得のアプローチを行う場合には，対象児が楽しく行えるよう導入することが有効である。

2 セルフケアの発達

■食事

　食事はセルフケアのなかでも自立が早い項目として挙げられているが[1~4]，自食には手と口の協調発達が必要であり，食具での自食が完成するのは，おおむね3歳である[5]。自食では，大きい物が口元に運ばれてきた際に前歯で咬断することや口唇中央部に食品を運ぶことなど，手と口の協調発達が必要である。

　詳細は，口腔機能発達および摂食嚥下機能に対する作業療法の項目を参照してほしい（p.192参照）。

　自食が可能となるためには，摂食5期のうちの特に認知期，準備期の感覚運動機能が重要である。口の中に入る前に食品の形状・性状を感知するとともに，実際に口腔内に食品が入る際には捕食により口唇および舌と横口蓋ヒダにより性状を感知する。これにより，食品に対して妥当な口腔運動が引き起こされる。

■ **更衣**

更衣動作は，複合的な機能が必要であり，以下のような難しさがある。実際の作業療法現場では，対象児の発達的特徴や障害特性に応じた対応が必要となる。

定型発達児においても部分的に可能となるのは2歳以降であり，実用的になるのは4歳以降である[2]。

① 更衣は，衣服の空間と自分の身体を合わせること，抵抗が少ない方向に衣服を操作したり身体を操作する必要がある。そのため，長袖や長ズボンのように，長い距離を上下肢が通過するものは操作が難しい。
② 更衣動作は視覚で確認できない身体部位の操作も含まれる。そのため，触覚により自分の身体の範囲を知覚し，自分の身体の各部位がどのようなアライメントになっているかを知覚できるだけの身体知覚機能の発達が必要である。
③ 更衣動作は，複合的な一連の動作から成り立っており，その順序が崩れてしまうと更衣動作が遂行できなくなったり，やりづらくなってしまう。そのため，手順を理解・記憶することが不可欠である。また，衣服によって，更衣のストラテジーを変化させる必要がある。
④ 靴下の着脱など身体の末梢部であれば，さまざまな方法で実施することができる。しかし，下衣では，座位や臥位のように支持基底面が広く重心が低い姿勢で床と身体が接している部分が広く，衣類が通過する際には姿勢変換や抗重力的活動が要求される（重心が高い姿勢でのコントロールが可能な場合には，衣類の通過は容易でも，姿勢コントロール自体の難しさが伴う）。
⑤ 下衣，特にズボンの更衣を，座位や立位で行う際には，体幹や下肢の一側支持が求められる。身体の一側では抗重力的活動による姿勢保持機能が求められ，他方では運動（操作）の正確さが求められる。そのため，左右の協調性が要求される。

定型発達児の場合，靴下，かぶり物のシャツやパンツ，ショートパンツは2歳時には着脱が可能となる。前開きのシャツの着衣や，ズボンのホック，シャツをしまうこと，ボタンかけ，ファスナー，ひも結びなどは個人差があるものの，繰り返し練習のなかで獲得されていく。

■ **排泄**

排泄の自立には，排泄のコントロール，陰部の清拭，更衣の3つの自立が含まれている。

排泄のコントロールには，尿意・便意を感じて養育者に対して予告することが必要である。乳幼児精神発達質問紙[3]では，24カ月で大便の予告，30カ月で小便の予告，36カ月で更衣も含めて排泄の自立を獲得するとされている。しかし，自律神経系の成熟が必要であり，個人差が大きいとい

われている[6]。

　陰部をトイレットペーパーで拭く動作は，陰部と上肢の感覚を利用して，視野外で上肢を操作することが必要である．また，上肢を陰部にリーチするためには，体幹を強く前傾する必要があり，十分なバランスが求められる．

　排泄の自立には，これらすべての獲得が必要である．

【参考文献】
1) Frankenburg WK著：日本小児保健協会，Denver Ⅱデンバー発達判定法，日本小児医事出版社，2009．
2) 遠城寺宗徳：遠城寺式乳幼児分析的発達検査法，慶應義塾大学出版会，1978．
3) 津守　真，稲毛教子：増補乳幼児精神発達診断法—0歳～3歳まで，大日本図書，1995．
4) 生澤雅夫 ほか：新版K式発達検査2001 実施手引書，京都国際社会福祉センター，2002．
5) 大久保 真衣，田村文誉，倉本絵美，石川　光，向井美恵：摂食機能発達を考慮した自食スプーンの研究：ハンドル部とボール部の角度の違いによる捕食動作への影響，小児保健研究，61(3)：503-511，2002．
6) 赤司俊二：排泄に関する相談．小児内科 44(11)：1833-1838，2012．

✓ チェックテスト

Q
①セルフケアを獲得するために大切な要素は何か（☞p.33）。 臨床
②自食が可能になるためには何が重要となるか（☞p.33）。 基礎
③更衣動作は複合的な機能を要するが，どのような点で難しいとされるか．5つ答えよ（☞p.34）。 臨床
④排泄の自立にはどのような要素があるか．3つ答えよ（☞p.34）。 臨床

子供の発達と作業療法

7 作業の見方
―作業の発達と変容―

西方浩一

> **Outline**
> - 「作業」は作業療法士にとって中心的な概念である。
> - 作業科学は作業や作業的存在を探求する学問である。
> - 作業の見方には基礎構造，形態，機能，意味がある。
> - 作業の発達は環境との継続的な相互作用により変化する。

1 はじめに

　作業療法士は対象となる子どもが行う作業の評価，日常的な状況の理解，遂行分析した結果に基づき治療介入を行う[1]。作業療法士には，子どもと家族にとって価値のある作業や社会参加を目的に，障害による作業への影響だけでなく，環境が作業を促進することも制約することもあることを理解し，家族中心の視点で実践することが求められる。日本作業療法士協会や世界作業療法連盟では，作業療法を**表1**のように定義づけている。いずれの定義においても作業療法を作業の中心概念に据えて，人々の健康や幸福を促進することを目的とした職種であることが理解できる。

　本項では，作業療法士にとって重要な概念である作業と，その作業や作業的存在を探求する学問である作業科学を紹介し，作業の発達と変容について述べる。これらは，作業療法士が作業療法実践の中で対象者を作業的存在として理解することを助ける。また，人生において作業の発達・変容が著しい時期の対象者に関わることが多い発達障害領域の作業療法士や作業療法学生には，対象者の作業がどのように環境との相互作用で発達・変容するのかを理解する手助けになると考える。

表1　作業療法の定義

日本作業療法士協会 (2018)[2]	作業療法は，人々の健康と幸福を促進するために，医療，保健，福祉，教育，職業などの領域で行われる，作業に焦点を当てた治療，指導，援助である。作業とは，対象となる人々にとって目的や価値を持つ生活行為を指す。
WFOT(2012)[3]	作業療法は，作業を通して健康と安寧(health and well-being)を促進することに関心をもつ，クライエント中心の健康専門職である。作業療法の主な目的は，人々が日常生活の活動に参加できるようにすることである。作業療法士は，人々や地域社会と共に，彼らがしたいこと，必要なこと，期待されることに関する作業従事ができる能力を高めたり，彼らの作業従事を支援するために環境や作業を調整したりすることで，成果を達成する

2 作業とは

「作業」は作業療法士にとって，中心的な概念であり，より深く理解する必要がある。「作業」は複雑な概念であるため，対象者との間で，あるいは他職種との間で共通理解することに難しさが伴うが，これまで多くの研究者や機関が作業について定義を提案している（表2）。

また，しばしば「作業」と類似した意味で用いられる「活動」についても，両者の違いを含めて議論がなされている。アメリカ作業療法士協会[7]によれば，活動は「客観的であり，特定のクライアントの従事や文脈[*1]とは関係のない行為の形態」であるとし，作業は「特定のクライアントによる日常生活の出来事への個人的で有意義な関与」であると表した。活動は，人々が生活する社会や文化によって共通認識ができるような形で名付けられた。一方，作業は時間的，空間的，社会的な状況の中で起こる主観的な出来事であり，個人に起こる固有の経験と考えられる。Pierce（ピアース）は，活動と作業の違いは，主観性と文脈が大きな鍵になることを提案[8]し，作業は，活動に従事する経験[6]であると定義している。

客観的な意味をもち，対象者の所属する集団の中でとらえられる活動と，主観的な意味をもち，個人固有の経験を伴う作業と双方を理解することは，作業療法士が実践において対象者理解や評価，治療介入を組み立てる際に重要となる。

例えば，読者のみなさんが行うような，朝食を食べる，着替えをする，通学・通勤をするなどは「活動」である。一方，これらの「活動」を個々の状況の中で経験していくことを「作業」という。「作業」は行い方や時間の使い方，誰と行うかなど千差万別であり，人それぞれ異なることが想像できる。

> **＊1 文脈**
> 文脈とは，作業をする際に影響を与えるその人に特有の環境的・個人的要因を指す。環境要因は，物理的，社会的や態度的な側面であり，個人的要因は，その人の経験，習慣，ライフスタイルなどを含んだ，その人らしさを形づくるものである[7]。

> **アクティブラーニング ①** 普段から行っている日々の活動を例に挙げ，自分自身の作業を振り返りどのような経験をしているのか考えてみていただきたい。いくつか同じ名称となる作業でも，他者とはどのように異なるのか比較して考えてみてほしい。

表2 作業の定義

提唱者	作業の定義
Zemke & Clark, 1996[4]	それぞれの文化の中で名づけられた日常活動の塊
Law et al, 1991[5]	私たちがしなければならないこと，したいこと，または期待されること
Pierce, 2003[6]	活動に従事する経験

3 作業科学：作業の理解を深める学問

作業科学は，作業や作業的存在[*2]を探求する学問であり，人が行う日々の活動に関する知識を生み出し体系化することを目的としている[9]。作業科学によって生成された知識は，作業，人間の作業的性質，作業と健

> **＊2 作業的存在**
> 作業科学では，人を作業的存在として理解することを基本としている。作業的存在は，作業科学の誕生時から用いられている基盤となる重要な概念である。作業的存在の理解には，作業科学に関する書籍や文献を読むことをお勧めする。

> **＊3 ウェルビーイング**
> ウェルビーイングは，健康やウェルネスなどの同義語として用いられ，幸福や安寧と訳されることもある。ウェルビーイングは，多くの研究者が定義づけを行っているが，一般的に身体的，精神的，社会的など多面的に満足の得られる状態を指す。

康やウェルビーイング[＊3]の関係，作業を形づくる影響を理解するための考え方を提供[10]し，作業療法士に貢献する。作業科学は1988年に南カリフォルニア大学の博士課程として始まった。当初は基礎科学としての性質をもっていたが，後に応用科学として位置づけられ作業療法実践で，何をどのように行えばよいかについての基礎知識を提供するようになった[11]。基礎科学で得られた知見を実践に応用する作業科学の知識の体系化は，個人の健康から住民全体への健康アプローチ[11]まで，作業療法実践を導き，作業療法の領域拡大にも貢献すると考える。作業療法士が，作業科学研究の論文に触れることは，自らの実践を振り返り，対象者の理解を助けるとともに，作業療法の独自性を確信する機会につながると考える。

4 作業の見方：作業的存在を理解する

作業は基本的に，基礎構造，形態，機能，意味からなる。これらは作業科学における作業の見方として紹介される[4, 11, 12]。作業的存在を理解するためには，まずこれらの作業の見方について整理しておく必要がある。

■ 作業の基礎構造

作業の基礎構造とは，作業を遂行するときの解剖学的構造，神経学的機能，生理学的機能，認知機能などを指す。日常的に行われる作業の遂行には，どのような基礎的な構造が必要か，またそれらの機能や構造がどのように関連するのかを探求することである。例えば，脳機能と作業の関連や，感覚処理機能と作業の関連などが挙げられる。

■ 作業の形態

作業の形態は観察可能な側面である。基本的には，だれが，いつ，どこで，だれと，なにを，どのように行うかの視点でみていくことである。例えば，ある個人の作業を表現する場合には，「小学生の女の子が，学校から帰るとすぐに，自宅の自室で，妹とともに，くまのぬいぐるみを使い，ままごとあそびをする」というように，個人が時間や空間などの文脈の中でどのように作業を行っているかをとらえていくことである。

また，作業の形態のとらえ方として，塊(chunks)やルーティン，バランスという概念がある[9]。「着替えをする」作業を例に塊で考えると，着替えは，上着を着替えることだけでも作業の塊としてとらえることができる。また，洋服ダンスや引き出しの中身を見て，自分の気に入った服を選び，下着をはじめズボン，上着，コートなどすべての服を取り替えること，さらには洋服を身につけた後に鏡に映った姿を確認することまで，着替えをする作業の塊としてとらえることもできる（図1）。塊(chunks)というとらえ方は，作業をどの範囲でまとめるか，目的に応じて変更すること

ができる。

　ルーティンは一定の規則をもって繰り返す作業を指す。毎日または毎週，毎月，毎年，季節ごとの決まったことを行う作業である。例えば，食事は毎日3回行われる。お墓参りなどは，頻度は少ないが季節や家族の習慣に合わせて行われる作業である。

　作業バランスは，作業同士のバランスを指す。『作業療法の哲学』を記したAdolf Meyer（アドルフ　マイヤー）はセルフケア，仕事，遊び，休息などのバランスの重要性を提唱した[13]。ほかにも義務的な作業と願望の作業のバランス[14]，身体的な活動の作業と静的な活動とのバランス，時間配分，生物学的なバランス，個人の目的にあった作業の程度を示すバランスなど[15]が挙げられる。

図1 作業の塊（chunks）のとらえ方

アクティブラーニング❷ 平日と休日に分けて，自分の作業がどのように行われているか書き出してみよう（図2）。

図2 作業表

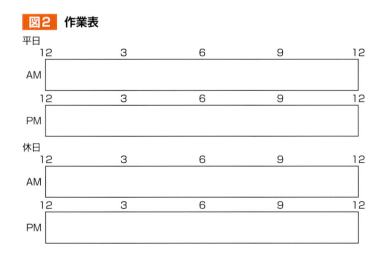

■ **作業の機能**

　作業の機能は，作業をすることにより何かに影響を及ぼすことである。作業は，行うことで心理面や身体面，他の作業にも影響を与え，発達，ウェルビーイング，生活の質（quality of life：QOL），適応などに影響する。例えば，音楽が好きでギターを若いころから弾いてきた人にとって，ギターを演奏することは，心を落ち着かせる働きがあるかもしれない。また，毎日繰り返しギターを演奏することで，コードの種類を学ぶなどの音楽知識や指先の微細な動きが熟達するかもしれない。悩み事があり何も手につかない状況のなか，ランニングを行って身体を動かすと不安やストレスを忘れることができるかもしれない（図3）。作業の機能については，多様なことが考えられるが，例として表3に示す。

図3 作業の機能

a 作業により心を落ち着かせる

b 作業により不安やストレスを忘れる

表3 作業の機能の例

・新たなスキルを学ぶ	・関係・友人をつくる
・周囲の人に受け入れられる	・自尊心を保つ
・他者に貢献する	・気持ちを落ち着かせる
・不安を軽減する	・エネルギーを充足させる
・ストレスを軽減する	

■作業の意味

　作業の意味は，作業が個人にとってどのような意味があるか，また作業をする人が所属する家族，社会，文化にとってどのような意味があるかを探ることである．例えば，家族で犬を飼いその世話係の役割を担っている子どもにとって，犬の世話という作業の意味は，家族の一員としての責任を果たすことかもしれない．一方，親から見ればその犬の世話は，子どもが成長し，命の尊さを学ぶ意味があると考えているかもしれない（図4）．

　もう1つ例を示せば，作業療法の知識や技術を学ぶことは，作業療法学生にとって自らが成長し，資格を取得するという意味があるかもしれない．一方，作業療法全体として見ると，学生が作業療法の知識や技術を学ぶことは，次世代に作業療法の技術を継承することや，次代を担う人材を育成するという意味があるかもしれない．作業の意味についても，多様なことが考えられるが，表4に一例を示す．

図4　作業の意味

表4　作業の意味の例

- 家族・メンバーとしての責任を果たす
- 家族・メンバーとの関係をつくる
- 純粋に楽しむ
- 喜びを得る
- 安心感を得る
- さまざまなことを経験する
- 新たなことへの挑戦
- 社会に貢献する
- 心身の健康を維持する
- 文化の伝統を守る

5 作業の発達と変容

作業の発達は，生物医学的および心理学的発達，および人間と人間以外の環境との継続的な相互作用の結果として，生涯にわたって生じる作業従事，作業遂行，および作業的アイデンティティのゆるやかな変化[16]といわれている。

人は生を受けてから一生を終えるまでの期間に環境と関わりながら，作業を変化させていく。作業の数や種類，行い方，名称などが変わっていくと考えられている。

ここで読者に今現在行っている作業が，どのように変化してきたか，考えていただきたい。乳児期から現在に至るまでの作業を振り返り検討してみると，何が見えてくるだろうか。例えば，乳児のころには，おもちゃしゃぶり，太鼓叩き，高い高いを楽しんだだろうか（図5）。保育園や幼稚園に通っていた幼児期はどうだろう。好きなテレビ番組のヒーローになりきって変身をしただろうか。母親のアクセサリーに魅力を感じて，自分でつけて，鏡の前でポーズをとっていただろうか。乳児期，幼児期，学童期，青年期，成人期ごとに思い起こしてみてください（アクティブラーニング③参照）。

> **アクティブラーニング③** 現在から過去に遡り，行ってきた作業を表5に示したライフステージごとに列挙してみよう。

表5　作業の意味の例

最近行っていることは何でしょう？
大学・専門学校のころに行っていたことは何でしょう？
高校生のころに行っていたことは何でしょう？
中学生のころに行っていたことは何でしょう？
小学生のころに行っていたことは何でしょう？
幼児期のころに行っていたことは何でしょう？
乳児期のころに行っていたことは何でしょう？

図5　作業の発達

■ 機会，資源，モチベーション，親の視点

　作業の発達に影響を及ぼす事柄について，Wiseman ら[17]は機会，資源，モチベーション，親の視点と価値を挙げた。作業に従事するには，子どもと環境にその機会があるかどうかに影響される。もしわれわれが特定の作業と出会わなければ，その作業を実際に行うことはないだろう。雪の降らない南国に住む子どもたちは，雪を見ることもスキーをする機会も限りなく少ないことが想像できる。動物と触れ合う機会がなければ，どのように犬やウサギの世話をするのかを学ぶことは難しい。作業の発達に影響を及ぼす資源は，時間や経済的な状況，必要な道具や材料が挙げられる。子ども一人で移動することが難しい場合，習い事などを行うためには，親が自分の時間を割いて子どもを連れて行くことが必要になる。親の時間と子どもの時間を調整することになる。また，それらの活動を行うためには，費用の捻出や道具を揃えることが必要になる。モチベーションは，子ども自身がもつ動機である。純粋に楽しいことや気持ち良いことなどが動機となり，子どもたちが自ら作業に関わる原動力となる。また，子どもたちが作業を行うには，親の視点や価値観が影響する。親たちは，親自身にとって価値があると思っていること，慣れ親しんでいてこれまでの人生で行ってきた作業を意図せず子どもに勧め提案するかもしれない。逆に親たちに経験がなく，アイディアとして浮かんでこない作業は，その子どもたちが従事する機会は限りなく少ないといえる。

■ 作業の変容

　Humphry ら[18]は，ライフコースの視点に基づき作業の変容について言及した。人が生活していくなかで，どのように作業を習得し，変化させていくのかという観点から，家族，職場，私的な集まりであるテニスクラブやダンスサークルなども作業の変容に影響すると述べた。これらのグループは，目標ややり方，作業を共有するコミュニティと考えられ，このコミュニティへの所属感が作業の変容に関与する。作業の変容として作業の習得，変更，中断する理由は，個人の嗜好だけでなく，ある特定の場所や，社会的，歴史的状況の中での人々とのやり取りにより生じる。

　例えば，子どもが両親が箸を使っているのを見て，それを真似ようと食事中に不慣れな使い方でも箸を使い始めた。またある高齢の女性は，それまで固定電話を使用していたが，孫の大学入学に伴う引越しで，テレビ電話を使えるようになりたいと，孫からタブレット端末の使い方を学ぶようになった。ある60歳代の男性は学生時代に行っていたサイクリングを仕事，結婚，子育てなどで忙しくなり行わなくなっていたが，退職を機に再開した。ある高校生は小学生のころ，友人が書道を習っていることを知り，友人とともに見学に行き，その日から書道の魅力にとりつかれて，今も書道教室に通い続けている（図6）。

図6 作業の変容

　このように新しい作業をするようになるのは，人生のどの時点でも起こりうる。必ずしも年配者から若年者に受け継がれるわけではない。また，行う理由も人それぞれであり，習得方法も異なる。作業は，身近にいる家族から影響を受けることもあれば，学校の友人との交流，学校外で集まる仲間とのやり取り，その時代における大きな出来事によっても変容する。入学，就職，結婚，退職などの個人的な出来事，経済的発展，新たな生活用品の導入，コンピュータやタブレットの誕生，自然災害などの社会的，歴史的な出来事などさまざまなことが影響して，作業は変容するのである。

> **アクティブラーニング④** 読者の皆さんはどのように作業を発達，変容してきただろうか？
> 表5で列挙した作業について，下記の質問に答えながら考えてみよう。
>
> なぜその作業をするようになったのでしょうか？
> 作業するのに影響を及ぼした人，出来事は何でしょうか？
> 長年行っている作業は，その期間を通じてどのように変化してきたでしょうか？

6 まとめ

　作業，作業科学，作業の発達と変容について概説した。本項の内容は，作業療法における評価方法や治療・介入という直接に作業療法の実践を示すものではないが，作業療法士が対象者を作業的存在としてとらえるために役立つものと考える。対象者が，今行っている作業を現時点のものとしてとらえるだけでなく，過去の経験からどのように変容してきたのか，未来に向けてどのように変容させていくことが可能なのか，視野を拡大することができる。また，対象者と対象者を取り巻く環境が，作業の発達や変容にどのような影響を与えるのかを検討することができる。発達領域の作業療法においては，作業療法士は，眼前に起こっている事柄だけでなく，過去から現在，そして未来を見据えて対象者の作業を理解し，どのような環境が作業の発達や変容につながるのかを念頭に関わることが重要となる。作業や作業科学を学ぶことは，これらの視点を豊かにし，対象者やその家族のより深い理解につながり，作業療法実践の発展に貢献するものと考える。

文献

1) Case-Smith J: An Overview of Occupational Therapy for Children. In Case-Smith J, O'Brien JC, Eds. Occupational Therapy for Children and Adolescents (13th ed, p1-26)- E-Book. Elsevier Health Sciences. Kindle 版, 2014.
2) 日本作業療法士協会：日本作業療法士協会作業療法の定義. 2018. https://www.jaot.or.jp/about/definition/（2020年12月6日閲覧）
3) World Federation of Occupational Therapists: Occupational therapy. 2012. https://www.wfot.org/about/about-occupational-therapy（2020年12月6日閲覧）
4) Zemke R, et al.: Occupational Science: The evolving discipline. Philadelphia, F.A. Davis, 1996.（佐藤剛・監訳：作業科学－作業的存在としての人間の研究. 三輪書店, 1999）
5) Law M, et. al.: Canadian Occupational Performance Measure.1st ed. Toronto, ON: CAOT Publications ACE, 1991.
6) Pierce D: Occupation by design. Philadelphia. PA: F. A. Davis, 2003.
7) American Occupational Therapy Association: Occupational Therapy Practice Framework: Domain and Process－Fourth Edition. American Journal of Occupational Therapy, 74(Suppl.2). 7412410010. https://doi.org/10.5014/ajot.2020.74S2001 , 2020.
8) Pierce D: Untangling occupation and activity. Am J Occup Ther. Mar-Apr;55(2):138-46, 2001. doi: 10.5014/ajot.55.2.138. PMID: 11761128.
9) 近藤知子：作業科学：教えるポイント日本作業療法教育研究 Japanese Journal of Research for the Occupational Therapy Education 13(1): 8-13, 2013
10) World Federation of Occupational Therapists: Occupational science [Position statement]. Retrieved from https://www.wfot.org/resources/occupational-science, 2020年12月6日閲覧, 2012.
11) Wright-St Clair VA, Hocking C: Occupational science: The study of occupation. In Schell BAB, Gillen G, Eds. Willard & Spackman's occupational therapy (13th ed, 124-139). Philadelphia: Lippincott Williams & Wilkins, 2019.
12) Clark FA, et al.: Occupational science: academic innovation in the service of occupational therapy's future. Am J Occup Ther, 45(4): 300-310, 1991. doi: 10.5014/ajot.45.4.300. PMID: 2035601.
13) Meyer A: Archives of Occupational Therapy. Volume 1, Issue 1, 1-10, 1922.
14) 小林法一，ほか：作業の意味に基づく作業バランスの評価－老人保健施設入所者を対象とした利用方法の検討－. 作業療法, 23(suppl): 641-641, 2004.

15) Christiansen C: Three perspective on balance in occupation. In Zemke R, Clark F, Eds., Occupational science: The evolving discipline, p431-451, 1996, Philadelphia: FA Davis(佐藤 剛 監訳:作業科学-作業的存在としての人間の研究. 三輪書店, 1999)
16) Canadian Association of Occupational Therapists: Enabling occupation: An occupational therapy perspective(Revised Ed). Ottawa, ON: CAOT Publications ACE, 2002.
17) Wiseman J, et al.: Occupational Development: Towards an Understanding of Children's Doing, Journal of Occupational Science, 12:1, 26-35, 2005. DOI: 10.1080/14427591.2005.9686545
18) Humphry R, et al.: Transformation of occupations: a life course perspective. In : Schell BA, Gillen G, Eds., Willard and Spackman's Occupational Therapy, 13th ed. p100-112, Wolters Kluwer Health, 2019.

✓チェックテスト

Q ①作業と活動の違いについて説明せよ(☞p.37)。 基礎
②作業科学とは何か説明せよ(☞p.37, 38)。 基礎
③作業の見方について挙げよ(☞p.38〜41)。 基礎
④作業の発達について説明せよ(☞p.42)。 基礎
⑤作業の発達に影響を及ぼす事柄にはどのようなものがあるか(☞p.43)。 基礎
⑥作業の変容にはどのようなことが影響するか(☞p.43, 44)。 基礎

2章

評価

評価

1 発達障害領域の作業療法評価

西方浩一

> **Outline**
> ●発達障害領域の作業療法評価では，対象である子どもや家族のニーズを理解し，目標となる作業の分析，作業を促進および阻害していることを把握する。

1 発達障害領域での作業療法評価

　発達障害領域の作業療法士は，子どもとその家族，保育園，幼稚園，学校，施設職員などと協力し，子どもやその家族が重要な作業に従事，参加できることを目的に支援する。

　作業療法の介入は，発達に関する知識である「姿勢や運動の発達」，「摂食嚥下機能の発達」，「感覚統合機能の発達」，「認知機能の発達」，「コミュニケーション機能の発達」，「遊びの発達」，「セルフケアの発達」などの理解が必要になる。また，子どもが関わる環境（家庭，学校，遊び場など），障害や疾患が個々の子どもの発達，遊び，学習，作業遂行に与える影響を理解したうえで行われる[1]。

　作業療法評価の過程では，対象者である子どもや家族のニーズを理解し，目標となる作業を分析し，作業を行うことを促進していること，または阻害していることを把握することが必要になる。

■ 状況を理解する
● 子どもと家族を理解する

　作業療法士は，評価の過程において対象者の状況を理解することが重要である。子どもと家族の状況を理解するうえで，子どもの年齢，ライフステージ（図1），家族の文化などの視点が必要になる。乳児や幼児期の子どもの主な作業は，遊びや学習，家族との交流，セルフケアにあたる自立して食べること，着替えをすることなどに焦点が当てられるかもしれない。学童期になると，学校生活での作業である学習や仲間との交流，青年期になれば，仕事などの成人期以降に獲得を必要とする作業とともに，より自立性が必要となる時間の管理や生活習慣などが注目されるであろう。作業療法士は，対象児・者のライフステージによって求められる役割や作業が異なることを理解する必要がある。

　家族の文化は，家族構成，兄弟や姉妹，祖父母など何人家族か，家族の中の意志決定には誰の影響力があるのか，生活パターンやしつけに対する考え方など多岐にわたる。作業療法士は，個々の家族がそれぞれの価値や

信念を有していることを念頭におき，自分のもつ当たり前の感覚だけで判断することがないよう，家族の話に関心を示し，耳を傾ける必要がある。

図1　子どものライフステージとその環境

● 作業療法士が働く場を理解する

　作業療法士は，自らが働く場についても理解しておく必要がある。医療機関や福祉施設など作業療法士それぞれが働く場の機能について理解することで，対象者が求めるニーズや対象者へ提供すべきサービスについても把握しやすくなる。医療機関は，疾病や障害の状況に応じた医療を提供することが求められ，比較的短期間でのサービス提供になることが考えられる。また，児童発達支援や放課後等デイサービスでは，身近な地域における子どもや家族支援が求められ，長期的かつ生活上の支援が必要となる。

> **作業療法参加型臨床実習に向けて**
>
> 学生は実習施設の機能や役割について学習することも重要になる。実習施設が決まった後は，実習施設やその地域，他機関との連携について調べておくことで，理解が深まりやすい。

2　作業療法評価の過程

　作業療法評価の過程（図2）は，対象者である子どもや家族のニーズを理解し，目標となる作業を分析し，作業を行うことを促進していること，または阻害していることを特定する。具体的には情報収集，面接，観察，検査・測定の過程を通じて行われる。子どもや家族の状況，それらをとりまく環境の理解を深めるためには，子どもが関わる部門，機関からの情報収

集を行う．子どもや家族のニーズは，主には対象者との面接を通じて収集される．観察は，子どもの作業である遊び，学習，セルフケアなどをそれぞれの環境で行う．検査・測定は，作業に影響を及ぼすことが考えられる機能状態を把握するために形式化されている検査・測定や，発達全般，疾患・障害特性を把握するための検査・測定を実施する．作業療法評価の過程は，1回で終了するわけではなく，治療介入を行いながら継続的に実施される．つまり，評価および治療介入を繰り返しながら対象者の全体像，作業への影響を理解する過程となる．

図2　作業療法評価の過程

文献
1) American Occupational Therapy Association：Occupational Therapy's Role with Children and Youth, 2015. https://www.aota.org/-/media/Corporate/Files/AboutOT/Professionals/WhatIsOT/CY/Fact-Sheets/Children and Youth fact sheet.pdf

✓ チェックテスト

Q
①発達障害領域の作業療法士の目的について説明せよ（☞p.48）．　基礎
②作業療法士が必要となる発達に関する知識とはどのようなものがあるか（☞p.48）．　基礎
③子どもと家族の状況を理解する際に役立つ視点について挙げよ（☞p.48）．　臨床
④乳児や幼児期において行われる主な作業はどのようなものがあるか（☞p.48）．　基礎
⑤発達障害領域における作業療法士が働く場はどのような機関があるか（☞p.49）．　基礎
⑥作業療法評価の過程について説明せよ（☞p.49）．　基礎
⑦子どもや家族のニーズはどのように収集するか説明せよ（☞p.50）．　臨床
⑧作業療法評価の過程と治療介入について説明せよ（☞p.50）．　臨床

2 評価

情報収集および面接，観察の視点

西方浩一

> **Outline**
> ●発達障害領域の作業療法士は，対象となる子ども，家族の理解のために情報収集，面接，観察を実施する。

1 情報収集および面接

■ 情報収集

　情報収集は，子どもや家族の作業，それらをとりまく環境の理解を深めるために，子どもが関わる部門，機関の専門職などからの聴取や記録物をもとに行う。情報の入手先は，働く環境，場所により異なるが，情報の入手先の例を表1に示す。

　例えば，医療機関では，本人，家族はもちろんのこと，子どもが受診している医師（リハビリテーション科，整形外科，小児科など多岐にわたる場合があるので必要に応じて各担当医師から情報を得る）や，日常的な生活をケアしている看護師，介護福祉士やリハビリテーションスタッフである理学療法士，言語聴覚士などの聴取から情報を収集する。また，カルテやカンファレンス資料などの記録物から情報を得る方法もある。

　情報収集を行う際は，表2のような点に留意して実施する。発達支援を行うには，さまざまな部門，機関との連携が必要になることから情報収集と共有が欠かせない。

表1 情報入手先の例

機関	情報入手先（人）	情報入手先（物）
医療機関	本人，家族，医師，看護師，理学療法士，言語聴覚士，臨床心理士（公認心理師），介護福祉士など	カルテ，カンファレンス資料など
児童発達支援施設	本人，家族，保育士，指導員，相談支援専門員，看護師，ボランティア，理学療法士，言語聴覚士，臨床心理士（公認心理師）など	個別支援計画，障害児支援利用計画，活動記録，リハビリテーション記録など
教育機関（特別支援学校など）	本人，家族，担任教員，養護教諭，自立活動教員など	個別支援教育計画書，保健記録など
保育園・幼稚園	本人，家族，保育士，幼稚園教諭など	保育記録など

作業療法参加型臨床実習に向けて
現場での情報収集は，日々の業務の最中やスタッフルームなどで頻繁に実施されている。学生は指導者がどのようなタイミング，内容，方法で他の専門職から情報収集や情報交換を行っているか見学すると参考になる。

○補足

インテーク面接とは
インテーク（intake）とは，「受け入れ」を意味し，インテーク面接は，相談機関などにおける初回面接を指す。主にはクライエントの悩みや課題について知ることとクライエントの理解や作業療法士との関係構築を目的とする。

表2　情報収集時の留意点

- 情報を得る相手へのアポイントメント
- 自己紹介
- 情報収集の目的
- 自分の考え・意見
- 情報収集に関する質問

■面接

　面接は，子どもや家族を対象として行われる。作業療法開始時の面接では，作業療法士による挨拶，自己紹介，本人確認を行い，作業療法の概要説明，面接の目的の説明，相談または処方内容の確認をする。その後，子どもに関する相談事，心配事を聴取することが一般的である（**表3，4**）。子どもに関する家族の心配事は，相談開始の段階で，具体的に示されることもあるが，「発達がゆっくりである」などの漠然とした内容になることが

表3　家族との面接の流れ

- 挨拶
- 自己紹介
- 本人確認
- 作業療法の説明
- 面接目的の説明
- 相談・処方内容の確認
- 対象児に関する困りごと，心配なことの確認
- これまでに行ってきたこと，工夫点
- セルフケア，遊び，学習，交流などの確認
- 一日のタイムスケジュール

表4　家族への質問例

- こんにちは。はじめまして，作業療法士の○○と申します。よろしくお願いします。
- Aちゃんとそのお父さま，お母さまですか。
- 作業療法実施に際し，お子さんのことについていくつかお話をお聞かせください。
- はじめに作業療法の説明を簡単にさせていただきます。作業療法は，日々の生活で行われる様々な活動を作業と呼びます。お子さんやご家族がお子さんと一緒に行っている作業の中で気になっていることに着目し，それらの作業を行いやすくするにはどのようにしたら良いかを考え，練習方法や環境の工夫を考えます。例えば，食事や着替えなどのセルフケア，遊び方，学習などがあります。
- 今回，作業療法を行うにあたり○○の目的（相談内容・処方内容）と伺っていますがもう少しお聞かせいただけますか。
- ご家族から見てお子さん（Aちゃん）のことで気になっていること，もう少しこうなって欲しいと思っていることはありますか？
- 普段の一日の流れはどうなっていますか？　例えば，朝起きてからはどのように過ごしていますか？
- 食事や着替えなどのセルフケアで心配なことはありますか？
- 遊びについてはいかがですか？　好きな遊びはありますか？　普段家ではどのように遊んでいらっしゃいますか？
- 保育園・幼稚園・学校での活動はいかがでしょうか？

ある。その場合は、作業療法士が、具体的な生活上の活動を提示することや毎日のスケジュールなどを確認することで、家族からの具体的な困りごとを聴取することが可能になる。

具体的に困っている作業が家族から挙げられている場合は、詳細にその状況を聞き取ることが必要になる。例えば「一人で食事を食べることができない」と相談された場合は、家族との関わりの中で、どのように食べているのか、介助量、使用している道具、食べ物の形態、食事姿勢、これまでどのような工夫を行ってきたのかを確認する必要がある。

2 観察

■観察とは

観察とは、あることを認識するために、目的をもって物事を注意深くとらえようとする一連のプロセスである。観察は、面接、検査・測定などの評価場面、治療介入実施中に行われ、作業療法実施中の公式な場面だけでなく、入院中の子どもと病棟で会ったときや、子どもが家族と過ごす保育活動参加中などの非公式な場面でも行われる。また観察は、自然な状況で観察する方法と環境を統制して行われる方法がある。例えば、自然な状況での友だちとの交流を把握する目的で、子どもが施設内で日々行われる活動中に友達とどのように遊んでいるかを観察することや、上肢や手指機能を把握する目的で、作業療法場面で椅子やテーブル、用いる道具などの環境を統制し観察する方法がある。観察された事柄は、記録として残すことが基本となる。これらの記録は情報収集や面接、検査・測定とともに全体像の把握、子どもの作業を分析する際に必要となる。

> **アクティブラーニング ①** 日々の生活でも観察の練習は可能である。通学や通勤、家庭の中で、または動画サイトなどを閲覧して目的を決めて観察し、得られた事実を書き出してみよう。また、事実から考えられる考察を記載してみよう。

■初回面接時における観察の実際

観察は、作業療法士が子どもや家族と初めて会う初回面接の場面でも行われている。初対面で会った人々の姿や様子から人柄や行動特性などを推測をするのと同じように、作業療法士は初回の面接で対象となる子どもと家族の様子を観察し、理解を深める。誰と一緒に来たのか、どのように来たのか、子どもの持ち物、服装、使っている道具、家族と子どもの会話、父親や母親の子どもへの関わり方など多くの情報が得られる。これらの情報をもとに作業療法士は、子どもと家族の生活について推測することが必要である（表5）。例えば、初回の来院・来園時に子どもと同行する家族が両親だけでなく祖父母も同行した場合、どのようなことが推測できるだろうか。その祖父母が孫のことを強く想っているのか、あるいは祖父母が子どもの支援に協力可能なメンバーではないかと考えることができるかもし

れない。また，子どもが父親に横抱きで抱かれて来た場合，子どもの運動発達が頸定に至っていないかもしれないことや，父親は子どもの運動発達に即した関わり方を知らないのかもしれないことが推測できる。このように，初めての面接場面においても，観察から推測できることが多数ある。作業療法士は，想像力を膨らませ，家族の生活を理解できるようさらなる質問を行うことが必要になる。また，1回の面接や観察のみでは理解できることは少なく，継続的に評価過程における聞き取りや観察を通し，子どもと家族の全体像理解に努めていく必要がある。

表5 初回面接時の観察の視点

観察の視点	解釈・推測可能な事柄
来院・来園の仕方	抱っこ（横抱き，縦抱き），ベビースリング，バギー，ほか → 子どもの運動発達能力と家族での移動方法など
同行家族	父，母，祖父母，きょうだい，ほか → 家族構成，家族関係，協力・育児体制など
子どもの服装と持ち物	年齢相応，清潔さ，特定のおもちゃ，道具，ほか → 家族の興味・関心，子どもへの認識，子どもの興味・関心，子どもと家族の安心材料（これまでの工夫）など
家族と子どもとのやり取り	家族の子どもへの関わり方，ほか → 協業的，指示的，擁護的など

■ **観察に必要な視点**

観察に必要な視点は，子どもと家族にとって価値のある作業がどのように行われているのか，何が促進，または阻害している要因になるのかを考えながら，観察することである。①実際に行っている作業を観察するとともに，②子どもの特性を理解する目的で，作業療法士が環境や関わりを意図的に調整しながら観察を行う。

①の実際に行っている作業の観察は，家庭，保育園，通園施設などで実際に行うことが望ましい。難しい場合は，撮影された動画を視聴することや，作業療法室などで模擬的に行ったことを観察する。作業の観察の際には，その作業がどのように行われたのか，開始，継続，終了まで中断することなく行われたのか，どのような環境で，どのような支援のもと行われたのかなどを観察する。

②の子どもの特性を理解するためには，発達全般に関する基礎知識，および疾患や障害に関する知識を理解しておくことが土台になる。そのうえで作業療法士は，子どもの特性を理解することに努める。外観や感覚，運動，認知，情緒，コミュニケーションなどである（**表6**）。さらにそれらを確認する目的で環境，遊び方や提示方法，声のかけ方などを変化させたときの子どもの反応を見て，理解を深めていく。

作業療法参加型臨床実習に向けて

子どもと作業療法士のやり取りは，毎回，決まりきったものでなく，相互交流の過程で生まれてくるものである。学生は子どものことはもちろんのこと，作業療法士の行動，道具の使い方，言葉など一挙手一投足と子どもの反応に注意を向けることが必要になる。作業療法士の行動の一つ一つが子どもを理解するための意図的かつ理由を伴うものである。学生は，この作業療法士の行動と子どもの反応を記録に留めることと，作業療法士の行動の理由について考察，または指導者に確認することが必要となる。

表6 子どもの特性を理解するための観察の視点

観察項目	観察の視点
外観	体格，栄養状態，筋の使用状況，変形
感覚	視覚，聴覚，触覚，前庭覚，固有受容覚
運動	粗大運動：静止・動作時姿勢から運動発達 巧緻運動：物の操作から上肢・手指機能発達
認知	物との関わり方とその反応 人との関わり方（家族，家族以外）とその反応 注意・集中時間，記憶，視知覚など
情緒	喜怒哀楽の表現
コミュニケーション	単語，文章の理解 喃語，1語文，2語文，3語文，文章の表出 表情，視線，姿勢，ジェスチャー

■ 日常生活活動の観察

　食事や着替えなどの日常生活活動に関する相談は，家族から受けることが多い相談内容の1つである。日常生活活動の観察では，先に示したように，実際の場面の観察または動画視聴，模擬的に作業療法室などで実施することが挙げられる。観察の前には，事前情報として，家族から困っている点や心配と感じている点について聴取するとともに，具体的にどのように行っているのか環境，家族や支援者の関わり方も含めて確認する必要がある。実際に観察する場合は，途中で介助や中断などがなく，開始，継続，終了まで子どものみで行えたのか，それに費した時間も参考になる。また，子どもが日常生活活動を実施している際の身体，感覚，運動なども同時に観察する（**表7**）。

　実施した環境は，場所，使用道具，主に介助者として関わる人，その場に一緒にいる人，介助の頻度や量を観察する。作業療法士は，自然な状況で観察するだけでなく，作業が行いやすくなるであろう道具の提示や身体的，言語的な援助を含めた環境などを整えて観察し，子どもの能力を最大限引き出すにはどのようにしたら良いか考えながら行うことも必要となる。

> **アクティブラーニング❷** 実際の日常生活活動である食事などを学生同士で行い，観察を記録してみましょう。また，動画サイトなどを用いて観察した内容を記録してみよう。

表7　日常生活活動観察時の視点例

観察項目		観察の視点
作業遂行状況		・開始，継続，終了など，全体を通じてどの程度遂行可能か ・費した時間など
環境	場所	家，病院，施設，学校，屋外など
	道具	食器，椅子，食物，歯ブラシ，洋服，自助具など
	主に関わる人	親，職員など
	一緒にいる人	親，きょうだい，職員，ともだちなど
	介助の有無	無し，見守り，口頭指示，介助誘導，全介助など
人		身体，感覚，運動，認知，情緒，コミュニケーションなど

チェックテスト

Q
①情報収集の目的と方法について説明せよ（☞p.51）。　基礎
②医療機関での情報収集の入手先について説明せよ（☞p.51）。　臨床
③情報収集時の留意点は何か（☞p.52）。　臨床
④面接の流れについて説明せよ（☞p.52）。　臨床
⑤観察はどのような場面で実施されるか説明せよ（☞p.53）。　臨床
⑥初回面接時の観察の視点について説明せよ（☞p.53）。　臨床
⑦実際に観察する際に必要な視点について説明せよ（☞p.54）。　臨床
⑧子どもの特性を理解するための観察の視点について説明せよ（☞p.54，55）。　臨床
⑨日常生活活動の観察をする際に重要なことは何か説明せよ（☞p.55）。　臨床
⑩日常生活活動を観察する際の視点について説明せよ（☞p.55）。　臨床

評価

3 発達像を把握するための検査

西方浩一

> **Outline**
> ● 発達障害領域の作業療法士は，対象となる子どもの状況，目的に応じて検査を選択・実施する。
> ● 検査を用いる際は，それぞれの検査の特性を理解して実施することが必要である。

1 発達像を把握するための検査

　検査は，発達全般を理解することができる発達検査や，知能指数を算出することができる知能検査，また運動機能の状態を把握するもの，感覚統合機能を理解するための評価手法など多岐にわたる。作業療法士は，すべての検査を使用するわけではないが，対象となる子どもの状況や目的に応じて使い分けることが必要である。代表的な検査を**表1**に示す。また日本版デンバーⅡ，KIDS乳幼児発達スケール，遠城寺式乳幼児分析的発達検査法の概要を記した。

■日本版デンバーⅡ [1-3]

　日本版デンバーⅡは，発達障害を診断するものではなく，種々の行動課題について同年齢の子どもと同様の発達段階にあるか否かを判定し，発達に問題がある子どもを早期に発見して，的確な対応を考えるための方法である[3]。検査は，個人−社会，微細運動−適応，言語，粗大運動の4領域において，標準的な子どもの25%，50%，75%，90%がその項目を達成する年月齢が示されており，子どもの年月齢と保護者からの情報と観察から判定する。実施方法は，テニスボールやレーズンなど所定の道具と記録票を準備する。記録票には，子どもの年齢，出生年月日などの情報とともに，判定日から出生年月日を引いた暦年月齢を用いる。判定に際しては，保護者，子どもとの信頼関係を形成し，各領域で年月齢に最も近く完全に年月齢線の左にある少なくとも3つを実施する。さらに年月齢線と交差する項目も実施する。判定は子どもができた場合，失敗した場合，拒否した場合に分かれ，合格・不合格・拒否となる。総合的判断は各項目の結果に基づき正常，疑い，判定不能に総合的に判定する。

■KIDS乳幼児発達スケール [4]

　KIDS乳幼児発達スケールは，対象となる子どもの日頃の行動をよく観察している保護者などが，○×形式で記入する自記式検査である。検査の項目は，運動，操作，理解言語，表出言語，概念，対子ども社会性，対成

人社会性，しつけ，食事の9つである。検査用紙は年齢別にタイプＡ，Ｂ，Ｃに分かれ，タイプＴは発達遅滞児向けとして0～6歳児用になっている。記入実施の際は，各領域の質問項目に明らかにできるもの，過去にできたものに○，明らかにできないものやできたり，できなかったりするものに×を記入する。領域ごとに○印のみの数を1点として計算し，その後，発達プロフィールに転記しグラフ化する。発達プロフィールによって得られた発達年齢と得点を表紙の記入欄に転記する。

■ 遠城寺式乳幼児分析的発達検査法[5]

　遠城寺式乳幼児分析的発達検査法は，運動(移動運動，手の動作)，社会性(基本的習慣，対人関係)，言語(発語，言語理解)を分析的に評価できる検査であり，0歳～4歳7カ月まで使用可能である。発達に関する問題点を容易に把握でき，折れ線グラフで，保護者にも説明しやすく，検査法が簡便で，短時間で検査が可能である。検査にはボールやガラガラ，ハンカチなどの用具と検査用紙を用いる。検査は，暦年齢相当の問題から開始する。それぞれの問題で達成可能な場合は，合格とし○を記す。不合格の問題には×を記す。合格の場合には，順次上の問題へ進み，不合格が連続して3つ続いたら終了となる。また，下にも合格が3つ続けば，それ以下は行わない。合格と不合格の問題を勘案し，合格に相当する発達年齢をグラフにプロットし折れ線グラフを作成する。

表1　発達像を把握するための検査

評価種別	検査・測定名	対象年齢	評価項目・概要
発達スクリーニング検査	改訂日本版デンバー式発達スクリーニング検査 (Revision Japan edition Denver Style Development Screening Test：JDDST-R)	0～6歳	粗大運動，微細運動と適応，言語，個人－社会の検査項目
	日本版デンバーⅡ－デンバー発達判定法－ (Denver Ⅱ)	0～6歳	「個人－社会領域・微細運動－適応領域・言語領域・粗大運動領域」の検査項目
	日本版ミラー幼児発達スクリーニング検査 (Japanese version of Miller Assessment for Preschoolers：J-MAP)　→p.74も参照	2歳9カ月～6歳2カ月	行動・運動・認知発達をカバー，体性感覚，平衡機能も含む
	Milani-Comparettiによる運動発達評価表 (ミラーニチャート) (Milani-Comparetti Motor Development Screening Test)	0～24カ月 レベルの運動発達	〈自発行動〉 姿勢調整(頭部・体幹・自動運動) 〈誘発反応〉 原始反射，立ち直り反応，パラシュート反応，傾斜反応
発達指数を算出できる検査	新版K式発達検査2001 (Kyoto Scale of Psychological Development 2001)	0～成人	姿勢・運動，認知・適応，言語・社会
	KIDS乳幼児発達スケール (Kinder Infant Development Scale：KIDS)	1カ月～6歳11カ月	運動，操作，理解言語，表出言語，概念，対子ども社会性，対成人社会性，しつけ，食事

評価種別	検査・測定名	対象年齢	評価項目・概要
発達領域別検査	津守式乳幼児精神発達質問紙	0〜7歳レベルの日常行動発達	運動,探索・操作,社会,生活習慣,理解・言語の5項目
	遠城寺式乳幼児分析的発達検査法	0〜4歳7カ月	運動(移動運動・手の運動),社会性(基本的習慣・対人関係),言語(発語・言語理解)
	DTVPフロスティッグ視知覚発達検査法 (Developmental Test of Visual Perception：DTVP) →p.138も参照	4歳〜 7歳11カ月	視覚と運動の協応,図形と素地,形の恒常性,空間における位置,空間関係
	改訂版随意運動発達検査 (Developmental Voluntary Movement Test-Revised)	2〜6歳11カ月	手指,顔面・口腔,軀幹・上下肢の随意運動の発達特徴を診断
	S-M社会生活能力検査 第3版 (Social Maturity Scale Third Edition)	乳幼児〜中学生	1. 身辺自立：SH(Self-Help) 2. 移動：L(Locomotion) 3. 作業：O(Occupation) 4. コミュニケーション：C(Communication) 5. 集団参加：S(Socialization) 6. 自己統制：SD(Self-Direction)
知能検査	WPPSI™-Ⅲ知能検査 (Wechsler Preschool and Primary Scale of Intelligence-third edition：WPPSI-Ⅲ)	2歳6カ月〜 7歳3カ月	「全検査IQ(FSIQ)」「言語理解指標(VCI)」「知覚推理指標(PRI)」「語い総合得点(GLC)」を算出可能。4歳以上では「処理速度指標(PSI)」も算出できる。
	WISC™-Ⅳ知能検査 (Wechsler Intelligence Scale for Children-Fourth Edition：WISC-Ⅳ)	5歳〜 16歳11カ月	一般知能(全検査IQ)と言語理解指標,知覚推理指標,ワーキングメモリー指標,処理速度指標で構成
	日本版KABC-Ⅱ (Kaufman Assessment Battery for Children Second Edition：K-ABC)	2歳6カ月〜 18歳11カ月	認知尺度(継次尺度,同時尺度,計画尺度,学習尺度)と習得尺度(語彙尺度,算数尺度,読み尺度および書き尺度)
	田中ビネー知能検査V	2歳〜成人	言語,動作,記憶,数量,知覚,推理,構成などさまざまな内容
	DAMグッドイナフ人物画知能検査 (Drow a Man Test：DAM)	3〜10歳	描画法,動作性IQの算出
運動機能	粗大運動能力尺度 (Gross Motor Function Measure：GMFM) →p.129も参照	5歳程度までの粗大運動能力の発達	臥位・寝返り,座位,四つ這い・膝立ち,立位,歩行・走行・ジャンプの5領域の運動能力
	運動年齢検査 (motor age test：MAT)	4〜72カ月レベルの運動発達	体幹下肢,上肢で運動発達年齢を算出
	エアハート発達学的把持能力検査 (Erhardt Developmental Prehension Assessment：EDPA)	胎児または新生児期から成熟する月齢まで	到達動作,把握,リリース,鉛筆の把握,描画の発達

(次ページへ続く)

(前ページより続く)

評価種別	検査・測定名	対象年齢	評価項目・概要
運動機能	エアハート発達学的視覚評価 (Erhardt Developmental Vision Assessment：EDVA)	胎児または新生児期から成熟する月齢6カ月まで	視覚定位，注視，追視，注視点移行
	簡易上肢機能検査 (Simple Test for Evaluating Hand Function：STEF)	3歳以上の上肢運動機能の発達	10種類の特定の物品の，つまみ，移動，離しの速度を測定
	粗大運動能力分類システム（拡張・改訂版） (Gross Motor Function Classification System-Expanded and Revised：GMFCS-E&R)	18歳まで	座位，移乗および移動を重視した5段階の分類システム
	脳性麻痺児のための手指操作能力分類システム (Manual Ability Classification System：MACS) → p.129も参照	4～18歳	全体的な手の機能を表すことを目的に日常生活活動における物を操作する能力を5段階で分類
感覚統合機能	南カリフォルニア感覚統合検査 (Southern California Sensory Integration Test：SCSIT) → p.74も参照	4～8歳までの感覚統合発達	視知覚系，体性感覚系，運動系の検査で構成
	南カリフォルニア回転後眼振検査 (Southern California Postrotary Nystagmus Test：SCPNT) → p.74も参照	5～9歳レベルの前庭機能発達	回転盤で10回転後の眼振の持続時間，眼球運動の振幅，姿勢反応
	感覚発達チェックリスト改訂版 (Japanese Sensory Inventory Revised：JSI-R) → p.74も参照		前庭系，触覚系，固有系，聴覚系，視覚系，嗅覚系，味覚系，その他の行動特性によるチェックリスト
	日本版感覚プロファイル (Sensory Profile™) → p.74も参照	3～82歳	感覚刺激への反応傾向を評価 聴覚，視覚，触覚，口腔感覚など，幅広い感覚に関する125項目
	日本版青年・成人感覚プロファイル (Adolescent/Adult Sensory Profile™)	11～82歳	感覚刺激への反応傾向を4つの象限（Dunnの感覚処理モデル）から評価する．Adolescent/Adult Sensory Profileの日本版「味覚・嗅覚」「動き」「視覚」「触覚」「活動レベル」「聴覚」の6つのセクションに分けられ，計60問の項目
	日本版乳幼児感覚プロファイル (Infant/Toddler Sensory Profile™)	0～36カ月	乳幼児の感覚刺激への反応傾向を評価するInfant/Toddler Sensory Profileの日本版「聴覚」「視覚」「触覚」「前庭覚」「口腔感覚（7～36カ月のみ）」のセクションに分けられ，0～6カ月用は計36項目，7～36カ月用は計48項目
	感覚処理・行為機能検査 (Japanese Playful Assessment for Neuropsychological Abilities：JPAN) → p.73も参照	3～10歳	感覚統合機能をアセスメントするために日本感覚統合学会によって開発された検査 子どもの感覚統合機能を①姿勢・平衡機能，②体性感覚識別，③行為機能，④視知覚・目と手の協調の4領域から評価

評価種別	検査・測定名	対象年齢	評価項目・概要
自閉性障害	小児自閉症評定尺度 (Childhood Autism Rating Scale：CARS)		自閉性障害の診断・評定尺度
	日本版 PEP-3 自閉症・発達障害児 教育診断検査　三訂版 (Psychoeducational Profile-3rd edition：PEP-3)	2〜12歳	子どもが楽しく遊ぶ場面を直接観察しながら診断，判定のほかに遊びに取り組もうとする「芽生え」の反応（1点）を観察
日常生活能力	PEDIリハビリテーションのための子どもの能力低下評価法 (Pediatric Evaluation of Disability Inventory：PEDI)　→p.130も参照	6カ月〜7.5歳	能力と遂行状態の評価：セルフケア，移動，社会機能の領域
	こどものための機能的自立度評価法 (Functional Independence Measure for Children：WeeFIM)	6カ月〜7歳	セルフケア6項目，排泄管理2項目，移乗3項目，移動2項目，コミュニケーション2項目，社会的認知3項目，計18項目
適応行動	Vineland™-Ⅱ適応行動尺度 (Vineland Adaptive Behavior Scales Second Edition)	0歳0カ月〜92歳11カ月	適応行動の発達水準を幅広くとらえ，支援計画作成に役立つ検査 4つの適応行動領域と不適応行動領域（オプショナル）と下位領域から構成：コミュニケーション，日常生活スキル，社会性，運動スキル，不適応行動

試験対策 Point

- 子どもの発達像を理解するためには，粗大運動や上肢・手指の微細運動の発達過程を理解すると同時に，反射・反応の出現・消失時期も併せて学習することが必要である。反射・反応は，胎生期から出生後数カ月間にみられる原始反射，出生時から出現する立ち直り反応，平衡反応へと発達する過程を理解することが重要である。
- 発達検査では，子どもが発達課題を獲得する順序の理解も必要となる。また，それぞれの検査名の対象年齢も学習することを勧める。

補足　GMFCS-E&R

- 粗大運動能力分類システム（拡張・改訂版）は，子どもが自分から開始した動作をもとに作成され，特に座位，移乗および移動を重視した5段階の分類システムである。2歳前，2〜4歳，4〜6歳，6〜12歳，12〜18歳と各年齢帯の機能的な能力と制限が大まかに記述されている。5つのレベルの一般見出しは，
  - レベルⅠ：制限なしに歩く
  - レベルⅡ：制限を伴って歩く
  - レベルⅢ：手に持つ移動器具を使用して歩く
  - レベルⅣ：制限を伴って自力移動；電動の移動手段を使用してもよい
  - レベルⅤ：手動車椅子で移送される

  である。

【参考文献】
1) Frankenburg WK, 社団法人日本小児保険協会：DENVER Ⅱ -デンバー発達判定法．日本小児医事出版社，2003.
2) 加藤則子：日本版DENVER Ⅱによる発達判定法の実践法．小児保健研究，65(2)：223-226, 2006.
3) 清水凡生：原著DENVER Ⅱの特性と我が国における標準化．小児保健研究，65(2)：216-218, 2006.
4) 岩間英太郎：KIDS（キッズ）乳幼児発達スケール．財団法人発達科学研究教育センター第4版2刷，2004
5) 遠城寺宗徳，合屋長英：遠城寺式乳幼児分析的発達検査法．慶應義塾大学出版会，1977.
6) 日本文化科学社：https://www.nichibun.co.jp/kensa/detail/aasp.html
7) 杉岡千宏 ほか：S-M社会生活能力検査 第3版．小児内科，50(9)：1414-1417, 2018.
8) 丸善：https://www.maruzen-publishing.co.jp
9) PEDI Research Group著，里宇明元，ほか監訳：PEDI リハビリテーションのための子どもの能力低下評価法．医歯薬出版株式会社．2003.

10) 今川忠男, 訳: 脳性麻痺児のための手指操作能力分類システム. https://www.macs.nu/files/MACS_Japanese_2010.pdf(Eliasson AC, Krumlinde Sundholm L, Rosblad B, Beckung E, Arner M, Ohrvall AM, Rosenbaum P. The Manual Ability Classification System(MACS)for children with cerebral palsy: scale development and evidence of validity and reliability. Developmental Medicine and Child Neurology, 48: 549-554, 2006)
11) 近藤和泉, ほか: 粗大運動能力分類システム拡張・改訂されたもの. http://www.fujita-hu.ac.jp/FMIP/GMFCS_%20ER_J.pdf
12) 問川博之, ほか: こどものための機能的自立度評価法(WeeFIM)による小児のADL評価--発達検査法との比較. 総合リハビリテーション. 25(6): 549-555, 1997.
13) 千葉テストセンター: https://www.chibatc.co.jp
14) 太田篤志: 感覚チェックリスト改訂版(JSI-R)標準化に関する研究. 感覚統合障害研究. 9: 45-63, 2002.
15) Saccess Bell: http://www.saccess55.co.jp
16) 加藤寿宏, ほか: JPAN感覚処理・行為機能検査の信頼性(特集 JPAN感覚処理・行為機能検査に関する研究). 感覚統合研究. 15: 19-24, 2015.

✓ チェックテスト

Q
① 発達スクリーニング検査にはどのようなものがあるか(☞p.58)。 基礎
② 知能検査にはどのようなものがあるか(☞p.59)。 基礎
③ 発達指数を算出できる検査にはどのようなものがあるか(☞p.58)。 基礎
④ 運動機能について評価できる検査にはどのようなものがあるか(☞p.59, 60)。 基礎
⑤ 感覚統合機能について評価できる検査にはどのようなものがあるか(☞p.60)。 基礎
⑥ 日本版デンバーⅡの検査項目の領域について説明せよ(☞p.57)。 基礎
⑦ KIDS乳幼児発達スケールの検査項目の領域について説明せよ(☞p.57, 58)。 基礎
⑧ 遠城寺式乳幼児分析的発達検査法の検査項目の領域について説明せよ(☞p.58)。 基礎
⑨ WISC-Ⅳ知能診断検査の対象年齢について説明せよ(☞p.59)。 基礎
⑩ 日本版感覚プロファイルの対象年齢について説明せよ(☞p.60)。 基礎

4 評価結果の分析と解釈

西方浩一

> **Outline**
> ●評価結果の分析では，情報収集，面接，観察，検査・測定で得られたデータを基に，目標とする作業の促進または阻害している要因を把握する。

1 評価結果の分析と解釈

　作業療法は，対象である子どもや家族のニーズを理解し，目標となる作業の分析，作業の促進および阻害要因を把握し治療介入する。治療介入の計画立案には，情報収集，面接，観察，検査・測定で得られたデータを基に，子どもと家族にとって価値ある作業の特定とその作業を分析することが重要になる。作業をどのようにすれば達成可能なのか，これらのデータがどのように関連するかを分析，考察し，目標設定，治療介入を立案する。ここでは，Person-Environment-Occupation（PEO）モデル，国際生活機能分類（ICF）を紹介しながら分析の視点について述べる。

2 PEOモデル[1]

　PEOモデルは，人，環境，作業の相互作用によって形づくられる作業遂行を表すものである。人の領域は，役割，自己概念，文化的背景，性格，認知，身体機能，感覚機能であり，環境は，物理的，制度的，社会的，社会経済的な領域である。作業は，自己を保つことや表現，充実感を満たす作業を指す。このモデルは，人，環境，作業の関連を視点にして，作業遂行を拡大するにはどのようにすれば良いのかアイデアを提供する。また，ライフサイクルの観点からも，人，環境，作業と作業遂行は変化すると考えられている。図1に示したように人，環境，作業が円をつくり，3つの円の重なった部分が作業遂行となる。この3つの円の重なりが多く

図1　人−環境−作業

（文献1より改変引用）

なり，より適合することで作業遂行が拡大することになる。作業療法士はこのモデルを用いることで，対象となる子どもの作業を人，環境，作業の視点で分析可能となる。つまり，対象の子どもの役割，身体機能，感覚機能，認知機能がどのように作業に影響しているのか，また食器・椅子・テーブルなどの道具やエレベーター・スロープなどの物理的環境，親・きょうだい・家族・子どもに常に関わる職員などの社会的環境，使用することができるサービス・規則などの制度的な環境とそれらが作業遂行に及ぼす影響について検討することができる。例えば，1人では歩行ができない場合でも，歩行器を使用することで家族とともに買い物に出かけて，ショッピングを楽しむことができるかもしれない。提供された給食を食べなければならない施設では，偏食のある子どもが食事をすることに制限が生じる。作業療法士は子どもの作業遂行が状況に応じて異なることに気づき，何が作業遂行を促進または阻害している要因になるのか考え，作業遂行を拡大するための手立てを検討する。

> **補足**
>
> **作業遂行**
> 作業遂行とは，人，環境および作業の間に起こる動的関係の結果であり，作業の実際の執行あるいは実行を意味する。作業療法士は，人-環境-作業の関係の各側面において変化の可能性を検討する必要があり，人の構成要素，環境の構成要素，作業の特徴について分析する。

3　国際生活機能分類（ICF）[2-5]

　国際生活機能分類（International Classification of Functioning, Disability and Health：ICF）は，人が営む生活に関わるさまざまな機能を体系的に分類，整理したリストであり，生活に関わる諸機能を評価する視点を具体的に示したものである。ICFは，人の生活機能（functioning）と障害（disability）に関する状況の記述を可能にする目的で，国際障害分類（International Classification of Impairments, Disability and Handicaps：ICIDH）から改訂された（図2，表1）。

　ICFは，ICIDHの改訂版であるが，障害のみでなく生活機能の記述をするという点が特徴である。ICFは大きく2つに整理され，第1部は生活機能と障害，第2部は背景因子である。

図2　Interaction of Concepts ICF 2001

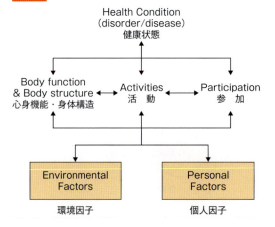

表1　国際生活機能分類の各構成要素の定義

構成要素	定義	例：第1，第2レベルから抜粋
心身機能 (body functions)	身体系の生理的機能（心理的機能を含む）である。	記憶機能，情動機能，視覚機能，摂食機能など
身体構造 (body structures)	器官・肢体とその構成部分などの，身体の解剖学的部分である。	脳の構造，眼球の構造，上肢の構造など
機能障害（構造障害を含む） (impairments)	著しい変異や喪失などといった，心身機能または身体構造上の問題である。	記憶傷害，視覚機能障害，脳神経の障害，上肢の骨折など
活動 (activity)	課題や行為の個人による遂行のことである。	注意してみること，模倣，書くこと，会話，姿勢の保持，細かな手の使用，食べること，基本的な対人関係，教育，仕事と雇用，レクリエーションとレジャーなど
参加 (participation)	生活・人生場面(life situation)への関わりのことである。	
活動制限 (activity limitations)	個人が活動を行うときに生じる難しさのことである。	本を読むことができない，食事を食べることができない，仕事をすることができないなど
参加制約 (participation restrictions)	個人が何らかの生活・人生場面に関わるときに経験する難しさのことである。	
環境因子 (environmental factors)	人々が生活し，人生を送っている物的な環境や社会的環境，人々の社会的な態度による環境を構成する因子のことである。	生産品と用具，気候，音，家族，態度，サービス，制度・政策

障害者福祉研究会：ICF 国際生活機能分類―国際障害分類改定版．中央法規出版．2002から引用参考にし表作成

評価

■生活機能と障害

　第1部の生活機能とは心身機能・身体構造，活動，参加のすべてを含む包括用語であり，障害とは，機能障害，活動制限，参加制約のすべてを含む包括用語である。人の生活機能と障害は，これらの構成要素によって評価され，肯定的と否定的の両方の側面から表現可能である。心身機能・身体構造の問題がある場合に機能障害となり，活動を行うときに生じる難しさがある場合に活動制限となる。また参加は，個人が何らかの生活・人生場面に関わるときに，難しさが生じたときに参加制約となる。活動と参加については，能力と実行状況によって評価され，能力はある課題や行為を遂行する個人の能力を表すものであり，実行状況は個人が現在の環境のもとで行っている活動や参加を表すものである（図2）。

■背景因子

　第2部の背景因子は，個人の人生と生活に関する背景全体を表し，環境因子と個人因子で構成されている。環境因子は，物的な環境，社会的環境，人々の態度による環境などを構成する因子であり，実行状況や課題の遂行能力，心身機能・身体構造に対して肯定的，否定的な影響を及ぼす。個人因子は，個人の特別な背景であり，健康状態や健康状況以外のその人の特徴である。例えば，性別，人種，年齢，体力，ライフスタイル，習慣，生育歴，職業，過去および現在の経験などが挙げられる（図2）。

■ **構成要素間の関連**

　ICFは，これらの構成要素の相互作用，あるいは複合的な関係を示すものである。病気や変調だけが生活機能に影響するのではなく，環境因子や個人因子，心身機能・身体構造，活動，参加のそれぞれが複雑に関連し合い，生活機能に影響を及ぼすことを表している（図2）。

　例えば，機能障害である身体構造上の欠損として，わずかな指の欠損などがあっても，日常生活上の活動制限や参加制約をもたない場合がある。また，機能障害も能力の制限もないが，精神病などの病気がもつイメージへの偏見や差別により，実行状況に問題がある場合もある。自立した歩行は困難であるが，歩行器や車椅子などの福祉用具を用いることで屋外移動などの活動が可能となり，学校生活への参加が可能になることもある。本人の能力では，短い距離を自力で移動できるにもかかわらず，過度な介助を継続することで筋萎縮などの機能障害をもたらすこともある。

■ **ICFの使用**

　ICFの使用に際してはコード化のプロセスがある。心身機能，身体構造，活動/参加，環境因子は，ローマ字のb，s，d，eで表し，数字のコードは章番号（1桁目），第2レベル（2桁目），第3，第4レベル（各1桁）と続く（図3）。また評価点を用いて健康レベルの大きさを小数点で表す。このコード化のプロセスや評価点については，ICFの書籍や厚生労働省のホームページを参照することを勧める。また，ICFは2001年に発表後も

図3 国際生活機能分類（ICF）を用いた事例の理解

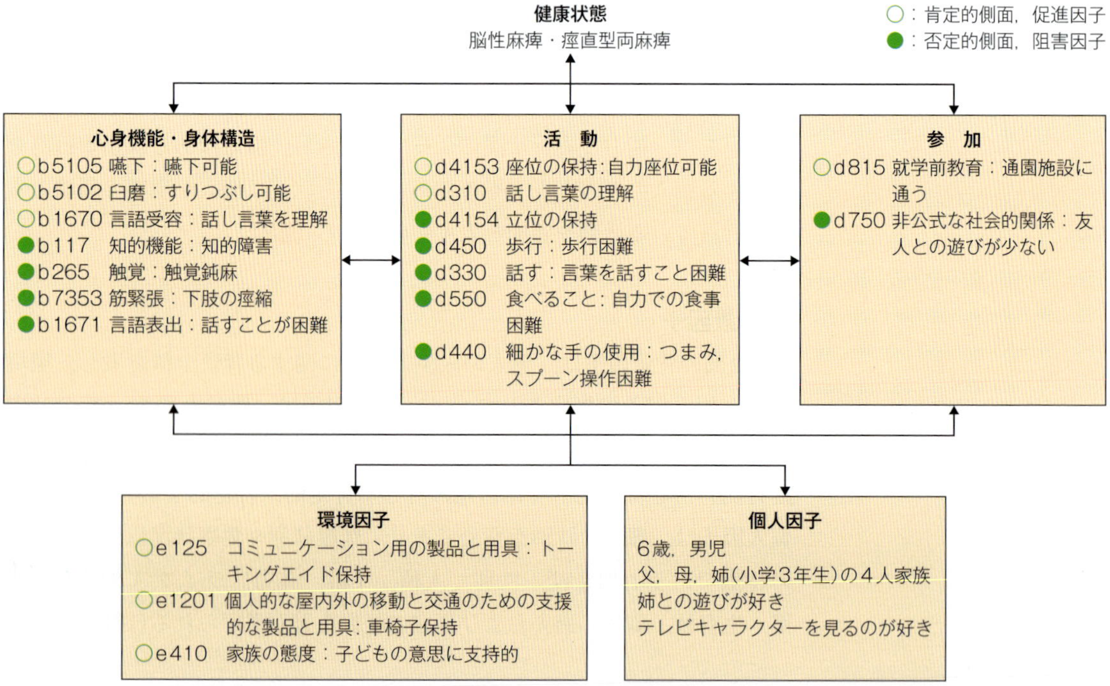

健康状態
脳性麻痺・痙直型両麻痺

○：肯定的側面，促進因子
●：否定的側面，阻害因子

心身機能・身体構造
- ○b5105 嚥下：嚥下可能
- ○b5102 臼磨：すりつぶし可能
- ○b1670 言語受容：話し言葉を理解
- ●b117 知的機能：知的障害
- ●b265 触覚：触覚鈍麻
- ●b7353 筋緊張：下肢の痙縮
- ●b1671 言語表出：話すことが困難

活動
- ○d4153 座位の保持：自力座位可能
- ○d310 話し言葉の理解
- ●d4154 立位の保持
- ●d450 歩行：歩行困難
- ●d330 話す：言葉を話すこと困難
- ●d550 食べること：自力での食事困難
- ●d440 細かな手の使用：つまみ，スプーン操作困難

参加
- ○d815 就学前教育：通園施設に通う
- ●d750 非公式な社会的関係：友人との遊びが少ない

環境因子
- ○e125 コミュニケーション用の製品と用具：トーキングエイド保持
- ○e1201 個人的な屋内外の移動と交通のための支援的な製品と用具：車椅子保持
- ○e410 家族の態度：子どもの意思に支持的

個人因子
6歳，男児
父，母，姉（小学3年生）の4人家族
姉との遊びが好き
テレビキャラクターを見るのが好き

コード分類が継続的に加えられている。ICFの派生分類としていた国際生活機能分類－小児・青少年版(ICF version for Children and Youth：ICF-CY)も，2017年にはICFに統合される形となった。分類は年々増加しており厚生労働省，世界保健機関(WHO)のホームページなどを閲覧することを勧める。

> **アクティブラーニング①** 国際生活機能分類(ICF)の構成要素のコード分類について，書籍や厚生労働省のホームページを参照し，レベルごとの内容を把握しよう。

4 国際生活機能分類を用いた事例の考え方

　事例を理解するためにICFを用いる際は，活動や参加に注目する。活動や参加である作業に注目し，それらに影響を与える心身機能・身体構造や環境因子，個人因子との関連について検討することが必要になる。

　図3に一例として示したが，○は，肯定的側面，促進因子を，●は否定的側面，阻害因子を表している。活動制限として挙げられている自力での食事が困難であることは，つまみ，スプーン操作困難である細かな手の使用や，機能障害である触覚鈍麻，知的障害が阻害因子として影響していることが考えられる。一方，嚥下やすりつぶしが可能な心身機能や自力座位が可能な面は促進因子として影響していることがわかる。また，参加制約として挙げられている友人との遊びは，話すこと，立位，歩行などの活動制限，筋緊張，言語表出，知的機能の機能障害が阻害因子として影響していることが理解できる。一方，話し言葉の理解，トーキングエイドや車椅子を保持していること，家族が子どもの意志に支持的な態度をもっている環境因子が促進していることが理解できる

参考文献
1) Law M, et al.: The person-environment-occupation model: A transactive approach to occupational performance. Canadian Journal of Occupational Therapy, 63: 9-23, 1996.
2) 障害者福祉研究会: ICF 国際生活機能分類－国際障害分類改訂版, 中央法規出版, 2002.
3) 世界保健機関(WHO): ICF-CY 国際生活機能分類－小児・青少年に特有の心身機能・構造，活動等を包含－, 財団法人厚生統計協会, 2010.
4) 厚生労働省:「国際生活機能分類－国際障害分類改訂版－」(日本語版)の厚生労働省ホームページ掲載について, https://www.mhlw.go.jp/houdou/2002/08/h0805-1.html
5) 厚生労働省: 第4回社会保障審議会統計分科会生活機能分類専門委員会資料. https://www.mhlw.go.jp/shingi/2008/06/dl/s0626-7a.pdf

✓チェックテスト

Q
① 作業療法の治療介入の計画立案に必要なプロセスについて説明せよ（☞p.63）。 基礎
② Person-Environment-Occupation（PEO）モデルについて説明せよ（☞p.63）。 基礎
③ PEOモデルにおける人の領域について説明せよ（☞p.63）。 基礎
④ PEOモデルにおける環境について説明せよ（☞p.63）。 基礎
⑤ PEOモデルにおける作業について説明せよ（☞p.63）。 基礎
⑥ 国際生活機能分類（ICF）について説明せよ（☞p.64）。 基礎
⑦ ICFの構成要素は何か（☞p.64）。 基礎
⑧ ICFにおける生活機能について説明せよ（☞p.65）。 基礎
⑨ ICFにおける背景因子について説明せよ（☞p.65）。 基礎
⑩ ICFにおける参加について説明せよ（☞p.66）。 基礎

3章

治療的アプローチ：
発達の各領域に対するアプローチ

治療的アプローチ：発達の各領域に対するアプローチ

1 感覚統合機能に対するアプローチ

酒井康年

> **Outline**
> - 支援を必要とする子どもを理解したり，子どもの発達を理解するために感覚統合理論を学ぶ
> - 感覚統合理論の概要，評価方法，支援を必要とする場合の状態理解，アプローチの観点とポイントを紹介する
> - セラピールームで行うアプローチだけでなく，日常生活の中での対応についても紹介する

1 感覚統合とは

　感覚統合，聞き慣れない言葉であろう。支援を必要とする子どもを理解するだけでなく，子どもの発達を理解したり，人の行動を考えるうえでも重要な概念である。しかし，感覚統合にトラブルを抱えている子どもたちは，車椅子を必要とする子どものように，誰が見ても支援が必要というようにはみえない。相談内容でよく聞かれることは「落ち着きがない」，「不器用である」，「自信がない」，「姿勢が悪い」，「マイペースである」，「友達と遊べない」，「人に抱かれることを嫌がる」，「文字が覚えられない」などである。一見すると，性格や個性と思われがちな内容であるが，感覚統合的視点に立つと異なる理解ができることが多い。また，その他の行動においても，その解釈が難しいときに理解を助けてくれることがある。

　感覚統合にトラブルを抱えていると，さまざまな臨床像を示すが，発達期において子どもの育ちに最も影響を与えるものは何か。それは**自尊心**，**自己有能感**ではないだろうか。3〜4歳の育ち盛りの元気そうな子が，公園で遊具を前にして「できない」，「こわい」と泣いている姿を想像できるだろうか。「みんな楽しそうに遊んでいるのに，なぜうちの子は遊ばないの？」。ご両親が抱える悩みであり，心配である。

　感覚統合にトラブルを抱えている子どもの相談は，なんらかの診断がついて障害が確定した子はもちろん，診断がついていない子においても聞かれることがある。幼稚園や保育園の巡回相談の場や，地域のさまざまな機関において出会うことも決して少なくない。感覚統合のトラブルは，障害があるときにはそのリスクが高まるが，障害がない場合にも抱えることがある。一般の大人でもなんらかの感覚統合上のトラブルを抱えている人に出会うことは決して少なくない。

　では，なぜ公園の遊具を「こわい」と感じるのだろうか。人に触られて「痛い」と感じるのは？　うまく身体を動かすことができないのは？　他の子のように文字が覚えられないのは？　それらの背景に，感覚のとらえ方・

*1 触覚，固有感覚，前庭感覚

人の感覚のなかでも，人間が動物として行動するときに欠くことのできない基礎的な感覚。基本的には皮質下で処理されていることが多く，意識しないでいることが多い。感覚統合理論で注目する感覚である。

使われ方の差があるのかもしれない。人の感覚の感じ方には個人差がある。寒がりの人がいれば暑がりの人もいる。匂いに敏感な人も鈍感な人も。同じように，触覚や固有感覚，前庭感覚[*1]の感じ方にも個人差があると考えられている。感じ方が異なれば，その場面で経験されることは変わってくる。経験とは極めて主観的な体験なので（一般には客観的事実と思われがちであるが），他の人といくら異なっていても，間違っていると言うことはできない。そう経験されることが，その人にとっての事実なのである。

Case Study

観覧車は絶叫マシーン？

一般的にはデートコースや家族の団らんで，ゆったり，まったりした時間を過ごすことができるアトラクションとして選ばれることが多いであろう。しかし，高所恐怖症の人にとっては，絶叫マシーンにも匹敵する恐怖のアトラクションとなる。観覧車の中ではしゃぐ子どもたちに向かって「動くな!!」と叱っている父親の姿を想像できるだろうか。信じられないかもしれないが，これが，この父親にとっての経験であり，事実なのである。

シャワーが痛い？ 雨が痛い？

聞いたことがあるだろうか，シャワーや雨が痛いという声を。触覚を過敏に受けとる傾向がある方にとっては，日常的に使われるシャワーや雨が痛いと感じることがあるという。確かにシャワーも水圧が強いときには痛く感じることがあるが，通常の水圧でも痛みを感じるのである。

アクティブラーニング① シャワーが痛いという人に出会ったとき，作業療法士としてぜひ考えておきたいことは，どういうことがあるだろうか。生活していくうえでどのような支障が生じるだろうか。考えてみよう。

2 感覚統合理論

　感覚統合（sensory integration：SI）という働きは，人の身体の隅々にある感覚受容器から，絶えず送られてくる感覚情報を，脳のさまざまな段階で有効に活用できるように処理したり，**組織化**[*2]するための感覚情報の交通整理である。われわれがとる行動は，内部・外部の環境から感覚を通じてなんらかの情報を得て，その情報に応える形で起こっていると考えられる。行動すると環境は変化し，その情報に応じて人の行動はさらに変化する。図1のように表すことができる。

　このように環境と人とは相互作用をしていると考えることができ，人の行動とは環境との相互作用に基づく**適応反応**[*3]であるということができる。人は暑いから洋服を脱ぐのであり，寒いから洋服を着るのである。ちょうどよくなれば，それ以上は何もしないという行動を選択する。

　感覚統合理論とは，人の行動や発達を脳における働きとの関係で理解しようとする取り組みの全体像である。

図1　環境との相互作用

> ○ 補足
>
> **環世界という見方**
> 環世界とは，この環境において，その主体が捉えている独自の主観的な世界を指す言葉。外界に物理的に広がっている環境と，私たちが主観的に捉えている環境とは異なるはずで，主観的な環世界は，当然個人個人によって異なる。ユクスキュル『生物から見た世界』（岩波書店）の見方が参考になる。
> 環世界を左右するものには，体の大きさなど物理的要因，身体機能の要因，価値観，物事の認知の仕方や理解の仕方，これまでの経験などがある。
> 簡単な比喩を。東京の空を狭いと感じるかどうかはいろいろな要因はあるにしても，その人の世界観の違いである。子どもの場合でも，アスレチックに行き遊ぼうと思っても，手に負えないと感じるか，簡単と感じるかは個々人によって変わる。

3 感覚統合にトラブルを抱える子どもたちの行動を理解する

　子どもたちの悩みを理解しようとするときには，「どうすべきか」の前に，「なぜそうせざるをえないのか」という視点が重要になる。人の行動は環境との相互作用に基づく適応反応である。ある行動がみられるときに，そもそも子どもたちは環境からどんな情報を得て，その情報をどう処理したのだろうか。それが理解できれば，「なぜそうせざるをえないのか」が理解されると考えられる。

　もしかしたら，感覚が入力され，処理されるプロセスのどこかで偏りを

> ○ 補足
>
> 内部環境の情報は，ホルモンを通じて行われることもある。

＊2　組織化
子どもの発達は，初期段階から進んでいくことによって，組織化が進められると表現される。感覚統合で考えると，個々の感覚系がバラバラに，それぞれが初期段階にある処理をしていくと，全体として組織だった動きにならず，高次の課題に対応できない。組織化という言葉のイメージが難しい場合には，会社の動きや，チームスポーツの動きを想像してもらうといいだろう。一人一人がバラバラに動いているときには，チームの力が発揮されない。個々に役割分担があり，連携を取ることで，一人一人行っていることは異なるかもしれないが，チームとして大きな力を発揮している状況である。One Teamになっている状態が組織化された状態である。

＊3　適応反応
人は自分がおかれた環境もしくは内的環境から受け取った情報に応えて，その情報に適応して行動をとっている。常識で求められる（他者が求める）社会ルールに適応的であるという意味ではない。その人が得た情報に適応した結果としての反応・行動という意味である。

> **補足**
>
> **二次障害について**
> 感覚統合にトラブルがある場合に，もっとも懸念される子どもの育ちへの影響は，内的欲求（Inner Drive）が阻害されることである。Ayres（エアーズ）は内的欲求について次のように述べる。「どの子どもにも，感覚統合を発達させたいという大きな内的欲求がある。ハイハイしなさい，立ちなさい，登りなさいと大人から言われなくても，子どもの内側から本性がそう命令する。子どもが自分の周囲に発達する機会を探し，うまくいくまで試行錯誤を繰り返す様子を観察してみよう。もしこの感覚統合への内的欲求がなかったら，私たちは誰一人発達できない。この内的欲求はとても大きいので，私たちは感覚運動の発達のほとんどの側面を当たり前のことと考える。子どもの本性が自動的に発達を促してくれるのだ」[1)]。感覚統合上のさまざまなトラブルがあることで，このように子どもたちが育つために重要な働きが阻害されるのである。

もっているのかもしれない。入力そのものが適切に行われていない可能性も考えられる。そのように感覚情報の処理過程にトラブルがあれば，当然組織化することはうまくいかない。その結果として，さまざまな問題が生じていると理解することができるかもしれない。それが，感覚統合的視点に立つ子ども理解である。

4 感覚統合の視点に立ったアプローチ

感覚統合の視点に立つアプローチとはどういうことか。感覚を使うことだけではなく，ノウハウを練習することでもない。現象を，感覚の特性や情報処理の特徴について，その原因・背景に遡って考え，脳の働きとの関連性などを踏まえて理解し，アプローチ方法を立てていくことである。脳科学との関連性は重要であるが，脳の働きをリアルタイムでモニターすることはできないので，あくまで**行動を観察し**，脳の働きを推測するしかない。逆にいうと，脳科学の知見を借りてきて脳の変化を推測するだけでは不十分である。介入したうえで，**行動に変化がなければいけない**。誤解を恐れずにいえば，われわれ作業療法士が扱うのは**行動**である。言葉を換えれば，**作業遂行**にほかならない。この作業遂行の変化を求め，しかし，脳科学の知見なども参照しながらアプローチをしていくこと，これが感覚統合の視点に立ったアプローチであると筆者は考えている。

■ 感覚統合機能評価

「粘土で遊べない」，「絵を描くのが下手」，「文字を書くのが下手」，「体育が下手」，「遊びに参加できない」など，主訴で聞かれることは行動レベルの話題が多い。この心配される行動の裏に潜んでいる発達上のトラブルや，感覚情報処理能力の低下を解き明かしていくプロセスが評価である。

感覚統合理論を用いて子どもを理解するための評価を行う際に特に重要な点は，フォーマルな評価であろうと，インフォーマルな評価であろうと，その課題に取り組んでいるときの姿を行動観察することである。その評価項目が「できたか/できないか」ではなく，「いかにできて」，「いかにできないか」をみていくことである。子どもがその項目に取り組む様子を丁寧に観察することで，どんな情報を頼りに環境を理解し，思考しているかを推測することができるからである。

● **感覚統合機能の評価を目的とした検査**

代表的なものとして以下のものが挙げられる。

① **日本版感覚統合検査：JPAN 感覚処理・行為機能検査**

日本で開発から作成，標準化までを行った検査。幼児・児童の感覚系の

JPAN：Japanese Playful Assessment for Neuropsychological Abilities

基礎的な神経学的発達を評価する目的で開発された。検査といえども楽しみながら参加できるように，遊び心を備えた検査を目指してつくられた。AセットからCセットの3つのセットに分かれる。「日本感覚統合学会」が主催している感覚統合療法認定講習会において，JPANの習得とデータの解釈法についてプログラムが用意されている。

J-MAP：Japanese Version of Miller Assessment for Preschoolers

②日本版ミラー幼児発達スクリーニング検査（J-MAP）
　中～軽度の発達の遅れをスクリーニングするために開発された検査で，2歳9カ月～6歳2カ月の児を対象としている。日本で再標準化されている。低年齢の子どもに用いることができ，スクリーニングを目的としていることもあり，幅広い5つの領域をみることが可能である。結果もビジュアライズされており見やすい，という特徴がある。

SP：Sensory Profile

③感覚プロファイル（SP）
　感覚プロファイルは，対象児の感覚刺激への反応特性を把握するために行われる質問紙検査である。子どもの感覚刺激への反応などに関する質問項目に保護者が回答し，集計してスコアが算出される。結果は象限別スコアとして低登録，感覚探求，感覚過敏，感覚回避として示される。特徴は，1つのタイプだけでなく，複数に分類されることもある。

JSI-R：Japanese Sensory Inventory Revised

④感覚発達チェックリスト改訂版（JSI-R）
　感覚調整障害に関連する行動特徴を評価する質問紙法として日本で開発されたもの。前庭感覚，触覚，固有感覚，聴覚，視覚，嗅覚，味覚，その他の合計8領域147項目で構成される。日常生活における行動を質問し，評価する。結果は4～6歳の標準サンプルと比較して判断することができる。「日本感覚統合学会」のホームページからダウンロードすることができる（日本感覚統合学会：http://www.si-japan.net/）。

SCSIT：Southern California Sensory Integration Tests

SIPT：Sensory Integration and Praxis Test

⑤南カリフォルニア感覚統合検査（SCSIT）
　感覚統合理論の創始者であるAnna Jean Ayres（エアーズ）によって1972年に開発された検査で，4～8歳11カ月の児を対象としている。アメリカで標準化されているが，日本では標準化されていない。1989年に感覚統合行為検査（SIPT）に改訂された。SIPTについては，日本には一部しか紹介されていない。かつては，「日本感覚統合療法認定講習会」で紹介されていたが，現在ではJPANが採用されており，SCSITを習得する場はなくなってしまった。

⑥南カリフォルニア回転後眼振検査（SCPNT）
　やはりAyresによって1975年に開発された検査。前庭系の機能を評価

するために用いられる。一定の回転刺激を行った後の眼振持続時間を測定する。アメリカで標準化されている。

● 情報収集するために

正確な評価のためには，評価場面でみられる姿だけでなく，日常の姿や生育歴なども重要である。そのため，保護者からの情報収集は欠かせない。

発達質問紙

保護者に主訴と生育歴，現在の生活の様子などを記入してもらう。

● 行動観察

行動観察を行うときのポイントは，とにかくよく見ることである。どのような行動をとっているかを丁寧に見ていく。同時に，その行動が起こる前後関係や文脈を把握していく。人の行動は，単に刺激に反応するだけの決まりきった機械的システムではなく，そのときの感情や状況などさまざまな要因に基づいて変わっていく柔軟なシステムに基づいているといえる。従って，そのときどきの前後関係や状況を丁寧に把握することが必要である。いくつかの情報が集まってくると，どんな条件が整うと，どのような行動の傾向があるのか把握できるようになるので，そこを整理することが行動観察では求められる。

> **試験対策 Point**
> それぞれの感覚統合に関連した検査は，英略語，検査を行う目的，対象年齢，質問する対象（親御さんなのか），検査する項目，検査手順，検査に使用する物品などを押さえておこう。

5 行動観察の方法

子どもと会ったときには，作業療法士がまったく関与しないフリータイムを設定して，どのように環境と関係をもつのかを観察したい。小松は，「independent SC：sensory communication」として非介入時の子どもの行動を観察することの重要性を述べている[2]。

感覚統合評価においては，基本的には評価者自身が関与している。関与観察になることをよく自覚する。評価者自身の言葉や，ジェスチャー，動き，存在感などを客観的にとらえることは容易ではないが，しかし評価者も環境の一部であり，子どもは環境からの情報に基づいて行動を行っているため，子どもの行動の前後関係に評価者の影響を加味して検討すべきである。

■ 介入したうえでの行動観察

もし，independent SCを観察するだけではその背景や傾向を把握することができないときには，作業療法士による介入を行い，前後関係・文脈・環境を変化させ，その変化した環境によってどのように行動が変わる

治療的アプローチ：発達の各領域に対するアプローチ

のかを観察する。図2に1例を示す。

　作業療法士が，対象者と会ったときにどのように振る舞うのか，言葉をかけるのか，かけないのか，何を意図して関わるのか，そこを自分自身で意識しながら介入をすることで，行動観察をより効果的に行うことができる。「自己の活用（use of self）」である。

図2　介入したうえでの行動観察

a　介入前　　　　　　　　　　b　介入後

> **補足**
>
> **自己を活用する際に扱うことができるもの**
>
> 次に挙げるようなことをわれわれはコントロールして使用することができる。特に最初に介入する際には，これらのことを意識的にコントロールし，適切な評価につなげていきたい。
> - 関わるときの声のかけ方
> - 出す声の種類や大きさ
> - 働きかける方向・本人の視野との関係
> - 自分の動き・スピード
> - 距離感
> - 体性感覚への働きかけ
> - 感覚防衛への対応
> - 感覚鈍麻への対応
> - 物の使用

Case Study

- 例えば，出会ったときに作業療法士に対して挨拶をしなかった子どもがいたとする（図2a）。「挨拶をしない」という見た目だけの行動では，なぜ挨拶をしなかったのかその背景や，どんなときに挨拶をしないのかというその傾向は把握できない。そこで，作業療法士による介入が必要になる。まず，挨拶をしなかった理由を想定してみる。
- 子どもの行動の理由について，「そんなことまで……」という可能性も柔軟に想定できることが実は重要である。作業療法士自身がもつ常識で思考の広がりに制限をかけた瞬間に，相手のとらえている世界を理解する道は極端に狭くなってしまうからである。
- 想定ができたら，それを確かめてみる。それによって，その子どもがもつ特徴を1つ手に入れることができる。ここでは，肩に手をおくことで「気づき」を提供する試みが成功している（図2b）。
- 場面によっては小さいエピソードかもしれないが，その小さいエピソードを丁寧に積み重ねていくことが，対象となる子どもを深く理解していくために，とても重要である。

Question 1

この子が挨拶をしなかった理由を考えられるだけ，挙げてみよう。

☞ 解答 p.278

■運動面の行動観察

　子どもが環境に働きかける様子を見ることで，感覚のとらえ方を推測することができる。環境への働きかけは，具体的には運動として現れるので，運動の行動観察も重要になる。運動面を行動観察する際にも基本的なスタンスは変わらない。とにかく，その運動・行動をよく見ることである。運動・行動を観察するときには，運動発達の知見，運動学の知見，行為機能の知見などが参考になる（行為機能についての詳細は86ページを参

照)。行為機能の評価でポイントとなるのは1回目の行動である。遊具に関わるときでも，何か運動を行うときでも，1回目にどのような行動をとるかが重要な評価になる（図3）。1回目に失敗しても，2回，3回と繰り返すうちに，その子どもにとっては情報量が増えていき，運動や行動が修正され，課題を達成できることがあるためである。1回目の関わりのときに，その子どもがもつ行為機能や身体図式の力がそのまま表現されることが多い。

同様に，慣れた運動を行うときには行為機能を必要としないので，できている運動を見るだけでは，子どもがもっている行為機能や身体図式といった力を的確に評価することは難しい。そのために，ここでも作業療法士による介入が必要となる（図4）。行為機能や身体図式の力に課題があっても，繰り返しの練習で習得してきている可能性（スプリンター・スキル）があるからである。

> **アクティブラーニング ②** 1回目の行動が重要な理由を考えてみよう。

図3 「1回目のトライだからこそみられる失敗」

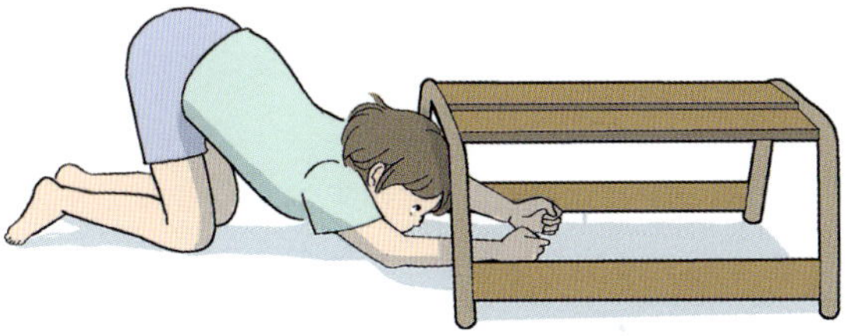

1回目のチャレンジで，くぐろうとして失敗する。2回目には成功してしまう。

○ 補足

運動，行動，行為
運動は身体的な運動を指す。行動は，運動によって構成された人の動作を指す。目的をもった行動になると，行為と表現される。

図4 慣れた運動（スプリンター・スキル）への介入

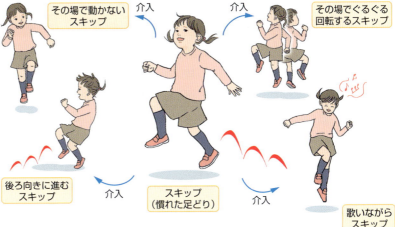

獲得して慣れた運動も，初めは行為機能を必要としていた。繰り返しのなかで自動化されていく。介入によって運動の方向を変えたり，二重課題〔「注意機能」(99，100ページ)を参照〕にするなどで，行為機能を必要とする新たな運動課題とすることができる。

● 他領域で行われる評価の活用

感覚統合理論以外で行われる評価を活用すると，その子どもがもつ感覚統合機能が最終産物である高次機能へ与えている影響を見ることができ，よりトータルに理解することができる。

情報処理過程を理解するときに参考になるK-ABC心理・教育アセスメントバッテリーやWISCなどのウェクスラー系の検査バッテリー，ITPA言語学習能力診断検査，フロスティック視知覚発達検査などが代表的であろう。

K-ABC：Kaufman Assessment Battery for Children
WISC：Wechsler Intelligence Scale for Children
ITPA：Illinois Test of Psycholinguistic Abilities

● 評価を通じて把握したいこと

これまで述べたさまざまな評価を通じて把握したいことの一つに，sensory needsがある。感覚に対する好み・欲求である。sensory needsは子どもの行動を理解するときの大きなヒントにもなるし，治療的介入を行うときの助けにもなる。

試験対策 Point

感覚統合以外の発達領域で使用される検査について，英略語，検査を行う目的，対象年齢，質問する相手(子どもなのか，保護者なのか，観察によるのかなど)，検査する項目，検査手順，検査に使用する物品などを復習しておこう(p.57参照)。

● 評価において大切なこと

子どもを理解するためのヒントはいたる場面に隠れている。評価を行ううえで最も大切なことは，一挙手一投足を見逃さないという集中力と観察眼ではないだろうか。評価は出会ったときに始まり，部屋を出て行くその瞬間までのすべての場面が評価の対象である。

また，評価をするときに，その対象となる子どもを，疾患・障害などのフィルターを通してではなく，一個人の純然たる子どもとして見ることを忘れてはならない。

6 感覚統合へのアプローチ

■ 感覚調整障害に対するアプローチ

不思議なことだが，多くの子どもがまったく当たり前のように遊んでいるなか，粘土，のりを使った製作活動，外遊びではブランコやすべり台，高いところから飛び降りること，砂場遊びが怖くて仕方のない子どもがいる。爪を切る，髪を洗う，切る，耳かき，歯磨きなどの日常生活がうまくできない子どももいる。極端な偏食がみられることもある。また，そのまったく逆で水が大好きで大好きで離れられない，ブランコに30分乗っていても物足りない，ぐるぐる，ぐるぐるその場で回っていても目が回らない，そんな子どもたちもいる。痛みを感じないように見えたり，呼んでも聞こえないように見える子どももいる(補足参照)。そのなかのいくらかの割合の子どもたちが感覚面でのトラブルを抱えていることがあるようである。このトラブルのことを「**感覚調整障害**」とよんでいる。ここでは感覚調整障害について解説し，アプローチについての原則などを紹介したい。

補足

具体的な調整障害の現れをここですべて挙げることはできない。先に紹介したSPやJSI-Rなどを参考にすると，たくさんの姿があることがわかるだろう。発達障害当事者の自叙伝も参考になる。本当に千差万別である。聞いたことがないからありえない，ではなく，対象者の語りに真摯に耳を傾け，状態像を把握したい。

● 感覚調整障害とは何か

感覚調整障害を説明するときによく例に出されるのは，ラジオのボリュームである．本来は，入力される感覚刺激は脳に伝える際にボリュームのように調整され，適切な大きさで届けられている．しかし，このボリュームがうまく働かない場合，不必要に大きく伝えられてしまったり，とても小さくしか届けられなかったりしているようである．

ヘッドフォンからいきなり大きな音がしてきたらどうだろうか．びっくりするだろうし，再度そのヘッドフォンを使おうとは思わないかもしれない．怒りを感じることもあるだろう．そのように不安を感じ，怒りを感じれば，自分の身を守りたくなる．そのヘッドフォンから離れてみたり，近づくことを拒否したり，ヘッドフォンをむしり取って壊してしまうかもしれない．このように，普通感じない程度の刺激に対して拒否的な反応を示す行動を**防衛反応**とよんでいる．防衛反応は，触覚や前庭感覚，聴覚，視覚の各感覚系でみられる（図5）．また，感覚防衛の特徴として，自分から関わるときには大丈夫なのに，人からやられると嫌がるということがある．自分からはお母さんにべたべたするのに，抱っこしようとすると嫌がる姿などは，特徴的な姿である．

防衛反応が，感覚に対して過剰に反応する様子がみられる一方で，反応が起こりにくい状態を**低登録**という．痛みに対して鈍感にみえ，どこかにぶつけたり，注射をしてもケロッとしている様子である．

感覚刺激を強く求める行動がみられることもある．**感覚探求**と表現される．何かを叩いていたり，つねったり，足を踏み鳴らしたり，声を出したり，体を揺らしたり，くるくる回る，ブランコに乗って降りてこないなどの姿である．

治療的アプローチ：発達の各領域に対するアプローチ

図5 感覚防衛反応の様子

感覚調整障害の種類

■ 感覚防衛に対するアプローチ

　感覚防衛に対してアプローチするために，まず行うことは正確な評価（アセスメント）である（表1）。感覚プロファイル（SP）やJSI-Rが有用である。次に行うことは，今の生活や，今後の生活，発達や育ちへの影響も含めて把握することである。（生活への影響の詳細については，生活障害の表れを参照）。それらを整理して課題の見立てを行う。感覚プロファイルを実施すると，それまで気づいていなかった，さまざまな"症状"に気づくだろう。これらの症状すべてを「改善＝なくすこと」が「課題＝目標」になるわけではない。症状が改善すること，症状がなくなること，現在の課題にすること，この関係を整理していくことが重要になる。それが課題を見立てるということである。

　支援すべきことがそこにある場合，支援の方向性としては3つの選択肢がある。

　1つ目は，症状の改善を期待し，本人の能力が向上するためのアプローチである。機能改善・能力向上のアプローチである。

　2つ目は，環境調整により，症状の軽減を図るためのアプローチである。

　3つ目は，根拠と見通しとリスク管理を伴った見守りである。"今"は課題として取り上げず，見守るだけである。よくある「様子をみましょう」という，問題の先送りのための根拠のない見守りではない。多角的な分析を踏まえた根拠のある見守り，リスク管理を伴った見守りである。生活状況・発達状況全体を考えたときに，優先順位を高く設定すべきものが他にある場合，順番として解決すべきことが先にある場合，ここで見ているテーマは後回しにするのである。

　この見守りはとても重要な選択肢であると考えている。どうしても，"症状"を"発見"すると，つい「なくすこと」を「目標」にしがちである。しかし，実はそのままでよいことも多々あるのである。

表1　感覚調整障害へのアプローチのために

1. 評価・アセスメント
2. 生活や育ちへの影響の把握
3. 課題の見立て
4. 支援の方向性の選択
5. 具体的プランの検討

● 根拠のある「見守り」実施例

　例えば，ある子どもの評価の際に，感覚プロファイルを行ったところ，保護者から子どもが"揺れること"を強く拒否する点が思い出され，保育園のころに苦労した経験を話されたことがあった。現在，通常学級に通う2年生である。しかし，現在の生活の中で見渡してみると，これが原因で

できない活動は見当たらなかった。体育の各種競技についても，技能的には上手ではないが，参加はできていた。保護者とも，現在の生活の中では，"揺れることを嫌がる"ことが直接結びつく困難さは見当たらないことが確認された。そのことよりも，音に対する過敏な反応が授業への参加で課題になっていた。そこで，"揺れることを嫌がる"に対しては，そういった状態があることは共有しつつも，具体的なアプローチを行わないこととした。見守りとしたのである。

● 機能改善・能力向上のアプローチ

機能改善・能力向上のアプローチを紹介する。ただし，感覚防衛に対する最も避けなくてはならないアプローチは，「そのうち慣れるだろう」，「我慢しなさい」である。実際には，生活の中でさまざまな活動を経験しながら，自然発達的に改善がみられたケースに会うこともある。しかしその場合，改善がみられるまでの間に負の経験を多く抱えていることも少なくない。

では，どうするか。下記に紹介する方法を通じて，今までは「嫌い」と思っていたものを，「あれ，そうでもなかった」，「意外と悪くないな」と，それまでの過去の記憶を書き換えることを目指したい。ただし，ここで述べるのはあくまで原則である。

目的・見通しを設定する

目的的な活動の場合，意識として自発的な関わりが可能になるので，心理的な準備ができ防衛反応を抑制しやすい。ただし，「大人にとって」の目的ではなく「本人にとって」の目的性が必要である。どの程度の時間的長さなのか，見通しがはっきりしていることも大切である。

自分から関わる

自分で自分の脇の下をくすぐっても平気なように，自発的な関わりは防衛反応を抑制しやすい。

逃げ道を用意する

いつでも辞められる，逃げられると思うと，気持ちに余裕ができるのは大人と同じである。追い詰められるのは，やはりよくないのである。この逃げ道は，姿が少し改善したとしても，しばらくは継続して用意することが大切である。

因果関係を明確にする

人が不安を覚えるのは，その対象が訳がわからないときである。いつ，どうやって，どのくらい出てくるのか，訳がわかるようにすればよい。

> **補足**
> 考えてほしい。「1カ月，毎日ミミズを頬に5秒間つければ，ミミズが気持ち悪くなくなるからやってみよう」と言われて，積極的に協力するだろうか（ミミズにはなんら罪はない）。「いや，粘土とミミズは違う。粘土は克服すればいろいろな活動ができるから」という意見もある。しかし，それは大人の理屈である。粘土が嫌いではないからこそいえる理屈である。

固有感覚による抑制作用を活用する

固有感覚を活用して防衛反応を抑制する方法である。固有感覚を活性化するために，「大きな面積」を使って「動かさず」に「圧刺激」を提供する。叩くことでも固有感覚は活性化される(図6)。

図6 固有感覚の活性化を活用した感覚防衛へのアプローチ

a　自発的活動で固有感覚の活性

"固有感覚を活性化"するために，主体的に叩く。「タイコ」とか，「倒してしまえ～パンチだー」などのイメージづくりも，とっても有効。

b　目的の設定＋固有感覚

片づけと称して箱に押し込む。触る"目的を明確にする"ため。押し込むときには，"固有感覚を活性化"することになる。

c　目的設定＋主体的関わり＋逃げ道

小さい型に押し込む。"目的を明確にする"ため型を用意し，できたときの完成形をわかりやすくするため。小さい型に入れるためには，粘土をちぎったりする必要があり，より操作的に関わる必要がでてくる。

このように感覚防衛反応に対する原則はあるが，実際の場面で具体的にどのようなセッティングを行い，関わりをもつかは，好きな遊びや使える環境などによりその都度変わるので，オーダーメイドのプログラムが必要である。

作家のニキ・リンコさんはその著書[3]のなかで数々の感覚防衛反応について，実体験を基に語ってくれている。感覚防衛がある方の内面世界を丁寧に語ってくださっているこの本は，感覚統合を学ぶ者にとって大変貴重な声であろう。ほかにも当事者の書かれた本や体験談でもさまざまな内面を知ることができる。防衛反応があるときに最も懸念されることは，外界に対する不安が高くなることであり，積極性が失われることである。防衛反応へのアプローチを行うときには，単にその症状を軽減することだけを目指すのではなく，本来培われるはずであった積極性・自発性についても育むことができるように計画していきたいものである。

■**感覚探求に対するアプローチ**

次に，調整障害のなかでも，感覚刺激を求める傾向の**感覚探求**についてみていきたい。感覚探求がみられる子どもたちは，どちらかというと脳に届く感覚刺激を小さく感じているようである。ヘッドホンの音が小さいときはどうするだろうか。ボリュームを大きくするだろう。同じように感覚探求がある子どもたちは，通常の子どもたちよりも強く，たくさん感覚刺

激を取り入れようとする。タオルやトレーナーをずっと口にくわえていて，噛（か）み続けるせいで，1日で穴があいてしまうこともある。また，壁やドアを叩いて回る，ドシンドシンと床を踏みならして歩く，大きい声を出す，氷ばかり噛んでいる，トランポリンでずっと跳んでいる，高いところにのぼって降りてこない，などである。

● 課題の見立て

　感覚探求に対するアプローチを考える際にも，感覚防衛へのアプローチ同様に，評価・アセスメント，生活への影響の把握，課題の見立てを行う。

　まずは，sensory needsという観点で行動を理解することが重要になる。sensory needsとは，ある感覚に対する好み，嗜好性のことである。支援の必要性や障害の有無に関わらず，誰にでも，大なり小なりあるものである。複数の感覚に対して持っていることもある。誰にでもあるものであるので，ニーズがあることは，問題があることを意味しない。ちょっとしたクセの中や，生活の好みの中に表れている。具体的には，重い布団を好むとか，好きな食べ物でグミ，硬いせんべいを選んだり，レジャーではジェットコースター，太鼓をたたく，など。すべてがsensory needsに基づくとは断言できないが，このようなクセや趣味の中でニーズを充足していることが多いと考えられている。しかし，支援を必要とする子どもたちは，ニーズの度合いが強いので，クセや趣味といった範疇には収まらず，生活の中で目立ってしまい，感覚探求と分類されるのである。

　この視点からは，やめさせることは難しいことがわかるだろうか。誰にでもあるものなのである。皆がもっている。許容できる範囲であれば，「見守り」による対応も十分に選択される可能性がある。しかし収まらない場合には，どうすればやめさせられるかではなく，社会的に許容できる方法に変更をお願いする，という発想で考える。

　例えば，人に触ることを強く好む場合であれば，ハイタッチによって関わる，可能な相手との関係であればマッサージをしてもらう。授業中に何かをいじってしまうのであれば，ポケットの中か，机の中で触るようにしたり，椅子の座面の裏側に貼り付けてそこで触れるようにする。授業中であれば，音が出ない素材に変更する。アプローチとしては，環境調整に類する対応である。

　さらに，生活の中で対応していくためには，sensory dietの概念が重要になる。これも環境調整によるアプローチになる（詳細は，p.114参照）。ここでは，感覚探求に対する機能改善・能力向上のアプローチを紹介する（図7）。

アクティブラーニング❸　感覚探求がある子どもに対して，どういう対応が考えられるだろうか。次を読む前に考えてみよう。

治療的アプローチ：発達の各領域に対するアプローチ

注意を向ける

　本人の注意が逸れていると，感覚刺激をキャッチし損ねる確率は高くなる。これから提供される感覚刺激に対して注意をしっかり向けるようにしたい。

他の感覚と一緒に提供する

　キャッチすることが苦手な感覚だけでなく，他の感覚と同時に提供するとキャッチしやすくなる。

コントラストをはっきりさせる

　車で急発進して強いスピード感を感じたとしても，同じスピードで走っているとすぐに慣れてしまう。しかし，スタートとストップを繰り返すと，スピードはそれほど出ていなくても，スピードの差を十分感じることができる。このようにコントラストをはっきりさせることで刺激を受け取れるようになる。

繰り返し提供する

　慣れについては注意が必要であるが，やはり繰り返すことによって感覚をキャッチしやすくなることもある。漠然と繰り返すのではなく，目的的に繰り返すことが重要である。

図7　感覚を強調するための方法

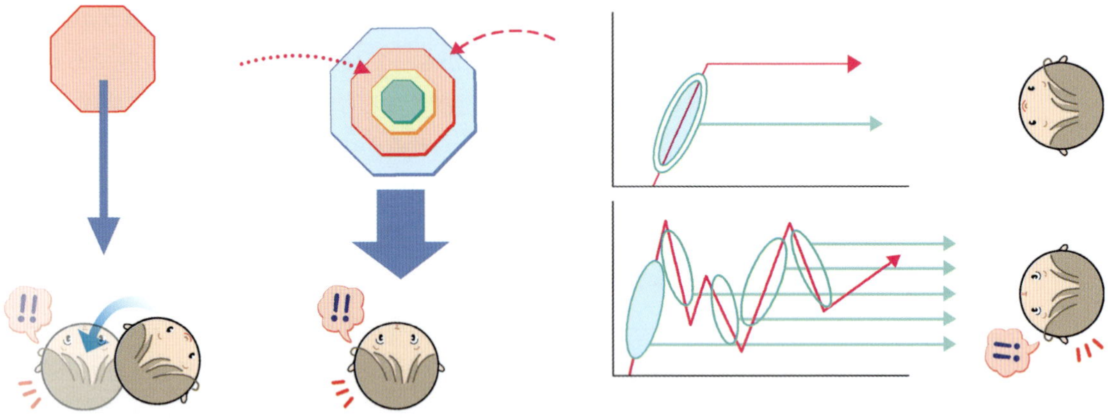

　a　注意を向ける　　　b　他の感覚と一緒に提供する　　　c　コントラストを明確にする

● **感覚探求がある場合に懸念される，生活や発達への影響**

　感覚探求があることで，何か行為をしようとしても，感覚探求が先行してしまう。着替えをしようとしても，ジャンプすることが行われてしまって，着替えが進まないような状況である。新しいおもちゃが出てきても，それをふったり，叩いて音を出すことが先行してしまい，どんなおもちゃ

なのか，どのように遊べるのか，など遊びの本来の探求心の発露であったり，集中して遊びこむようなことが，阻害されてしまうかもしれない。それぞれ生活面，発達面への懸念材料である。

■ 感覚の低登録に対するアプローチ

　感覚に対する**低登録**の状態が懸念されるときに行うアプローチを考える。これまでと同様に，感覚防衛へのアプローチと同様に，評価・アセスメント，生活への影響の把握，課題の見立ての順で行っていく。

　生活上のトラブルになりやすいのは，ぶつかったり，足を踏んだりすることである。いずれも，周囲からは「なんで？」，「繰り返し言っているのに」と思われることが多い。なおかつ，本人に指摘しても「やっていない」と"ウソをつく"ように見られることも多い。しかし，本人は決してウソをついているわけではない。なぜか。低登録＝感覚をキャッチできない＝人の足を踏んでいる感覚がわからない，という特徴ゆえの姿なのである。都合の悪いことを隠しているとか，ウソをついているのではなく，本人からすると，まったく身に覚えがなく，さらにそれを周囲から一方的に指摘される状況で，まさに青天の霹靂なのである。これが繰り返されると，「みんな，オレが悪いと言う」，「いつもオレばかり」，「オレの話を誰も聞いてくれない」と被害妄想的になることもある。これらのことも踏まえて，アプローチとして選択されるのは，多くが環境調整である。

　本人が気づきにくい状況があるので，気づいてもらう手伝いをする。足を踏んでしまっていることや，カバンが当たっていることを，本人に伝えていくことである。このときに，くれぐれも気をつけたいのは，本人に「伝える」である。「指摘」「叱責」「注意」ではない。こちらからは，喜怒哀楽の感情を伴わないニュートラルな状態で「伝える」ことである。「ねぇねぇ，たかしくん。君が今ここを通ったでしょ。カバン取りに行ったね。そのときに，ここにいたさとしくんの足を踏んだようなんだ。君は気づいたかい？」である。「君が踏んだんだ！ 認めなさい！」ではない。「気づいていたか？」である。認めさせようとすると，本人としては身に覚えがないことを，一方的に罪をかぶされて，指摘されている心地になり，余計に防衛的に「知らない」，「いつもオレばっかり怒られる」となってしまうからである。「君は気づかなかったかもしれないけど，ここを通るときに踏んでいったんだ」と「伝えて，教えてあげる」ことが重要である。周囲の子どもたちも，何度も"被害"にあっていると，心穏やかにいられないかもしれないが，ぜひ先生方が間に入って，それぞれの心持ちに配慮した対応をしてもらいたい。

　本人が防衛的にならずに，自分の行動を振り返り，少しずつ気づいていくと，なかなか事前回避は難しくても，踏んでしまった後に「もしかして……」と気づきやすくなる様子がみられてくる。この少しずつではあるが，

治療的アプローチ：発達の各領域に対するアプローチ

小さな変化が重要である。

> **アクティブ ラーニング ④** 低登録の場合の課題として，上記以外にどのようなものがあるだろうか。

■ 感覚調整障害と生活への影響（生活障害の表れ）

感覚調整障害があるときにぜひ把握したいことは，「どんな症状をもっているか」はもちろんであるが，その症状が「生活にどう影響しているか」である。さらに，「家族の生活にどう影響しているか」も考えたい。つまり，本人と家族の生活上の困難さであり，両者の生活障害の表れである。

次の**表2**は，感覚に対する過敏さがあるときにみられる，本人の生活への影響，そういった影響を抱えた子どもをもつ家族への影響を示したものである。ここに挙げているのは一例であるが，子どもの評価をするときには，このようにその先にいる家族の生活障害まで含めて，十分に推測をしながら聞き取りをするようにしたい。

表2 感覚過敏による生活障害

感覚の過敏さ	本人の生活障害	家族の生活障害
・触覚への過敏さ ・聴覚への過敏さ ・姿勢への過敏さ ・嗅覚への過敏さ	・スキンシップができない ・顔がふけない ・歯磨きができない ・頭を洗うことができない ・髪の毛が切れない ・耳掃除ができない ・爪を切れない ・抱っこでないと寝ない ・ある音が苦手で店に入れない ・特定のメーカーの食品しか食べない ・小さな音でも泣いて嫌がる ・長い時間連続して寝ることができない	・当たり前の子育ての，子供を可愛がる行為ができない ・当たり前の子育ての，セルフケアと呼ばれる，身支度ができない。清潔が保てない ・身の回りのことができず，周囲から非難される（かもしれない） ・家事行動や外出行動が大きく制限される ・食品選択の自由が制限される ・夜の自由な時間が制限される ・親が睡眠不足になる。疲労の蓄積。ストレスの増大

7 行為機能不全に対するアプローチ

人が行動を起こすときに，頭の中で起こっている働きを感覚統合理論では「**行為機能（praxis）**」として整理をしている。行為機能とは，**不慣れな行為を行うときに働く機能**で，「人が物理的環境と相互に作用し合う際にみられるものではあるが，そこには目に見える身体的行動以上のものが含まれている」，「主として運動行動を企画することを意味し，それは人の行動と対象物についての知識や動機，意志を必要とするプロセスである」[5]。本項では，**観念化**，**順序立て**，**遂行**という，行為機能のステップに沿って解説し，そのアプローチ法を紹介する。

図8を見てみよう。これは，感覚統合療法を行うために用意された部屋である。感覚統合療法を行う部屋は，さまざまな遊具が自由にセッティングできるような設計がされていることが望ましい。もちろん遊具や部屋

がなくても感覚など理論に基づくアプローチは可能であるが，このような部屋が用意されていると場面設定のバリエーションが豊かになり，介入の幅に広がりがでてくる。

■観念化(Ideation)

図8を見て，どんな遊びができるかを考えてみよう。何らかのアイデアが浮かぶだろう。その環境において，どう行動するか，そのアイデアをもつことが，「観念化」とよばれる行為機能の1つ目のステップである（図9）。

観念化は，環境を把握することから始まる。**外部環境**は主に視覚や聴覚を中心に把握される。なんらかの原因によって視野が狭い場合，図8の写真のようにたくさんの遊具を一度にとらえることができず，一部の遊具のみしか選択しない（限定したアイデア）ということが起こりうる。また，外部環境を処理するときには，**同時総合**[*4]の能力が必要である。知的能力との関連も深いと考えられる。感覚探求行動が強い場合にも，遊具を見たときにいつもと同じような遊びしか思い浮かばず，限定されたアイデアになるリスクがある。

内部環境も把握することが必要である。図9を見てほしい。非現実に見えるだろう。私たちが非現実的であると感じることができるのは，あまりにもわれわれ自身の身体と異なるとわかるからである。われわれは，

> *4　同時総合
> 人の認知処理には継時処理と同時総合の2つのタイプがあるという（p.112参照）。

図8　感覚統合療法室

図9　遊びのイメージ例（観念化）

a　長い手があればフレームからフレームへの移動
b　軽業師のような離れ業ができるかも
c　私には大きすぎるブランコに感じ，立ちすくむ
d　遊び方がわからない

図10 過去の経験が遊び方を教える

これは，砂時計のようにひっくり返すと，中に入っている水やビーズが落ちていく仕組みになっている。子どもたちに人気のある手作り教材である。

> **補足**
>
> **扱う情報量**
> 図8では遊具の数がたくさんあるので，情報がたくさんあるといえる。遊具の数を減らせば量的に情報量は少なくなる。「高いところに上るための台」のように使い方を決めてしまうことで質的に情報量を少なくすることもできる。

自分の身体がもっている物理的・機能的な特徴を身体図式（次の項p.91で解説する）として把握している。自分の身体の状態を的確に把握していなければ，現実的なイメージを思い浮かべることが難しいことがわかるだろう。

　また，過去の経験も重要である。一度も経験したことがない場面，道具に出会ったときは，われわれも大きな戸惑いを覚えるだろう。例えば**図10**の遊び方はわかるだろうか？ 似た状況であることがわかり，参考にすることができる力も重要である（**恒常性を伴う成功体験**）。

　観念化に困難さがあると，当然遊びや具体的行動を思いつくことが苦手になりやすい。特に初めての場面が苦手になったり，新しいアイデアを創出することが苦手であるために，いつも同じ遊びをしている，遊びが展開しないなどの姿につながる。ときには，トラブルに遭遇したときにその解決方法が思い浮かばない，という姿になることもある。誰かがモデルを見せてくれたり，言葉でアイデアを提供してくれれば，その後の行動を開始することはできるので，消極的に見えたり，指示待ちに見えたりしやすい。また，初めての場面・場所に行くことを避けたがることもある。

　この困難さは，やるべきことが明確な日常生活場面や，設定保育の場面では発見しにくいので，自由遊び場面などを観察するとよいだろう。

● **観念化へのアプローチ**

　外部環境の把握に必要な視覚，聴覚，同時処理の向上には，認知面でのアプローチも有効であるが，ここでは詳細は述べない。感覚統合療法場面でできることとしては，**扱う情報量**（補足参照）を少なくすることで活動を思い浮かべやすくすること，見てすぐに使い方がわかるような遊具を用いること，先にモデルを見せておいて経験してもらうことなどが考えられる。少ない情報量であっても，自分でアイデアを組み合わせることができた経験が，次の似た状況での参考につながる。

　観念化を必要とする場面で選択肢を提示する，というアプローチもある。本人の観念化が十分に機能していないことが見てとれたときに，「どうする？ AとBのどちらにする？」というように示す。選択肢の中身は，「ブランコに，先生といっしょに座って乗る」というようにかなり具体的な選択肢から，「ブランコで遊ぶ」というように少し抽象的な選択肢まで，**抽象度をコントロール**することで段階付けをすることができる。

　過去の経験を参考にするためには，ある経験・活動に対して言葉でラベルをつけていくこと（**ラベリング**）が助けになる。言語の働きそのもののなかに，活動を具体的なものから抽象的なものへ概念化する働きがある。この力を活用していくのである。「ジャンプする」といえば，それがトランポリンでも，床の上でも，スキー台の上でも，同じ「飛び跳ねる運動」を想像

することができるだろう。これが過去の経験を参考に新しい環境にトライできるきっかけになる，ラベリングの力である。

> **アクティブラーニング ⑤** 何か遊びを挙げて，観念化の段階付けを行ってみよう。「具体的な指示内容から，抽象的なものへ」がヒント。

■順序立て（programming・sequencing）

　順序立ては，プログラミング，プランニングなどともよばれ，ほぼ同じことを指している。順序立ては，行為機能における2つ目のステップである。概念化のステップで思いついた運動行為を実現するために，運動の順番を組み立てる段階である。狭義の**運動企画**（motor planning）[*5]でもある。継時処理の力が必要であるし，絵画のような静止画ではなく動きのある動的なイメージが必要である。自分の身体をどう扱うかということが要求されており，自分の身体の情報である身体図式が不可欠でもある（図11）。

　もし順序立てに困難さがあると，アイデアはどんどん産出される（観念化）が，それを実現できずに，失敗を積み重ねるという姿になりやすい。プラモデルの作成でいえば完成図はわかっているが，説明書を読まずに手当たり次第に組み立てていくようなものである。とうてい完成には辿り着かないことは容易に想像がつくだろう。

　また，アイデアを実現するために「ああでもない，こうでもない」と試行錯誤は行うが，その組み立てが手当たり次第になり，試行錯誤の積み重

＊5　運動企画

行為機能が"行為"という時間的に長さのある行動を指すのに対して，運動企画は，その行為を構成する一つ一つの"運動"という時間的に短い単位を指す言葉と理解できる。行為とは「単なる動作ではない。行為の多くは，ある運動課題を協働して解決する動作系列の全体である。それぞれの連鎖は，お互い系統的に入れ換わる動作から構成され，これによって問題の解決を導く。連鎖の一部を出す動作はすべて問題の意味によって互いに結びついている」[6]。
なわとびを行うという1つの行為は，ジャンプ，なわを持つ，なわを回すなどの各運動（もっと細かく分析することもできる）から構成されている。この一つ一つの運動を実現するための働きが運動企画である。運動企画にも，行為機能と同じ「観念化-順序立て-遂行」という3つの段階があると考えられている。

上級者　　　　初級者

> **アクティブラーニング ⑥** 図11を見ながら，どのような順序で動作を行えば前に進めるか，言葉で表現してみよう。

図11　はしごを渡る

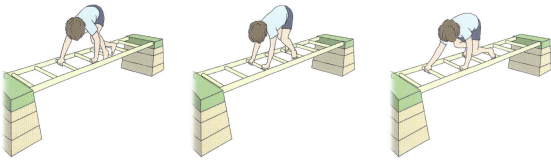

「はしごを渡る」という観念化に基づき，実際に左右の手，左右の足をどの順番で動かせばよいかを考えることが順序立ての段階に相当する。手と足がどのような状態にあるかが把握できていなければ，正しく順番を組み立てることは不可能である。

図12 フックをかけたいのに届かない

順序立ての失敗である。ボルスターに乗ったままフックをかけようとして届かない。ここで答えを教えるのではなく、乗っていると持ち上がらないことを本人に確認してもらう。持ってできないことを実体験できる点が重要。必要な順番をプランし直す必要がある。なお、プランし直すことは、遂行の段階に含まれる。

でゴールに近づいていくことが難しいこともある。ゴールに辿り着いたとしても、偶然着いてしまった、再現ができない、ということも少なくない。戦略的に上級者が行うルービックキューブと、初心者がグチャグチャに行うそれとの違いに似ている。

● 順序立てへのアプローチ

身体図式の育ちが十分でないときには、身体図式を整えることから始める。触覚や固有感覚への働きかけを行いながら、自分の身体を確認できるような活動に取り組んでいく。図11のはしごを渡る活動などは、代表的な活動である。リズムをうまくつくれないときには、前庭系の働きをサポートする必要があるかもしれない。

継時処理の苦手さのように、順番に考えること自体が難しい場合は、思考の整理を手伝う。つまり、一つ一つの行動を確認しながら組み立てたり、行動にナンバリングをして順番を確認するなどである（図12）。

■ 遂行（execution）

行為機能の3つ目の最終ステップで、実行ともいわれる。ここまでのステップでアイデアを思いつき、完成までの指示書ができあがって、いよいよ実際に実行してみるところである。このステップは実際に行う段階であるので、行動するための運動機能との関連が大きい。運動そのものができなければ遂行ができない。また、実際に行ったものが最初のアイデアどおりであるかどうかを確認することも、この段階に含まれる。フィードバックを受けたものが最初のアイデアと異なっている場合、観念化もしくは順序立てを練り直す必要がでてくる。ガードレールをまたごうとして、自分の足の長さでは足りず、またぐことを断念し遠回りをする、というように…。

● 遂行へのアプローチ

筋緊張やバランス、筋力、協調性などの運動機能に苦手さがある場合には、それぞれの機能に対してアプローチが必要になる。

フィードバックを十分に得ることができず、本人が成功しているのか失敗しているかの判断がうまくできていない場合には、**本人が気づくためのアプローチが必要である**。そのときに気をつけたいのは、作業療法士が言葉を使って「よくできているよ」、「ちょっとやり直そうか」というかたちで賞賛を与えたり、修正を促すような介入の方法である。一見すると不十分なフィードバックへの介入を行っているようにみえるが、「正誤」の判断を行っているのは作業療法士であり、本来、子どもがすべきプロセスを奪ってしまっていることになる。結果、自分では判断がつきにくく、他者の評価を気にしがちになってしまうリスクがある。感覚統合療法の場面なの

で，感覚-運動体験として本人が確認できるように設定するとよい（図12, 13を参照）。

図13 ボール投げをするときのフィードバック

a　ラインから出てしまう

b　ラインを守ることができる

a，bとも，「思いっきりボールを投げること」「ラインから出てはいけないこと」を伝えている。にもかかわらず，aでは，簡単にラインを越えている。bでは，マットを敷いたところ，まったく出なくなった。ラインという境目を感覚—運動的に伝えるための設定である。このように，本人が気づくことができる環境であれば，自分で修正することができる。

Case Study

行為機能不全のケース

地域の幼稚園に通う年長の男の子。発達検査によると数値上は平均を超える力がある。人に対しても親和的で，会話もスムーズにできる。幼稚園での朝の会では元気に返事をし，ほかの子どもと同じように歌を歌い，絵本を楽しんでいた。その子どもが自由遊びの時間になると，部屋の中で感覚遊びを始めた。ロッカーの前を左右に走り，横目でロッカーの縦の枠を眺めている。いわゆる，視覚（周辺視）での感覚遊びである。知的な力，言語の力，対人関係の力から考えると，この感覚遊びは了解が難しい。しかし，この子は行為機能の，特に観念化に課題があった。

Question 2

なぜ，朝の会は参加でき，自由遊びでは感覚遊びとなったのか，考えてみよう。
☞ 解答 p.278

■ 身体図式改善に対するアプローチ

　身体図式とは，**自分の身体について頭の中に描かれているイメージで，意識下にあるもの**をいう。車を運転する場合に，道路に対する車幅感覚のようなものである。私たちは意識しないで，数多くの，いや日常生活の大部分の行為を滞りなく遂行することができる。意識はしなくても，私たちの身体は適切に運動を行い，調整し，必要な行為を実現している。このときに重要な役割を果たすのが身体図式である（図14）。ここでは，身体図式という概念を解説し，そのアプローチについて述べる。

図14　ボクのカラダってこんな感じ

治療的アプローチ：発達の各領域に対するアプローチ

● 身体図式とは

　身体のイメージについては感覚統合だけでなく，さまざまな学問領域で取り上げられ議論が重ねられている。そこで使用される用語は類似していながら，一つ一つの言葉がもつ射程はかなり異なっている。感覚統合理論のほかには，神経心理学，認知心理学，発達心理学，脳科学，哲学などで多角的に取り上げられている。ときにはファッションとの兼ね合いで話題にされることもある。

　ここでは，小西[7]，加藤[8]の分類に依拠しながら整理をしたい。

　まず，身体図式という言葉の整理を行う。似た言葉として身体像，身体概念などが挙げられる。小西の考え方（**表3**）に従うと，普段，意識しないで行動に活用されているものが**身体図式**，鏡を見たり自分で見て確認したりして意識にあがったものが**身体像**といえる。そして，身体のパーツの名前が言えたり，手や足は何本あるのか答えられたりする力が，**身体概念**である。

　加藤は身体図式をさらに理解するために，次のような分類をしている（**表4**）。

　地理的要素とは，自分の身体の物理的な要素を把握する側面であると考えられる。机の間を通ろうとして机にぶつかってしまうことや，しゃがみきれずにおでこをぶつける場面を見たことがあるだろう（**図15**）。こういった現象の背景に身体図式の地理的要素が関与しているものと考えられる。

表3　身体に関する用語の定義

身体図式	自動的に参照されるイメージで普段は意識に上ることはない。機能的には皮質下においてコントロールされるものであると考えられている。このイメージの構成要素となる感覚系は体性感覚系で，前庭覚・固有覚・触覚入力によってまかなわれる
身体像	身体図式に視覚・聴覚（動物においては嗅覚も）の遠受容器から入力される情報が統合されて形成されるイメージであり，自己確認，あるいは自己以外の個体識別の際に参照されるイメージである。これは皮質下と皮質レベルにまたがってコントロールされていると考えられる
身体概念	上記のイメージに言葉によるラベリングがなされ抽象的なイメージとして操作される。機能的には皮質レベルにおいてのみコントロールされると考えられる

（文献7より引用）

表4　身体図式の理解

地理的要素	機能的要素
・静的要素で身体のアウトライン，外界と自分の境界 ・自己を1つの連続した空間の広がりとして捉える ・大きさの可変性に対する気づき ・触覚（表在感覚）が重要 ・前庭（耳石器）感覚も関与（？）	・動的要素で身体の運動機能（支持性，姿勢制御，筋力，柔軟性など） ・固有感覚，前庭感覚（三半規管）が重要

（文献8より引用）

一方，**機能的要素**は，自分の身体のまさに機能的な要素を把握する側面である。どの程度ジャンプできるのか，バランスを保てるのか，などである（図16）。水たまりや小さい川を飛び越えようとして，思ったよりも飛べずに靴を濡らしてしまった経験はないだろうか。こういったエピソードの背景に身体図式の機能的要素が関与しているものと考えられる。

図15 身体図式の地理的要素を活用している場面

適切な身体図式を獲得していることで頭をぶつけないように，瞬時に，しかも身体の大きさを変化させ頭を下げることができる。
参照：p.77 図3はこれらができていない姿である

図16 身体図式の機能的要素を活用している場面

台の上からトランポリンの中央へ着地するために，ジャンプ力という機能面から判断して適切に力を調整してジャンプしている。

● **身体図式の未発達が及ぼす影響**

　身体図式の未発達，つまりは自分の身体がどういう状態にあるのかがうまく把握できなければ，種々の影響が生じるのは容易に想像できるだろう。机やドアなどに身体をぶつけてしまいやすくなる。物や人との距離感を上手につかめないということもある。一般的には身体図式は，発達の中で構築されていく。特別なプログラムがあるわけではない。そして，身体図式は人が「君の身体はこうなっているよ」と，教えてあげることはできない。自分で，自分自身の身体を用いて環境と関わること，つまり主体的に環境との相互作用を行った経験の蓄積によって獲得されていくものである。

　未発達の影響は具体的には，不器用というかたちをもって現れることが多い。不器用は，大別して**手先の不器用さ**と**全身運動の苦手さ**として整理できる。全身運動の苦手さは，いわゆる「運動音痴」とよばれる状態をイメージするとわかりやすいかもしれない。台へのよじ登りが上手くできない，なわとびができない，自転車に乗れない，などの姿である。これらの姿は道具を使う時期になると，より顕著にみられる。われわれが道具を使うときには，道具の先まで**身体図式が延長する**と考えられており，まさに自分の身体の一部になるといえる。もともとの身体図式が未熟であれば，さらに外部の道具（物）を取り込むことは至難の業であることは，想像に難くない。自分の身体だけであれば，なんとかまかなえていたとしても，道具を使用する機会が増える時期になると，使いこなせない場面が目立つよ

うになるのだと考えられる。手先の不器用さは，生活場面での道具使用の困難さとして，保護者から主訴として聴かれることが多い。鉛筆が上手く持てない，字が下手，はさみが使えない，箸が使えないなどである。粗大運動と同様の理由と考えられるだろう。

　前項で述べた行為機能へは「観念化」，「順序立て」，「遂行」のいずれの段階においても，形を変えながら影響すると考えられる。忘れてはならないのは，このような概念を整理するときに，動きのない静的（せいてき）な状態をイメージしがちであるが，実際の子どもたちは動いている。動的（どうてき）な処理という視点もはずせない。動いているなわとびにタイミングを合わせて飛び越えるとき，さらに自分が助走をつけていって飛び越えるとき，自分の走るスピード，跳ぶタイミング，距離，なわとびの動きの速さなど，非常に複雑な情報を一挙に処理する必要がある。機能的身体図式が要求される場面である。同時並行的に処理されているわけであるが，こういった動的な活動と静的な活動の観点から身体図式を把握することも重要であろう。

　身体図式が未熟な子どもの保護者から聴かれることの1つに，危険認知がある。車の前に平気で出て行く，高い所をなんとも思わずに遊んでいる，などである。身体図式の未熟さにより，自分の身体に何が起きているかの推測，ここで何かするとどうなるのか推測，予測も曖昧になる。結果，危険を回避できないことにつながると考えられる。身体図式の未熟さのために，危険に対するアンテナの機能を高めることができないといえるだろう。

> **アクティブラーニング ⑦** 身体図式が延長する状況について，遊び，学校，生活など場面を変えていろいろ考えてみよう。

● 身体図式の改善に対するアプローチ

　まずすべきことは，いうまでもないことだが正確な評価である。身体図式という言葉や行為機能という言葉はとても便利な言葉である。「歩ける，歩けない」というような，いわば「0か，1か」という**量的評価**ではとらえられない。「できているけれども，どこかヘン」という場合がほとんどであり，**質的な評価**が求められる。「どこかヘン」ということはわかるが，「どこがどうヘンなのか」を正確に表現することは非常に難しい。そのときに，「身体図式」，「行為機能」という言葉は，いろいろな状態像をひっくるめてまとめてくれる万能の言葉のように映る。たとえ話だが，主訴も状態像も異なる10人の子どもがいて，その評価結果と課題を並べたときに，全員が「身体図式の未熟さを原因とした行為機能（運動企画）が課題である」などということがあってはならない。

　身体図式の発達を促す要素としては，「身体図式とは」（p.92参照）で述べたように，各種の感覚系の関与がある。各感覚系は，当然異なった役割をもっており，身体図式に与える影響も異なっている。このことを念頭に身体図式が未熟と思われる場面を観察し，分析することが大切である。

補足

身体図式の概念については，最初に述べたようにさまざまに議論されている。感覚統合療法に携わる臨床家のなかでも統一見解が得られているとは言い難い概念の一つである。そして，繰り返しになるが，身体図式の理解の仕方，整理の仕方については本当にさまざまである。ここで紹介した考え方に，臨床の具体的な場面を押し込もうとすると無理が生じる。むしろ，これら先達の考え方を土台にして，自分なりの新しい解釈を加えていく，広げていく，新しく分類し直してみる，というような発想が重要かもしれない。ここで紹介した概念や考え方を参考にして，各自が学習を深めてもらいたい。

Case Study

ここで，あるケースを振り返りながら，具体的なアプローチの一端を紹介する。

図17aは，凛々しくアスレチックに挑戦している様子がわかるだろう。図17bは，なんらかの原因でバランスを崩していて，「へっぴり腰」にみえる。おそらく，揺れる足場に対して足を出していこうとしたが，軸足でのバランスが崩れてしまい，腰が引けてしまったのではないか。これだと今出している足が着地し，進めたとしても全体に滑らかでスムーズな移動は難しいだろう。その点図17aでは，スムーズにスピード感をもって上まで上がれそうである。この子どもの場合，その差を生んでいるのは，もともと姿勢をまっすぐに保つことができず，バランスを崩しやすいため，次々と移動していくときに滑らかな重心移動が難しいと考えられる。図17bは，むしろよく見る彼女の姿であり，図17aは成長を感じさせる写真と，筆者にはみえる。

実際のアプローチとしては，図17cのような取り組みを行ってきた。平均台を用いることで，安定した支持基底面であるが，斜めにすることで重心の位置を強調し，平行に移動する遊具（モンキースウィング）を持って歩くことで重心の位置を常に前に置く意識をもってもらい，なおかつ，手と足とを協調させて動かすことをねらった。感覚系でいえば，前庭-固有感覚間の統合が目的である。機能系では，主に姿勢調整機能，身体図式の機能的要素，行為機能の順序立ての獲得がねらいであった。本児は，筆者が担当した当初はスウィングなどの揺れる遊具が軒並み苦手で，強い恐怖さえ覚えていて，部屋で遊ぶことができなかった。感覚調整障害があったと考えている。ここで紹介するのは，感覚調整障害がかなり軽減し，遊具に積極的に取り組めるようになってきたときの様子である。

また，図17cでは，モンキースウィングを両手を用いて活動している。身体図式の発達を促すときに，このようにまずは身体の両側を対称的に使用できることが重要である。感覚統合においては，両側統合という言葉があるが，身体の真ん中をはさんで左右両側を協調させることは，大変重要である。成長してくると，今度はあえて左右別々の動作をするようになる。動きとしては別々であるが，機能的には協調している状態である。食事をするとき，片手で箸を持ち，もう片方で茶碗を持つそれである。感覚統合上の課題を抱えている子どもは，食事場面でお皿や茶碗に手を添えずに食べている様子を見ることがある。ほかには，はさみで紙を切るときに，はさみの操作と紙を持ち動かす操作における協調，定規で線を引くときの鉛筆の動きと定規を押さえる動きにおける協調，などである。

治療的アプローチ：発達の各領域に対するアプローチ

図17 身体図式の変化とアプローチの例

a 上手な丸木橋わたり

b ちょっと残念な丸木橋わたり

c 感覚統合療法での具体的アプローチ

アクティブラーニング⑧ 上記に挙げた以外で，両手の協調が必要な場面を挙げてみよう。

Case Study

ここで，両側統合へのセラピー場面におけるアプローチを1例紹介する。
①両手でカゴを持つ，鉄棒にぶら下がる，一般的なブランコに乗る，フレキサースウィングに乗る（図18a）。
②のぼり棒や，ボルスタースウィング（図18b）などの活動に取り組みたい。
③レスキュー隊のようにロープをたぐり寄せながら斜面を登る，うんてい，ボルスタースウィングでの輪投げ（図18c）などの活動である。

Question 3

この事例では両側統合のために，①～③でどのような段階付けが行われているか。図18を見ながら考えてみよう。

☞ 解答 p.278

図18 両側統合課題のステップの例

a　フレキサースウィング

b　ボルスタースウィング

c　ボルスタースウィングに乗りながら輪投げ

補足

身体図式の評価

感覚統合に課題を抱える子どもたちが示す行動は，現象としては似通っていることがある。なわとびができない，跳び箱を跳べない，自転車に乗れない，字が下手・覚えられない，などである。しかし，現象が同じだからといって，その原因・背景が同じとは限らない。そういった意味で，「できる-できない」といった量的評価ではなく，一人一人についての丁寧な質的評価が求められるのであり，評価が難しい理由でもある。逆に言うと，とてもやりがいのある部分でもある。難しくても，あきらめずトライしてほしい。そして，そのときは，ぜひ複数名で取り組むことをお勧めする。

■注意機能改善に対するアプローチ

発達に課題をもつ子どもたちの相談内容のなかに，「集中力がない」，「注意がすぐに逸れてしまう」，「どんどん気移りしてしまう」というものがある。背景に注意機能の育ちが影響している可能性が想定される。

注意機能の研究については，神経心理学をはじめ脳科学領域で取り組まれており，その紹介をするには筆者の力量でははなはだ心許ないので，他の成書を参照されたい[8]。

ここでは，感覚統合療法場面でみられる注意機能の影響や様子を紹介し，感覚統合療法の範疇で取り組むことのできるアプローチについて解説する。

> **補足**
>
> 感覚統合療法場面では次のような姿になることがある。セラピーを行うときは、複数の遊具を用意しておくことが多い。すると、部屋に入ってきて挨拶もそこそこに遊具に取りかかり始める。まずはスウィングに乗ってみるが、2、3回揺れてみると次の遊具へ。しかも、正確に着地をする前から移動しようとするから、転びそうになることも。次に取りかかった遊具でも、やはり同じように2、3回揺れて終わり。遊具を味わうことがないようにみえる。

● **注意の分類**

注意を向けられるきっかけとして、2つに分類されている[10]。1つは、突然大きな音がする、あるいは一様な光景のなかに特徴のある物体がある、というような場合で、その特徴が浮き出(ポップアウト)してきて、注意は自動的にその刺激に向けられる。このように呈示された刺激が、われわれの注意を半ば強制的に引きつける場合の注意を「ボトムアップ的注意」とよぶ。それに対し、何かの探しものをしているとき、あるいは意識的に相手の話を聴こうとしているときなど、特定の対象に対して、それを見つける、あるいは出たらしっかりとらえる、というような準備状態のもとに刺激を受容するための注意を「トップダウン的注意」とよぶ。

● **注意機能の影響**

先に紹介した「どんどん気移りしてしまう」ような状況は、この分類に従えば、ボトムアップ的注意である場合が多いであろう。具体的には、

> 「あ、そうだ。ゲームで遊ぼう」
> 　　→　ゲームソフトを思いついてリビングへ移動する。
> リビングには「あ、マンガが落ちている。面白そう」
> 　　→　マンガを読み始める。
> ソファーに座ったと思ったら、外から子どもたちの声
> 「あ、楽しそうだな。ボクも遊びに行こう」
> 　　→　残されたのは、ゲームソフトと読みかけのマンガ……。

● **注意機能へのアプローチ**

この場合のアプローチとして、注意機能に焦点を当てた場合と、多動性に焦点を当てた場合とを紹介したいが、後者の多動性については、ADHDに対するアプローチで述べる(p.108参照)。

ここでは、注意機能に焦点をあてたアプローチについて述べる。補足の例は、視覚から入ってくる情報がポップアウトし、注意が引きつけられるボトムアップ的注意と考えられる。感覚の情報処理という観点で考えると、視覚情報のみが入力され、その他の揺れている感覚(主には前庭感覚)や乗っている感覚・座っている感覚(主には体性感覚)については、入力がされていても途中で抑制されたり、活用されないと考えられる。そこで、子どもが関わっている遊具で得られる感覚を強調して提供するということを行う〔強調する方法については、「治療的介入のヒント」(p.100)を参照〕。端的にいうと、今遊具に乗っていることに気づいてもらう、という方法である。

まったく別の観点からの対応をすることもできる。ボトムアップ的注意が抑制されない状況は、われわれでもみられる。それは、新奇性の高い環境である。その環境ではボトムアップ的注意が高くなるのは当然であり、

治療的アプローチ：発達の各領域に対するアプローチ

その環境を把握するための探索行動が盛んに行われる。そこでボトムアップ的注意が優勢で，行動化が起きているときは，探索行動と理解して，その探索を抑制することではなく保障することを考えるという対応である。何回か出会ったことがある環境でも，子どもにとっては，探索が必要かもしれないのである。

　もう1つのアプローチが，トップダウン的注意を用いる方法である。トップダウン的注意を用いるには，対象を特定することが必要になる。そのときに有効なのが言葉である。具体的には，遊具や活動に対して名前をつける(ラベリング)。名前は正式な遊具の名である必要はない。子どもと共有できる言葉でよい。子どもにあわせて馴染みがある「ブランコ」でもかまわないし「大きなブランコ」でもよい。チューブスウィングは，子どもたちから「ドーナツ」とよばれることが多い。また，名詞である必要もなく，擬音でもかまわない。「ブランブラン」，「ドスンドスン」，「ギューン」など，その活動や遊具をイメージしやすい言葉で名前をつける(図19)。大切なことは，正しい言葉を覚えることではなく，目の前の子どもと共有でき，コミュニケーションに用いることができる，という点である(補足参照)。ラベリングしてその言葉を伝えることで，対象に注意を向けやすくすることができる。

　活動に入る前に，効率的な探索を促すために子どもたちを抱きかかえたり，椅子に座ってもらうなどして，運動自体を止める。横で抱きかかえながら，「さぁ，どれで遊ぼうか」，「ブランコかな」，「それともギューンにする？」といった具合で，視覚だけでなく，大人からの声かけ(聴覚)，本人が復唱することでの言語系，など複数のモダリティを使うことで注意を向けやすくなると考えられる。

アクティブラーニング ⑨ ボトムアップ注意，トップダウン注意はそれぞれどのような場合に起こるだろう。考えてみよう。

○補足
感覚統合アプローチでは，コミュニケーションの改善を期待することができる。
その1つが，このラベリングとその活動である。ほかには，sensory communicationが挙げられる。詳しくはPDD(p.106)を参照。

図19 **活動のサポート：部屋を探索するためのラベリングによる支援**

● 注意の配分
　感覚統合療法場面で見かける姿に次のようなものがある。やっとボルスタースウィングに乗って上手にバランスをとれるようになってきている子

どもがいる。そのときに誰かが話しかけたり，ほかの子どもの動きに気がついて視線を送ったりしたとたん，スウィングから落ちてしまう。こういうときに，よく「注意が逸れた」という表現がされる。この注意が逸れるということを考えたい。

一般的な大人であれば，スウィングに乗っていて，普通にブランコをこぐ程度の揺れであれば，話しかけられても，周りを見渡したりしても落ちてしまうことはまずないであろう。「注意は逸れている」のに，である。

注意という働きについて，ピザを例にして考えてみたい（**図20**）。その人のもっている**注意の容量（キャパシティ）**は，常に決まっている。いわばピザの大きさであるが，基本的に一定である。しかし，このピザのうちどの程度，何に使うかは，そのときの課題と本人の状態によって変わってくる。

われわれも覚えがあるのではないだろうか。自転車に乗れるようになったばかりのときの自転車操作に対する注意の向け方と，大人になってからの注意の向け方の違いを。乗り始めは，ピザの大部分を自転車操作に振り分けているので，当然自転車に注意が集中するので，話しながら乗ることはできない（**図20左**）。「注意が逸れ」れば，転倒が待っているかもしれない。しかし，すぐに自転車の操作そのものは自動的にこなせるようになり，友だちと話しながら，景色を見ながらでも自転車に乗れるようになる。ピザに占める自転車操作の割合が減ったために，ほかのことに注意をまわすことができたものと解釈することができる（**図20右**）。自動車の運転で同様の体験をもっている人も多いだろう。

このように，ある動作や運動，行為などに習熟してくると，注意のなかで割かれる割合は減少してくる。このことを**背景**[11]に退いたということもできる。前述のブランコの例でいうならば，ブランコに習熟してくると，ブランコでバランスをとることそれ自体が，背景活動になったといえるだ

治療的アプローチ：発達の各領域に対するアプローチ

図20 注意の配分の変化

自転車操作／おやつ食べたい／自転車操作／友だちとの会話

ろう。ブランコに習熟し**自動化**したことで、背景活動となったため、注意のピザに占める割合が減少し、注意のキャパシティに余裕が生まれ、他の会話などに注意を配分することができるようになったと考えられる。

感覚運動場面でアプローチを考えるときに、スウィングなどの活動ができる/できないだけでなく、それがさらに自動化し、他の活動に対してピザを分けられるようになったかどうか、という観点も重要である。これは「**二重課題**」とよばれることもある。注意機能の改善という点からも、運動動作の向上という観点からも重要な課題になる。

> **アクティブラーニング⑩** 普段の生活で、注意の配分を行っている状況は何かあるだろうか。そのとき、どのように注意を配分しているか、考えてみよう。

Case Study

注意機能のケース

いつも元気いっぱいの男の子。幼稚園でも人気者であるが、猪突猛進が玉に瑕で、ときに失敗やトラブルを引き起こしてしまっていた。感覚統合療法場面で、図21のような活動を行った。揺れるボルスタースウィングに向かって、走って行って跳び越え、往復してくるという活動である。揺れるスウィングの動きと自分のスピードなどを勘案しなければならず、彼にとっては難しい課題と思われた。しかし、彼はこの課題は難なくクリアしてしまった。ただし、ものすごい集中を伴って。そこで、行って戻ってくるまでの間の時間を測ることにした。競争ということになり、本人はノリノリで取り組んだ。「さぁ、よーい、スタート」で次の瞬間、「ド～ン」。走り出した途端にスウィングに激突したのだった。1回目のトライで見事成功したのは、彼の注意のピザの大部分をスウィングの揺れにタイミングを合わせることに割いていた（集中していた）からだったのである。ピザに時間計測という課題を割り込ませてしまったがために、つまりは、「スウィングのタイミングを計ること」と「早く遂行する」という二重課題になったために、失敗してしまったと解釈をしている。

図21 揺れるボルスタースウィングを跳び越える

8 治療的介入のヒント

■Therapy should be FUN！

感覚統合療法において治療的介入を行う際に最も重要と考えられているのは、**内的欲求**（inner drive）である。これは「楽しいと思うことは大切だ」、「主体的な参加を促そう」という精神的側面だけでなく、新しい学習を行うためにはその人にとって快であるほうが学習効率がよいという、脳科学の側面からも支持されることである。加えて、そもそも作業療法では、本人が価値を置く作業を大切にするという理念があるので、本人の主体的参加は当然であろう。

また、一般的には感覚刺激というと、人という個体が受け身的に外界から一方的に入力される存在のようにイメージしがちであるが、むしろ感覚情報は人が必要に応じて取捨選択しているといえる。そうであるならば、

その人が必要としないと，感覚情報を得ることはできないともいえる。そういった意味でも，本人にとって必要とされるためには，原則快である必要があり，本人の主体性が重要な要素となる。

小西[12]は，これらの精神を「Therapy should be FUN！（楽しくなければセラピーでない/楽しいだけでもセラピーではない）」という言葉に集約している。本人の主体性，内的欲求を重視する感覚統合療法だからこそ，またそれを体現している小西だからこその言葉である。治療的介入を行うにあたって最も念頭に置いておくべき言葉である。

■ 遊びと治療のバランス

そうはいっても，こんな意見が保護者から寄せられることもある。「遊んでばかりで，本当に意味があるのか」。こういった疑問に対しては，きちんと答え，説明する義務がわれわれ作業療法士にはある。ケースによっては遊ぶことそのものに意味があるだろうし，また別のケースではその遊びの背景に意味がある場合もあるだろう。それぞれの子どもにとっての，その遊びの意味を説明し，理解してもらうことが不可欠である。「感覚統合療法では遊びを大切にしているから」だけでは，親御さんの期待と不安な気持ちには応えられない。

遊びというと，「自由な」，「制約を受けない」活動というイメージが強い。一方で，効果的で効率的な治療を提供すると考えるならば，作業療法士が組み立てたプログラムを実施してもらうという発想になる。この両者の方向性は矛盾する。実際の治療場面では，次のような方法も1つのやり方である。「遊び心を備えた介入」を目指したい。

子どもがやってくる。まずはその部屋でやりたいことを選択してもらう。そして，遊びが始まる。そこに，作業療法士が考えるねらいを入れ込んでいく。子どもがやっている遊びのなかに，新しく遊具をつけ加えたり，目標やストーリーをつけ加えたり，作業療法士の反応自体をコントロールしたりする。そうやって子どもの遊びのなかに作業療法士のねらいを練り込んでいくようにする。

> **アクティブラーニング⑪** 遊びによる治療を行う作業療法について，あなたなら，親御さんにどのような説明をするだろうか。

● 臨床上の展開例

子どもが「今日はボールプールで寝ていたい（図22a）」という思いをもって，やってきたとする。作業療法士の思いとしては，姿勢調整・姿勢保持をねらいとしたい場合，どう展開するか。

例えば，「よし，ボールプールまで冒険の道を進んで行き探検だ！」と声かけして，ボールプールをゴールとしたサーキット活動のようなルートを作り，そのルートの中に姿勢調整が要求される遊具をセットすることができる（図22b）。

図22 臨床上の展開例

a 子どものアイデア

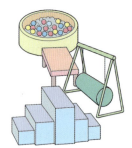
b 探検コースとしての展開

c 消防士遊びとしての展開

d ゲーム性を組み入れた展開

> **補足**
>
> 遊びについて研究をしたCaillois[13]は，遊びを4つに分類した．
> - アゴン（Agon：競技）
> - アレア（Alea：賭け）
> - ミミクリ（Mimicry：模倣）
> - イリンクス（Ilinx：眩暈）
>
> 活動により遊び心を加えるためのヒントとして，この4つの視点が役に立つ．
> ボールプールの展開（図22）は，bにアゴン，cにミミクリ，dにアレアの要素を組み込んで展開したといえる．

また，あるときには，「もしもし，消防署ですか？ 火事です，至急消火にきてください」と，ボールプールで寝ている子どもに電話をかけ，起きてきてもらう．ボルスタースウィングという消防車に乗って現場にかけつけ，スウィングに乗ったまま消火活動を行えば，姿勢調整・姿勢保持の活動となる．無事消火できたら「どうぞ消防署（ボールプール）に帰還してください」と告げることで，再びボールプールで寝ることができる（図22c）．大きなサイコロを用意しておき，「ボールプールで3分間」，「スウィングで3分間」，「作業療法士におんぶでつかまる」などの"目"をつくっておく．サイコロを振ってもらって，その結果によって行う内容を決めていく，ということもある（図22d）．

逆に，当然作業療法士から活動を紹介することもある．「こんな遊び，やってみない？」という形である．子どもが了承してくれれば，遊びとして始めることができる．より楽しく遊べるように，その子どもの性格や好みに合わせて遊び心を加えて味付けしたり，アレンジをすることを忘れないようにする．

> **アクティブラーニング⑫** 子どもがやりたい遊びと作業療法士がねらいたい治療対象が異なる場合，子どもは●●をやりたい，作業療法士は■■をセラピーしたい場合，あなたならどのように行うだろうか．

■ sensory needs

治療内容を考えていくときに，重要な情報を提供してくれるのがsensory needsである．活動内容に，本人のsensory needsが含まれるようにセットすると活動に対する興味・関心をもちやすくなるし，繰り返しやってみようとしてくれやすい．

例えば，前述した「消火活動」の例（図22c）では，触覚に対するneedsをもっている子どもであれば，シェービングクリームなどを使って展開することができるかもしれない．「このクリームを火元にぬりつけろ!!」という形で．固有感覚に対するニーズをもっている子どもであれば，ブロックで火柱を表現しておき，棒を使って叩いてブロックを崩すという形で展開ができるだろう．

■ リスクマネジメント

　実際に治療を進めていくうえで，最も注意を要することがリスクマネジメントである。感覚統合遊具には魅力的な物が多いが，その反面危険な物も多い。容易に動く物も多いので，不用意に乗って滑って転んでしまう，遊具から落ちてしまう，転んで床に頭をぶつける，など常にリスクと隣り合わせである。どれだけ楽しい活動をしていても，けがをしてしまっては意味がない。かといって安全にするあまり，活動から面白味が欠けてしまってもいけない。面白い，ワクワクするような活動は，得てして危険が多いものである。

● 身体的，物理的なリスク

　リスクを回避するためには，遊具の特性をよく把握することと，子どもの状態を把握しておくことが欠かせない。遊具の特性とは，その遊具はどんな揺れ方をするのか，どの方向から乗るとどちらの方向にどのように変化するのか，遊具の重さ，床の素材との相性，などである。遊具はセッティングによってまた新たな性格をもつことになるので，新たなセッティングをするときには必ず自分で乗ってみる，体重をかけるなどして，特性を把握することが不可欠である。特に**重要なことは，どんな使い方・乗り方をすると最も危険なのかを把握する**ことである。単に体験するだけだと，豊かな身体図式を獲得している私たちの身体が，知らず知らずのうちに遊具のリスクを吸収してしまい，リスクに気づかないことがある。「こんな使い方はしないだろう」という想定外を，子どもたちはトライしてくれるのである。

　同じ遊具で，同じセッティングでも，子どもの状態によっては危険なときも危険でないときもある。肢体不自由特別支援学校に行くと，廊下に置かれたたくさんの車椅子や座位保持装置の類を目にする。当たり前の光景であるが，知的発達の特別支援学校ではまず見られない光景である。子どもたち自身が必要としているかどうか，ということもあるが，それが危険になるかならないかということでも大きく異なる。

● 精神的なリスク

　ここまで説明したリスクは，身体的・物理的なリスクである。治療を進めるうえでは，**身体的・物理的なリスクだけでなく，精神的なリスクについても十分な配慮が必要である**。

　感覚統合に課題をもつ子どもたちの大部分に共通していることとして，自信がないことがある。小さいころから，ほかの子は難なくできていることがなぜか上手くいかない，そんな経験をたくさん積んできている。保護者から，「3歳ぐらいの小さい子でも自信をなくすことはあるんですか？」と聞かれることがある。例えば，1日に1回，たった1回上手くできない

治療的アプローチ：発達の各領域に対するアプローチ

ことがあったとする（本当はもっとあるだろうけど）。1年間で365回。2年間で730回。3年間で…机上の計算には違いない。なぜなら，これだけ多くの失敗を重ねれば，子どもたちはトライすること自体を回避することも少なくないからである。感覚統合療法で出会う子どもたちは，そのような子どもたちである。だからこそ，新たな失敗の再生産をさせてはいけない。トライすることを回避するのではなく，適切なチャレンジ量で，適切なフォローを行っていく必要がある。

> **補足**
>
> **精神的なリスクマネジメントの1例**
> 初対面の評価場面での子ども。その子は4歳だった。自信なさげで，何が始まるのか不安がいっぱい。評価者からは「これは3歳用のテストだよ」，「お，簡単にできたね」，「次は6歳用だね，たぶん難しいよ」，「お，これもできたね」と誘ってみる。できなくて当たり前という雰囲気を，事前に配慮しておく。すると，子どもが「次，7歳用のやる!!」とリクエストをしてくれた。
> もちろん，実際に各年齢相当のテストを用意していたわけではなく，その場でアレンジしたものである。

■ 遊具の使い方

実習生や経験年数の若い作業療法士から受ける質問に，「この遊具の正しい使い方を教えてください」というものがある。筆者の答えは「ない」か，「自由に使うこと」である。

遊具を前にして，それをどのように用いるのか考えることは，行為機能における観念化に相当する。子どもたちに対しては，どんな環境に対してもひるむことなくトライし，生活できるようになってほしいと願っている。それを支える1つが，豊かな行為機能である。子どもたちの行為機能を豊かに育てたいと願っているのに，それを促す立場にある治療者の行為機能・観念化が貧弱では，治療の先が見えなくなる。

原則的に，遊具の使い方に制限はない。場所や物に対して一般的常識や自分のなかでの常識によって制限をかけないようにすることが必要である。そうすることによって治療場面のセッティングは無限に広がっていく。

治療環境は施設によってさまざまであろう。環境的に非常に厳しい所で行わざるをえない作業療法士もいると聞く。ないものねだりをしても先に進まない。その限られた環境で何ができるかを創造するしかないのである。そのときに頼りになるのは，自分自身の行為機能である。

■ 感覚を提供する

感覚刺激を提供していくことが感覚統合療法の中心的な活動ではあるが，イメージとしては足りない刺激を強く一方的に入力するというもので

> **補足**
>
> **実際のセラピーはどう進めるのか**
>
> 感覚統合療法のセラピーを行うときには，その日に行う活動を決めてから子どもと会うときと，決めずに会うときとがある。決めないで会うときは，子どもと会って，子どもがやりたいというものを聞き出し，そこにアレンジを加えていく。決めずに会うときでも，課題になっていることにポイントを絞って把握しておき，アレンジするときにそのポイントを挿入するようにする。そうすることで，子どもが遊びたいという活動と，作業療法士がねらっていきたいポイントとを矛盾することなく組み合わせることが可能になる（p.102 図22 参照）。
>
> アレンジの仕方，セラピーの雰囲気には，作業療法士の個性が色濃く反映される。感覚統合療法は，特に作業療法士の個性が現れるので，たくさんの作業療法士のセラピー場面を見せてもらうことが，大きな学びの機会になっていく。

はない。不足している感覚に気づいてもらうことが重要である。メルロ・ポンティは「十全な＜刺戟＞とは，それだけで，有機体とは無関係に決められるものではない，それは物理学的事象ではなく，生理学的ないし生物学的事象である」[14]と述べている。子ども自身に気づいてもらう，活用してもらうための働きかけが重要になるのである。

気づきやすくするためには，感覚調整障害へのアプローチでも触れたが，その感覚を強調することが必要である。大切なのは，単に強いことではなく強調することである。なぜなら，いくら強い刺激であったとしても馴れを起こしてしまうからである。強い刺激でも単調に繰り返しているだけでは，馴れてしまってあまり意味をもたなくなってしまう。強調するためには，メリハリをつける，繰り返す，他の感覚とセットにするなどの方法がある（p.84 図7 参照）。

9　発達障害の特徴と介入のポイント

■ 自閉症スペクトラム障害

自閉症スペクトラム障害とは，自閉症をはじめ，高機能自閉症，アスペルガー症候群，広汎性発達障害など，類似の障害分類をなくし，包括的な名称としてDSM-5から採用された。一口に自閉症スペクトラム障害といっても，人によってその姿は大きく異なることをぜひ念頭に置いておいてほしい。

自閉症スペクトラム障害に対しての治療的介入，教育的介入は作業療法士だけではなく，さまざまな職種が行っているので，ぜひそちらも参考にしていただきたい。ここで紹介するのは，特に感覚統合療法として介入できる点について解説する。

自閉症スペクトラム障害においては，身体運動面が自閉症を特徴づける問題ではないと考えられており，特徴としては挙げられていない。しかし，自閉症スペクトラム障害の多くの子どもが，筋緊張や全身の協調性に課題を抱えていることは経験的に感じている。運動や不器用に対して評価を行い，必要であれば介入を行うことは，他の障害・疾患と変わるものではない。

● 感覚調整障害

自閉症スペクトラム障害をもつ子どものなかには感覚調整障害が少なくない。DSM-5のなかでも言及されている。先にも紹介したニキ・リンコさんらの著書には，自閉症スペクトラムをもつ子どもの内面世界が豊かに描かれている。そのなかで感覚調整障害が与える影響についても書かれており，大変勉強になる。アプローチ法については，すでに感覚調整障害の項で述べたとおりである。

● コミュニケーション

　コミュニケーションが課題となる自閉症スペクトラム障害の子どもに対してアプローチする際には，言葉を中心とした一般的なコミュニケーションだけではうまく成立しない。関係性の構築が難しいこともよくみられる。身体感覚を通した**感覚レベルでのコミュニケーションである sensory communication** が重要になる（**図23**）。sensory communication を用いた実践例は小松[16]に詳しい。

　sensory communication を行う流れは**図23**のようになる[17]。このとき大切なことは，当然であるが言語を用いたコミュニケーションと同じように，相手に問いかけ，相手の答えに真摯に耳を傾け，相手の言いたいことを理解する努力を怠らないことである。行っているのは，sensory を通じた communication であり，**感覚を機械的な刺激として一方的に入力することではない**。

　共感性という言葉がある。とかく自閉症スペクトラムをもつ子どもは共感性が薄いという評価をされがちである。しかし，この sensory communication を切り口として治療的介入を重ねていくと，この共感性の変化に気づくことが多々ある。共感性のベースになるのは，感覚を共有することかもしれないと感じるのである。定型発達における発達の道筋を想定したときに，あながち的はずれな話ではないであろう。

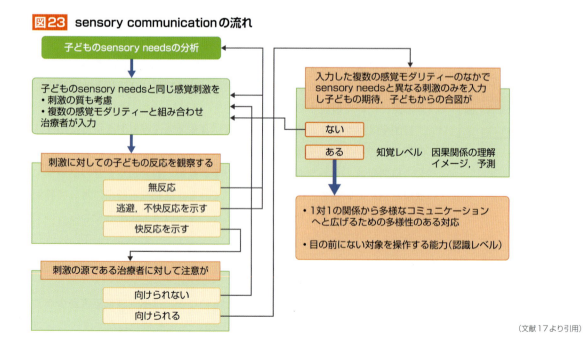

図23 sensory communication の流れ

（文献17より引用）

● 感覚統合の視点から考える構造化

　自閉症スペクトラムをもつ子どもの支援を考えるときに**構造化**というキーワードは不可欠である[18]。構造化とは，周囲で何が起こっているの

か，どのようなことをどれくらいするのかなどを，一人一人のもっている特性に合わせてわかりやすく提示する方法である（図24）。

　感覚統合療法の視点から構造化を考えると，一般に用いられる視覚情報だけでなく，聴覚・嗅覚・固有感覚・前庭感覚といった各感覚系や行為機能などを加味して提案することができるだろう。

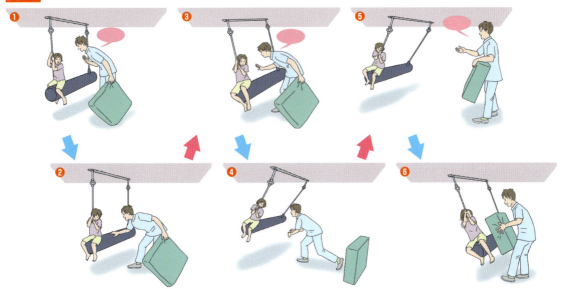

図24　これも1つの構造化

- ボルスタースウィングを使った活動であるが，作業療法士が介入するときに一定のルール（構造）をつくっている。❶❸❺で必ず声をかけ，次の❷❹❻で新しい遊びの展開変化がある，という具合である。❷で人が介入することが始まり，❷→❹で揺れの大きさが変わり，❹→❻ではクッションにぶつかる活動が加わっている。このように，突然変化を加えるのではなく変化が生じる前にアナウンスがあるというルールを意識した介入方法である。
- このルールづくりに失敗したり，子どもと共有できないと，大人は子どもの邪魔をする人，もしくはコミュニケーションが上手く成立しない，などということになりやすい。

■ 注意欠如・多動性障害（ADHD）

　注意欠如・多動性障害（attention-deficit/hyperactivity disorder：ADHD）は，多動性や衝動性，注意散漫などを特徴とする障害である。ADHDについても，薬物療法をはじめとして，他の専門職も多くのアプローチを行っており，そちらも参照されたい。

　ADHDの原因はまだ明らかになってはいないが，Barkley[19]（バークレー）は「不注意や衝動性，多動性は，行動抑制力の発達の遅れに集約できる」としており，「行動抑制機能をつかさどるのは脳の最前部」であり，「セルフコントロール力，意思力，行動を未来に向けて組織化する能力の障害と考えることができる」としている。これらの特徴に対して感覚統合療法で介入できる点について紹介する。注意機能へのアプローチについては，すでに述べた（p.96を参照）。

補足

中根[20]によると，ADHDの神経学的・神経心理学的特徴としては，まず行動抑制の欠如があり，普通ならばこの行動抑制のもとで形成される4つの実行機能（非言語的ワーキングメモリー[*6]の形成，自己管理された発語の内的投射[*7]，気分・感情・動機・覚醒の自制，再構築）が形成されず，その結果，行動・運動の制御・統合の障害をきたしたものと考えられている。

実行（遂行）機能とは，①反応を一時的に抑止し，適切な時間・事態に反応するために留保しておく能力，②一連の行為を適切に並べるなどの方略的プランニング，③重要な外来情報を処理して記憶として蓄えておく作業などを含む課題の心的表象化，あるいは④将来予想される事態を心的表象として形成する能力，などが挙げられている。
「実行機能障害は，プランニング，選択的注意機能，抑制，認知・社会行動の開始などの障害を意味している」という。

＊6　非言語的ワーキングメモリー
記憶の1種であり，何らかの操作・作業を行う間に一時的に保つ記憶であるワーキングメモリーのうち，言語が関与しないもの。

＊7　自己管理された発語の内的投射
自分自身をコントロールし，行動調整のために，自分自身に向けられて投げかける言葉のこと（有言実行の項を参照）。

● 重力の方向を強調する

多動という状態を，行動・運動の側面から見ると，一点に留まっていることができず，常に動いているようにみえる。この多動性の原因として，重力の重みをとらえきれていないために，あたかも糸の切れた凧のようになっていると考えることができる。アプローチとしては，重力の重みをとらえてもらうための手立てを用意する。

その方法の1つは，重力を感じるのは前庭感覚であり，その働きが十分でないことが考えられるので，治療的介入の項で述べたように感覚を強調する方法を使いながら，前庭感覚を得られるようにしていく。

もう1つは，重力を感じとり身体が地面の方向に向かったときに接点となる，地面とのコンタクトが十分でないことが考えられる。同時に，人間の身体は多関節でできており，コンタクトができても，その上に乗ってくる身体のアライメントが整わないと，全身の体重を受け止めてしっかりとコンタクトすることができない。これは，主に固有感覚の働きによるものと考えることができる。アプローチとしてはトランポリンや高い所から跳び降りる活動，ふわふわクッションの上を歩く（図25）など，前庭・固有感覚間統合を促す活動，特に足底で床面を踏みつけることが求められるような活動を提供していく。

図25　地面とのコンタクトを強調する

巧技台（こうぎだい）からクッションへ変化があるところを歩く活動。それまで歩いているところと異なる面に出会うことで，足底からの感覚が強調される。

● プランニング

衝動性がある子どもたちは，課題解決に取り組むときに，方略を考えてから取り組む前に，目についたところから手をつけがちである。プラモデルを作るときのことを想像してほしい。箱を開けてまずすることは，一般的には説明書・設計図を読み，どのパーツから作っていくか確認することであろう。本格的に作る場合は，カラーリングの手順を考えるかもしれない。しかし，衝動性がある子の場合，手当たり次第に作っていくということが起こる〔「順序立て」の項(p.89)を参照〕。

そこでアプローチとしては，「取りかかる前に考える」ことによって成功すること，そうでなければ失敗することを経験し，「考える習慣をつける」ことである。

感覚統合遊具（そだい）を使う粗大運動活動場面は，これらの経験を蓄積するのに

適していると考えられる。それは，結果が明確にわかりやすく出て，成功したときの報酬が大きいからである。例えば，跳び箱を積み上げるときに順番に関係なく積んだとしたら，絶対に積めない。ここで大切なことは失敗を指摘することではなく，本人が自分の失敗に気づき，確認することができる点である。リスクマネジメントの観点から調整の必要性はあるが，適度に失敗を演出し，本人に気づいてもらうことが重要なことである。人からいくら指摘を受けても実感をもって確認することは難しい。また，自分で気づいたときのほうが本人のなかに残る失敗感も少ない，という側面もある。

これらの「考える習慣」を日常生活に応用[*8]するためには，キーワードを決めておくとよい。例えば，勉強をしていてわからないことがあると，すぐに先生に聞くという子どもがいる。問題を読んで聞かせると，「あ，わかった」となることが多い。わからないことの大部分は，その単元の理解ができていないのではなく，問題をよく読んでいないためである。試しに，本人に問題を声に出して読んでもらうと，それだけで解決することが多い。そこで，次のようにキーワードを決めた。「わからないときは，声に出して読む」。その次から子どもが来たときに，大人が「わからないときは？」と聞いてあげれば，子どもは「声に出して読む，だった」と気づく。これを繰り返していくと，徐々に大人のところに来なくても，自分で気づくようになり，声に出して読めるようになっていく。

感覚統合療法ではないようにみえるかもしれないが，本人がもつ行為機能の特徴を評価し，有効に活用するための手立てであると考えれば，感覚統合的アプローチの一環としてみなせる。

> [*8] **日常生活への応用**
> セラピールーム内で獲得された力を常に生活のなかで用いることができるように考えていくことが重要である。「日常生活への汎化」という。

アクティブラーニング⓬ 衝動性が高くすぐに立ち歩いてしまう子どもがいるとき，あなたならどのような声かけ，環境調整を行うだろうか。

● 有言実行

セルフコントロールの力の発達に重要な要素の1つに，補足（p.108）でも触れている自己管理された発語の内的投射があると考えている。

Luria[21]は「言語はコミュニケーションの基本的手段であるが，同時に現実の深い分析と総合を行う手段でもあり，かつまたこれが特別重要なことであるが，『行動の高次の調節器』である」と述べている。行動を調整できるようになるために，言語が大切な役割を担っているのである。実際にADHDの子どもたちは，言語を用いたコミュニケーションは巧みにできても，約束やルールを十分に守れないことが多い。

そこで，アプローチとしては，やはり言語を使うことになるのであるが，他者から一方的にルールを押しつけるのではなく，本人に宣言してもらう形をとる。宣言する内容は，自分の行動を抑制する内容であり，かつ成功した暁には報酬が得られる内容がベストである。このときにも，感覚

治療的アプローチ：発達の各領域に対するアプローチ

統合遊具を用いた粗大運動活動場面は有効である。結果がわかりやすいし，設定が行いやすく，報酬として感覚−運動体験を用意することができるので，子どもたちのsensory needsを満たすことができる。報酬が大きければモチベーションが高くなるのは当然である。

> **アクティブラーニング⑭** 遊びの中で自分の行動を抑制する場面とは，どのようなものがあるだろうか。

■ 限局性学習障害（SLD）

SLD：specific learning disorder

　学習障害は，感覚統合療法の理論構築を行ったAyres（エアーズ）が最初に対象として考えていた疾患である。その後，現在では学習障害だけでなく，すでに紹介している自閉症スペクトラムやADHDなどの軽度発達障害，その他の発達期の障害，また発達障害以外の領域にも広がってきていることは周知のとおりである。

　学習障害とは知的能力に遅れはないのに，特定の能力に困難を示す状態を指すものとされている。その背景には特異な情報処理能力があることが想定されている。

● 学習障害の背景

　われわれはさまざまな環境からさまざまな情報を，複数の感覚を通じて得ている。そのときに使用している各感覚の処理できる能力は一定であるとは限らない。ある人は耳で話を聞くより，目で見たほうがわかりやすい。逆に，耳で話しを聞いたほうが理解できる，という人もいる。これらは，どちらが機能が高い/低いでもなく，どちらがよい/悪いでもない。どちらが得意か，ということである。見ることが得意な人は本を読んで理解することが得意かもしれない。話しを聞くほうが得意な人は，なかなか本が読み進められない，ということも聞く。

　学習障害とよばれる子どもたち（大人も含めて）は，この得意と不得意の幅がとても大きく，通常の学習環境では同じように学習できないかもしれない。

> **○補足**
>
> **学習障害の定義**
> - 限局性学習障害とは，DSM-5から採用された診断名である。
> - ここでは，日本で用いられている文部科学省の定義[22]を紹介する。
> - 学習障害とは，基本的には，全般的な知的発達に遅れはないが，聞く，話す，読む，書く，計算する，推論するなどの特定の能力の習得と使用に著しい困難を示す，さまざまな障害を指すものである。
> - 学習障害は，その背景として，中枢神経系になんらかの機能障害があると推定される。その障害に起因する学習上の特異な困難さは，主として学齢期に顕在化するが，学齢期を過ぎるまで明らかにならないこともある。

Case Study

①ルールを学ぶ
エレベーターのボタンを押したい男の子。母親がいくら言葉で制しても,スキを見つけてはエレベーター前にかけていく。そんな彼に,「エレベーターのボタンは押しません」とメモに書いて見せたところ,「ハイ」と言って押すことをやめた。
ただし,この1回だけのエピソードで長期的な行動学習ができたわけではない。他の要因もあったので,繰り返しのアプローチは必要であった。

②今日のお小遣いをかけた暗算
今日のお小遣いの金額を申請するために,欲しいお菓子の計算をしていた女の子。暗算で求めようとするが,なかなか計算ができない。そんな彼女に救いの手が。「メモ帳は?」。メモ帳を取り出し,数字を並べたら,あっという間に計算ができ,無事お小遣いをもらうことができた。

Question 4

①,②の子どもはどのような点に着目してアプローチしたか。

☞ 解答 p.278

● **情報処理の種類**

子どもたちの行動や学習に関することで,よく話題になるのは「視覚と聴覚」,「同時と継時」,「右脳と左脳」,「記憶」,「動的と静的」,「空間認知」などである。

視覚と聴覚

視覚と聴覚では,まったく別物であるが,感覚がもつ特徴も正反対である(**表5**)。聴覚に比べて視覚から情報を得ることが得意な子どもは多くみられるが,その逆で,聴覚が優位な子どもたちが見落とされがちなので,よく観察したい。

表5 視覚と聴覚の違い

感覚の種類による違い〜視覚と聴覚〜
・聴覚は"ながら"ができる。コントロールが難しい
・視覚は集中しないと見ることができない。見るためには行動が止まるので,情動調整に使いやすい。コントロールが容易。シャットアウトできる
・聴覚は消えていく。見直し,聞き直し,思い出して見直すことが難しい。情報が早い。距離をとることが容易。簡単に準備することができる
・視覚は残る。見直しが可能。いつでも見られる。複数の情報を同時に提供できる

治療的アプローチ：発達の各領域に対するアプローチ

同時総合と継時処理

　同時総合と継時処理は，K-ABC心理・教育アセスメントバッテリーで測定することができる能力であるが，人の認知処理を大別したものである。特徴が大きく異なる（**表6**）[23]。

表6　継時処理と同時総合

継時処理	同時総合
左半球	右半球
デジタル	アナログ
要素ごとに順番に処理	2つの事柄を同時並列的に処理
・聞いたとおり，復唱する ・暗記した文をいう ・リズムの再生 ・事柄が起こった順に再生 ・連続動作を行う ・時計（デジタル）表示を読む	・マクロに全体像をとらえる力 ・左右・位置をつかむ ・時計の長針と短針から時間を読む（アナログ）

（文献23より引用）

動的と静的

　動的と静的とは，いろいろな場面で利用できる見方でもある。身体図式の項（p.92）でも述べたが，いろいろな情報が流動的で，動きがあるものが動的，固定され基本的に動かないものが静的である。例えば，視覚でいうと文字を読むことは静的情報処理であり，自転車に乗っていて，すれ違う自転車の動きを予測して避けるときに，動的情報処理を活用していると考えられる。

空間認知

　空間内における配置や並べ方，奥行きなど，空間に関する情報とそれを扱う認知をいう。具体的には，**図26**をご覧いただきたい。**図26**のa，b，cのいずれも同じ子どもが書いたもので，異なる時期のものである。

図26　文字の変化

a　　　　　　　　b　　　　　　　　c

aはまだ文字の形を整えることも十分ではなく，紙の中にどのように配置をすればよいのか，まっすぐ書くこともおぼつかないなど，空間認知の側面からみて気になる。図26bは，aから1年8カ月後である。図26cは，さらにその2カ月後のお正月に書いたものである。

　罫線のない紙の上にまっすぐ，大きさを揃えて書くことを活動分析により理解すると，紙の上に目に見えない線がイメージでき，かつ，紙の上でどこから書き出せば良いか起点を定めることができ，縦書きであれば"上から下""右から左"の方向性をイメージすることが求められる。書き出す前に，それらをイメージするのである。空間のイメージができるようになるためには，自分自身の身体において上下左右が身体図式として整っている必要があると考えられる。この子どもの場合，姿勢が変化することに対する不安が極端に強い特徴をもっていて，三次元空間で自由に身体を動かして運動し，遊ぶことに大きな制約があった。セラピーの中で，姿勢を調整するための活動，姿勢を保持する活動に始まり，安定して動けるようになってきてからは，トランポリンを組み合わせて三次元空間を自分で動くような活動を組み入れていった。

● 学習障害へのアプローチ

　他の障害と同じであるが，学習につまずきがみられる課題をよく活動分析・作業分析することが第一歩である。例えば，一口に書字といっても，その課題となるポイントはさまざまである。一人一人の様子を丁寧に観察し，発達的視点をもった活動分析・作業分析をすることが重要である。

　作業分析ができたら，それらの背景にある，情報処理を含めた脳の機能との関係性を推測してまとめていく。そのうえで，その課題については，本人の能力の向上を目指すのか，代償的な手段を導入し支援を行うのか，課題そのものを別のものに変えるのか，という判断をしていく。

> **補足**
>
> 自閉症スペクトラム障害とADHD，学習障害について論じてきたが，注意すべきことがある。図27のような紹介がよくされるが，この図の重なっている部分に注意してほしい。この図が意味するところは，診断名として自閉症スペクトラム障害がついていたとしても，学習障害の特徴やADHDの特徴をもつことがあるということである。もちろん，この重なり具合は個々人によって異なり，まったく重ならないこともある。
> ここまで紹介してきた疾患別アプローチは，診断名に対するアプローチというよりも，その特徴に対するアプローチとして考えてほしい。
> 子どもを前にしたときは，診断名は参考程度に押さえておき，実際にはどのような特徴をもっているのかを，やはり丁寧に評価することが求められる。常に自分の目で評価することが不可欠なのである。

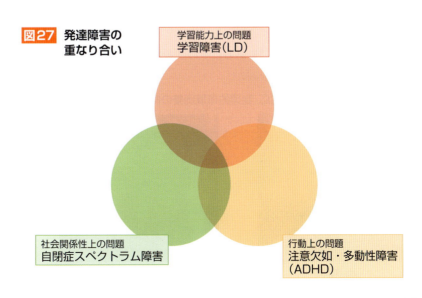

図27　発達障害の重なり合い

学習能力上の問題
学習障害（LD）

社会関係性上の問題
自閉症スペクトラム障害

行動上の問題
注意欠如・多動性障害
（ADHD）

治療的アプローチ：発達の各領域に対するアプローチ

10 適応行動を促すための環境調整

日常生活において，より適切な行動を促すためにできる環境調整として，感覚調整障害への対処，覚醒を維持・調整するもの，行為機能への支援を行うものに分類して説明する。

■ 感覚調整障害への対処

感覚調整障害に対して最も重要なことは，人的環境の調整ではないかと考えている。それは，本人を取り巻く家族や学校の先生など，関係者が感覚調整障害を理解することである。得てして，「本人の辛抱が足りない」，「馴れるはずだ」，「ちょっとがんばればできるはず」，「理屈ではわからないでもないけど，本人を見ているとそれほどではない？」という，周囲の無理解によって，さらに辛い経験を重ねてしまうことがある。もちろん，過保護にするわけでも，過剰に強調するわけでもない。適切に評価し，適切に理解することが重要である。

そのためには，作業療法士が十分に評価をせずに感覚調整障害の一般像をやみくもに当てはめて，一般論だけを説明したのでは十分ではない。生活の場面をじっくりと聞き取り，どんな場面で不都合が生じていて，どんな場面なら不都合は起きていないのか，その違いは何かを丁寧に分析していくという，極めて当たり前の情報収集と評価，分析が重要になるだろう。そして，先にも紹介した**家族の生活障害への影響**も十分に把握するように努めたい（p.86参照）。

人的環境の調整を行いつつ，物理的環境の調整を行う。物理的環境調整を行う際には，本人の不安感の解消を最優先に考えたい（**図28**）。何はなくとも，まずは不安感を解消できる方法を，保護者，幼稚園・保育園や学校の先生と一緒に考えていく。一緒に考えるプロセス自体も人的環境の調整につながる。

市販の物も含めて，環境調整に活用できる道具はどんどん増えている。また，物によっては高価で買えない，予算的に難しい，といった事態などもある。そのときに次の機会を待つのではなく，今ある物のなかでなんと

図28 感覚調整障害への対応（物理的環境調整の例）

a 対応前

b 対応後

街中のザワザワとした喧噪は，聴覚的な過敏さがあるときに，ストレスになることがある。それが原因で外出ができなくなることが本人の生活障害である。それに伴い，家族ででかけることに制限がでてしまうことが，家族の生活障害である。
1つの対応方法としてヘッドフォンをしたり，耳栓をするなどして，物理的環境調整を行い，音から防ぐことができれば，外出への抵抗感が減るかもしれない。

か工夫できるようにすることが大切である。

■sensory dietという視点

sensory diet*9とは，「1日を通して人が経験する感覚入力（活動と感覚）の種類と量のことを指す。効果的な感覚栄養によって，人は落ち着き，集中力に満ち，冷静で的確な判断をし，ひいては何かを学んだり物事に対して適切に反応できるようになる」[24]ことをいう。

感覚防衛がある場合，不安の原因となる感覚刺激を調整することによって栄養が得られる。逆に感覚探求がある場合は，欲している感覚刺激を得られるような調整をすることによって，適切な栄養が得られるのだと考えられる。

■覚醒を維持・調整するもの

自分で調節がうまくできず，sensory dietがうまくいっていないときには，またそれによって，覚醒が整わずに行動・学習に支障をきたすようであれば，環境を調整すべきである。

授業になると覚醒が下がりやすい場合，もしくは常に覚醒が低い場合は，授業の直前に活動として準備体操を行う。子どもによっては，授業の途中などの本人がメインに活動する直前がよいかもしれない。

行う活動は，子どもによって，その環境によって異なってくる。事前にその子に適した感覚刺激の種類，組み合わせ，長さ，提供する部位などを調べておくとよい。多くの子どもで覚醒が上がる活動が，ある子にとっては覚醒を強く下げることもある。

覚醒が上がったまま，という場合も，適宜調整する必要がある。上がってしまったものを，子どもが自分の力で調整するのは困難である。ときに「落ち着いて」など声かけをされ，自己努力が要求されることがあるが，これも難しい。周りの大人が介入し，落ち着いたり，覚醒が下がる経験をしてから，それが覚醒が下がった状態であることを認識してもらい，どのような方法であればその状態になれるか，学習を促していく。大切なのは覚醒が上がってしまう自分を調整する（できるに越したことはないが）ことだけではなく，上がりやすい自分といかにつきあうか，であると考えている。

■行為機能への支援

日常生活のなかでは，行為機能の障害がさまざまな形で表れやすい。注意機能の問題も一緒にもっていると，日々の生活をとりまとめるのはなかなか困難になりやすい。

行為機能に苦手さをもっているときには，「何をすべきかわからなくなる」というようなことがある。このようなときにできる支援としては，視

---

*9 sensory diet

ダイエットとは「バランスのとれた栄養を供給する食事」の意味がある。ここでいうsensory diet も「その個人の必要性に合わせた，バランスのとれた種々の感覚刺激の組み合わせ」という意味合いが込められている[22]。大人は，会議で机上の活動が続いた後，のびをしたり，ちょっと歩いたりしてバランスをとる。コーヒーやあめを口にすることもあるだろう。常に感覚刺激を"入力"することが大切なのではなく，このように時機を得た対応が大切なのだといえる。

治療的アプローチ：発達の各領域に対するアプローチ

覚情報の提示である。文字や絵カードなどで，次に行うことがわかるように提示する。

注意機能の障害を同時にもっている場合，「気が散って最後まで終わらない」ということもよく聞かれる。ボトムアップ的注意が起こらないように，壁を向いて着替えたり，パーテーションで区切って着替えるスペースをつくる。あるいは，皆と着替えの時間をずらすという方法もある。

sensory diet の視点を交えて提案することもある。例えば，係活動で先生にプリントを届けたとする。一般的には，プリントを受け取って終わりである。そのときに，触覚に sensory needs がある子どもであれば，「ありがとう」と頭を大げさになでる，固有感覚に needs がある場合には，がっしりと握手をするなど，活動のアクセントとなるところに感覚刺激の調整を挿入していく。ねらいとするところは，子どもによって，行為機能の切り替え，継続になることもあるし，覚醒の維持になることもある。

■ **アフォーダンスという発想**

支援を考えるときに，**「物がもっているメッセージ」**も大切に考えたい。**図13**を思い出してほしい。線が引いてあるだけではルールを守ることができなかったが，マットを敷くことでルールを守れるようになった。足底から得られる感覚刺激が異なるということは前述のとおりであるが，マットがあるところとないところでは，環境的に異なる領域であるということを，マットと床が教えてくれているとも考えられる。

そもそも人（動物）は環境との相互作用で行動をしていると考えられる。物もしくは環境がもっているメッセージを「**アフォーダンス**」という[25]。物や環境がもつアフォーダンスが行動の可能性を提供し，人や動物がそのメッセージを受け，行動することができる。

この発想を基にすれば，行動を変えてもらうためには環境を変える必要があるといえる。例えば，養育者や教員からの訴えとして，「机の上に上って困る」という話を耳にする。**図29a**のような環境であれば，「ぜひ上ってください」というメッセージに解釈できる。環境の配置を換え，**図29b**のようにしたらどうか。少なくとも軽く上っていくことは難しくなるだろう。

環境の力だけで行動のすべてを変えることはできないが，行動の可能性を変化させることはできる。座ってほしいときは言葉をかける前に椅子を差し出す，コップを渡してほしければ手を差し出し受け取る形をつくるなど，ちょっとした工夫をすることで不必要な言葉を減らすことができる。期待している行動を適切に子どもたちに伝えることも可能になる。

> ○ 補足
> 本人が「すべきことはわかっている」状態でも，視覚情報は助けになる。われわれは，いくらわかっていることでも，やはり視覚情報の恩恵を被っている。
> 電車でいつもの駅に帰ってきたとき，風景は間違いなくいつもの駅だが，駅の看板を確認することがあるだろう。
> 視覚情報の必要性は，「わかっているかどうか」だけで判断するのではなく，本人が「**確認したいときに安心して確認ができる**」という点でも判断されてよいだろう。

アクティブラーニング⑮ アフォーダンスの例を考えてみよう。そのとき，環境からどのようなメッセージを受けて，どのような行動をとっているだろうか。

図29 環境がもつメッセージ

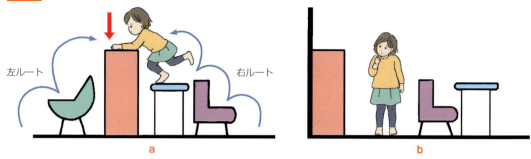

a 　　　　　　　　　　　　　　　　　　b

矢印のところまで上るのに，あなたは右と左のどちらのルートから上るだろうか。たいていは右だろう。安定しているから，がその理由であると思われる。が，実際はそのように考える前に行動をしていることが多い。それは，右のルートが上る可能性をより多く提供してくれるからである。aでは右でも左でも上れる環境である。bのように配置が変わると，環境からは上れる可能性が低いという情報が提供される。

11 セルフケアの援助

　感覚調整障害がある場合と行為機能に苦手さがある場合のセルフケアの援助について説明する。セルフケアは日々繰り返されるものであり，感覚調整にトラブルがある場合は，対処方法に特に工夫が求められるからである。

■ 感覚調整障害への配慮

　ここでも，まずは感覚調整障害への理解が欠かせない。感覚調整障害，特に防衛反応がある場合，日々行わなければならない洗顔，歯磨き，シャワーなどで苦痛を感じる可能性が高い。また，それらをケアする側の保護者にとっても毎日が格闘で大変な苦労をしている。実際に保護者から「馬乗りになって歯磨きをしています」という話しは，大げさではなく実際のこととして聞くことがある。

　そこで，まずは感覚調整障害の評価を行う。発達質問紙やSP，JSI-Rなどの評価ツールを使いながら，どのような場面で保護者が困っているのか，感覚調整障害による影響がでているのかも確認する。

　子どもによっては，実は感覚調整障害自体は軽減してきているのに，生活場面では非常に困難をきたしているという場合がある。自然発達のなかで感覚調整障害は軽減することがあるためである。しかし，軽減するまでの間に経験してきたさまざまなことは記憶として残っているので，症状としては継続してしまうのである。

　その場合，セラピーのなかで模擬場面をつくって，実際はもう不快感がかなり減っているということを本人とともに確認するようにしている。

　一方，実際に感覚調整障害が現在もある場合，それでもやはりセラピー場面での介入から始める。というのは，苦手な場面は本人にとっても精神的に余裕がないので，人からの介入に対して許容範囲が狭くなるからであ

る。子どもも大人も，両者に精神的な許容範囲が残されている場面で行うことが望ましい。それはやはり苦手な場面ではなく，セラピー場面だったりする。

セラピー場面では，「感覚調整障害」の項(p.78参照)で述べたような，防衛反応への対応の原則に基づいて，防衛反応そのものの軽減を図る。同時に，こういった活動に対してラベリングを行う。例えば，「ぎゅっ，ぎゅー」という擬音をラベリングしておいたとする。で，今度歯を磨くときや耳をかくときなどに，それに先だって「ぎゅっ，ぎゅー，としてからやるよ」と準備体操ができるようにする。

どうしても保護者がセルフケアを行うのが大変な場合，**一時的にそのケアをやめるという選択肢**も頭に入れておくとよい。歯磨きを「やらない」というのは一大事であり，代案は難しいが，耳かきは保護者はやらずに耳鼻科にお願いする，顔をふくのは入浴時に済ませる，など，他の場面で行ったり，他者にお願いできるものも少なくない。保護者はこれまでも，多くの努力と困難を経験してきているので，やみくもに「がんばって」とは言えないのである。

● **行為機能に苦手さがある場合の援助**

行為機能に苦手さがあると，「言われればできるけど，1人でできない」，「一つ一つの動作はできるけど，1人でできない」というような姿になりがちである。更衣動作などで，シャツを着る，脱ぐ，ズボンを履くなどの一つ一つの動作は可能だが，その動作を組み立てて，全体の行為として連続させることが難しくなるのである。

援助のポイントとしては，いかに大人の手を減らせるか，である。そのためには，"物＝ツール"を効果的に導入して，子どもが自分で気づいてできるようにするとよい。スケジュールボード(図30)の活用などは，よく用いられている方法である。

図30 スケジュールボードの一例

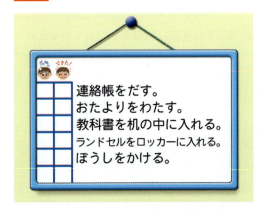

Question 5

着替えの場面で，順番に物事を処理していくことが苦手な場合，どのような援助の方法が考えられるだろうか。

☞ 解答 p.278

Question 6

前庭－固有感覚の統合が不十分なために，姿勢の調整が困難な場面で，着替えをしている最中にフラフラしてしまうことがある。一箇所に留まっていることが難しいと考えられる。どのような援助があるだろうか。

☞ 解答 p.278

食事の用意や荷物の整理をする，出したおもちゃを片づける，というときにも，どこから手をつけるか，何をどこに片づけるか，用意するか，などで迷うことがみられる。部屋のどのスペースから片づけるか，エリアを区切って順番に取りかかる，ということを伝える方法がある。まずは机の上，次に机の前，次にテレビの前，というように。どこに片づけるか，用意するかをわかりやすくするには，"物"を有効に使いたい。カゴを並べておき，そのカゴにシールを貼っておく，棚に写真や絵・文字カードを貼っておく，などの方法がよく用いられる。

補足

ツールの導入は子育て援助

いろいろな場面で，上記のような支援を行うことで最も大切なことは，子ども本人が「この方法ならできる!!」と実感することである。行為機能に困難を抱えていると，日常生活で失敗することがどうしても多くなってしまう。その彼らが，「大丈夫，できる」と思えることは，大きな自信になる。また，"物＝ツール"を用いることの，もう1つのメリットとして，大人の声かけを減らせることがある。当然，子どもにとってみれば，常に行われる指示が少なくなるということで，主体的に動いている印象をもちやすくなるだろう。一方，大人にとってみると，言葉を使っていると，どうしても徐々に声が大きくなってしまう。「できない」，「何度も言っている」，「また今日もか」という思いがあったりすると，ついつい声も大きくなってしまう。声

が大きくなってくると，人は興奮してきて，感情的にも冷静ではなくなってしまう。そうすると，子どもにとって…。"物＝ツール"を用いることで，この悪循環を回避する手立てとすることができる。そういった意味では，"物＝ツール"は子どもたちにとっての援助であると同時に，保護者にとっての子育て援助のツールでもあるのだと感じている。

スマートフォンの活用

生活支援を考えるときに，スマートフォンなどの機器の活用は重要なアイテムである。発達障害を想定した，さまざまな支援のためのアプリも開発・リリースされており，重宝していると耳にする。一方で，あらためてアナログ機器の使いやすさも見直されており，本人の特性と特徴に応じて，使い分けていくことが重要になる。

12 関連施設との連携

　感覚統合療法の対象となる子どもたちの多くは，地域の幼稚園や保育園，学校などに通っている（図31）。別の視点でいえば，特別支援教育の対象となる子どもたちが多いということもできる。子どもたちが日々通う生活の場・施設と連携が必要なことはいうまでもない。では，実際にどのような連携を行っていくとよいのだろうか。

図31　特別支援教育の対象

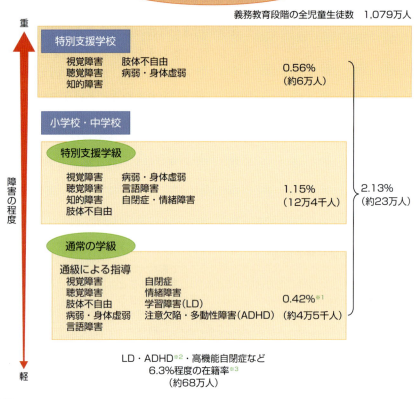

特別支援学校・特別支援学級・通級学級で教育を受けている児童生徒は，合計しても2.13%に過ぎない。それと比較すると，6.3%という数字がいかに大きい数字かがわかる。
また，すべて合計すると約1割の子どもたちがなんらかの支援を必要としているといえる。この数字のもつ意味を考えてほしい。

※1　平成19年5月1日現在の数値
※2　LD：learning disabilities
　　 ADHD：attention-deficit/hyperactivity disorder
※3　この数値は，平成14年に文部科学省が行った調査において，学級担任を含む複数の教員により判断された回答に基づくものであり，医師の診断によるものでない。平成24年にも同様の調査が行われており，そこでは6.5%という結果がでている。
　　（※1および※3を除く数値は平成20年5月1日現在）

（特別支援教育の推進に関する調査研究協力者会議「特別支援教育の更なる充実に向けて」2009年より引用）

■ 行動理解を促す

　感覚統合に課題をもっている子どもたちの行動は，これまで見てきたように一見すると不思議な，理解に苦しむ行動をとることが少なくない。また，一般的には「努力不足」，「やる気がない」，「わがまま」と映ってしまうこともある。

連携の第一歩としてできることは，行動を理解してもらうことである。これは，結局は本人理解につながるのである。

なぜ，そのような行動をとるのか。感覚処理の特性や，情報処理の特性，行為機能の特性などから，作業療法士が評価していることをまとめて伝えるのである。

その際，気をつけることとして，必ず生活の場・施設での具体的な行動を把握しておくことである。施設での生活の様子を行動観察できればよいが，必ずしもできるわけではないだろう。保護者や担任の教員たちの話が情報源になる。そのときに漠然と「どうですか」と聞くのではなく，「〇〇の条件のときに，△△のようなことが起こったら，どうなりますか」と，シチュエーションを限定して，具体的な質問を行うようにすると，的確な答えが得られることが多い（図32）。

感覚統合理論の言葉だけではイメージがつきにくいことが多いが，生活の場面でどのような具体的な現れ方をしているかを説明する。一般的な行動との比較をしながら説明すると，よりわかりやすくなるかもしれない。

図32 情報支援のときの一工夫

■ **対策を協議する**

生活の場での行動が把握でき，その原因が想定できたら，具体的な対策を検討することになる。

このときに気をつけたいことは，作業療法士からの一方的な提案にしないことである。相手の施設の事情もよく踏まえながら検討を行うべきである。理想論だけでなく，現実的な検討が必要である。

また，たいていの場合低コストであるべきであろう。コストは，実際に費用がかかるかどうかに加えて，準備がどの程度必要か，その対策を実施する際の人手，そのいずれをも指している。特に担任の先生が1人のときには，十分にこのコストを考えておくべきである。セラピールームで行う

ことと同じことは，基本的にはできない．集団生活をしている場で，実現可能なアイデアを模索するべきである．

■ フォローをする

一度検討し，提案して終わりではなく，ぜひその後を確認したい．保護者を経由しても，直接連絡をしてもよい．その際に，提案した対策が上手くいっていない可能性も十分に想定しておくことが必要である．対策は十分に考えたとはいえ，やはり実際に行ってみて違うこともある．「上手くいかなくて，ある意味当然である」ぐらいに考えておくとよいだろう．

全体を通じて大切にしたいことは，謙虚になることである．一方の施設が，もう一方の施設の指導を行うような上下の関係ではなく，専門性の異なる専門職同士の連携であるという当たり前の確認と，だからこそ謙虚に相手の機関の情報を聞き取り，立場を考えることが必要である．相手が専門家に見えないときは，相手の専門性を理解できない自分の専門性を疑うべきである．

■ 定型発達の子どもにとっても

感覚統合理論によって子どもの発達を見ていくことは，定型発達の子どもたちの発達を理解し，支援していくときにも有効である．運動の重要性をあらためて認識してもらうことや，何か課題があるときの対策を立てるときの参考にしてもらうことができる．

幼稚園や保育園など幼児教育においては，感覚統合的活動は日常的な保育場面で取り入れていることも多く，「そんな意味があるんだ」と活動を見直すきっかけになることもあるようである．

引用文献
1) Ayres AJ: 感覚統合の発達と支援. 金子書房, p.22, 2020.
2) 小松則登: 行動から読み解く―関わりが困難な児とのsensory communication. 臨床作業療法 Vol.6 No.2, 125-130, 2009.
3) ニキ・リンコ, 藤家寛子: 自閉っ子, こういう風にできてます！ 花風社, 2004.
4) 酒井康年: 行動障害を呈する児(者)のアセスメントとケア, 対応. 小児看護 2014-5 月号, 2014.
5) Bundy AC, et al: 感覚統合とその実践 第2版. 協同医書出版社, 2006.
6) ニコライ・А・ベルシュタイン: デクステリティ 巧みさとその発達. 金子書房, p.171, 2003.
7) 小西紀一: 対象操作機能と適応反応. 感覚統合研究, 10: 17-24, 2004.
8) 加藤寿宏: コミュニケーションの発達―広汎性発達障害児と共に遊びを楽しむために―. 感覚統合研究, 10: 1-8, 2004.
9) 田中啓治 編: 認識と行動の脳科学. 東京大学出版会, p.55, 2008.
10) 田中啓治 編: 認識と行動の脳科学. 東京大学出版会, p.238, 2008.
11) 背景という考え方は，背景活動として取り上げられていて，行為・動作の巧みさを図る指標として紹介されている. 詳細はデクステリティ, 186, 2003.
12) 小西紀一・小松則登・酒井康年 編: 子どもの能力から考える発達障害領域の作業療法アプローチ. メジカルビュー社, p.7, 2012.
13) Caillois R: 遊びと人間. 講談社学術文庫, p.44, 1990.
14) モーリス・メルロ＝ポンティ: 行動の構造. みすず書房, p.58, 2014.

15) 田中康雄: わかってほしい！気になる子.学研, p.27, 2004.
16) 小松則登: 行動から読み解く—関わりが困難な児とのsensory communication —. 臨床作業療法, 6(2): 125-130, 2009.
17) 加藤寿宏: 作業療法マニュアル28—発達障害児のソーシャルスキル, p.38, 日本作業療法士協会, 2001.
18) (例えば)エリック・ショプラー: 自閉症の治療教育プログラム. ぶどう社, 1985. (など)
19) Barkley RA: バークレー先生のADHDのすべて. ヴォイス, p.97, 117, 2000.
20) 中根 晃: ADHD臨床ハンドブック. 金剛出版, p.13, 2001.
21) Luria AR: 言語と精神発達. 明治図書, p.17, 1969.
22) 学習障害及びこれに類似する学習上の困難を有する児童生徒の指導方法に関する調査研究協力者会議: 学習障害児に対する指導について(報告), 1999.
23) 竹田契一, 里見恵子, 西岡有香: LD児の言語・コミュニケーション障害の理解と指導. 日本文化科学社, p.63, 1997.
24) Anderson JM: 自閉症とその関連症候群のこどもたち. 協同医書出版社, p.15, 2004.
25) (文献は数多くあるが, 例えば)佐々木正人: アフォーダンス—新しい認知の理論, 岩波書店, 1994.

参考文献
1. 小西紀一, 小松則登, 酒井康年 編: 子どもの能力から考える発達障害領域の作業療法アプローチ. メジカルビュー社, p.24, 2012.

✓ チェックテスト

Q
① 感覚統合の視点に立ったアプローチとは何か(☞p.73). 臨床
② 感覚統合機能評価の種類としては何があげられるか。また, 評価を行ううえで重要なことは何か(☞p.73, 74). 臨床
③ 感覚防衛に対するアプローチのポイントは何か(☞p.80〜82). 臨床
④ 行為機能とは何か。3つのステップとは何か(☞p.86〜90). 臨床
⑤ 治療的介入を行う際に大切にすべきポイントとは何か(☞p.100〜105). 臨床
⑥ 感覚統合理論における適応反応とは何か(☞p.72). 基礎
⑦ 感覚統合理論における行動観察で重要な点は何か(☞p.75). 臨床
⑧ 行為機能の評価における重要なポイントは何か(☞p.77). 臨床
⑨ 感覚調整障害において, 生活への影響としてどんなことが考えられるか(☞p.86). 臨床
⑩ 注意機能にはどのような分類があるか(☞p.97). 基礎
⑪ 注意の配分を説明しよう(☞p.98〜100). 基礎
⑫ 感覚統合理論におけるリスクマネジメントのポイントは何か(☞p.103). 臨床

治療的アプローチ：発達の各領域に対するアプローチ

2 姿勢と運動へのアプローチ：脳性麻痺を中心に

森田浩美

Outline
- 脳性麻痺は，姿勢と運動を中心とする複合障害としてとらえられ，さまざまな角度からの評価・治療がライフステージに沿って行われる。
- 脳性麻痺には主な類型があり，それぞれの特徴を踏まえながら短期的視点と長期的視点を持ってアプローチする必要がある。

1 脳性麻痺の概要

■定義

「脳性麻痺とは，受胎から新生児（生後4週以内）までの間に生じた脳の非進行性病変に基づく，永続的な，しかし変化しうる運動および姿勢の異常である。その症状は満2歳までに発現する。進行性疾患や一過性の運動障害，または将来正常化するであろうと思われる運動発達遅延は除外する」厚生省脳性麻痺研究班（1968）

■疫学

- 発生率：1,000人に約2人
- 原因
  出生前：皮質形成異常，ウイルス感染など
  周産期：脳室周囲白質軟化症（早産児），低酸素性虚血性脳症（正期産児）など
  出生後：髄膜炎，脳血管障害など
- 障害を受けやすい部位
  満期産児：大脳基底核
  早産児：脳室周囲白質
- 近年の傾向
  早産児における脳性麻痺が増加している。26〜32週で出生する出生体重1,500g未満の極低出生体重児の脳性麻痺児の多くが，脳室周囲白質軟化症（periventricular leukomalacia：PVL）[*1]に原因を有し，痙直型両麻痺になるとの指摘がある。

■臨床像のとらえ方

姿勢と運動の障害を中心とする複合障害である（図1）。

*1 脳室周囲白質軟化症（PVL）
- 側脳室周囲に両側性で対称性に生じる虚血性病変。
- 早産児に多い。
- 皮質脊髄路（錐体路）に相当するため，痙性麻痺をきたしやすく，痙直型両麻痺になるケースが多い。

■ 類型

脳性麻痺の分類は2通りあり、1つは筋緊張のタイプで分ける分類と、もう1つは部位で分ける分類である（表1, 2）。

図1　脳性麻痺の臨床像

表1　筋緊張のタイプ別による分類
①痙直型
②アテトーゼ型
③弛緩型
④失調型
⑤強剛型
⑥混合型

表2　部位別による分類
①四肢麻痺
②両麻痺
③片麻痺
④三肢麻痺
⑤対麻痺
⑥単麻痺

2　姿勢と運動の障害

姿勢と運動の障害は、脳の損傷や欠陥に起因する。小児の場合、その代表的疾患が脳性麻痺である。脳性麻痺は、脳の損傷部位や程度により、さまざまな臨床像を呈する。また、発達全般を促進するという点から成人の脳血管障害に対するアプローチとは大きな相違がある。

「厚生省脳性麻痺研究班（1968）」では前述（p.124）のとおり定義されている。ここでのポイントは、「非進行性病変」、「永続的」、「変化しうる」という点である。つまり、脳性麻痺という疾患は、治るものではないが関わりの有無あるいは関わり方によってよくも悪くも変化しうるものである、ととらえることができる。

主症状は姿勢と運動の障害であるが、知的障害やてんかんなどの合併症状を伴うケースが多く、加齢による重症化、二次障害といった問題も生じてくる。また、日常生活において自立に至るケースは少なく、親をはじめとして多くの人の協力を得ながら成長していく。

従って、作業療法アプローチを考える際には、姿勢と運動の障害を中心とする複合障害として捉える必要があり、その内容は多岐にわたる。さらに、作業療法士は子ども本人だけでなく、子どもと関わりのある人たちや関係機関とも協力していく必要がある。

脳性麻痺の定義や類型については現在、世界的に議論が進められているが、現況では、筋緊張の異常の種類による分類と麻痺の分布による分類とを組み合わせた類型が使われている。主なものは、痙直型両麻痺、痙直型

片麻痺，痙直型四肢麻痺，アテトーゼ型四肢麻痺である．本項では，この4つの類型のほか，主に脳性麻痺を基礎疾患にもつ重症心身障害について述べる．

3 姿勢と運動の評価

脳性麻痺の評価では，前項で述べた複合障害すべてをみる必要があるが，ここでは特に主症状である姿勢と運動の評価に絞って述べる．

評価とは，悪いところを探すことではなく，いいところ，つまり可能性や潜在能力を見いだすことが目的である．従って，以下に述べる項目それぞれについて，単に状態を記述するのではなく，何とどのように関連して，それがどのような機能の妨げになっているのか，生活に支障をきたす原因になっているのかを考えながら評価を進めることが大切である．

姿勢と運動の主な評価項目を挙げると以下のとおりである．

■ 姿勢・運動面の主な評価項目
①運動発達：粗大運動と手の運動
②姿勢筋緊張：筋緊張の状態，筋の性状
③関節可動域：制限，過可動域
④変形・拘縮：部位，程度（軟部組織，骨）
⑤姿勢反射：原始反射，姿勢反応
⑥非対称性：左右差，ねじれ
⑦代償動作：妨げられている動き，補っている動き
⑧連合反応：対側性，同側性

①**運動発達**：発達評価表を用い，粗大運動や手の操作能力の発達段階や発達年齢を知ることができる．しかし，脳性麻痺の運動発達は正常発達とは質的に異なるため，「どのように行っているか」という点を理解することが重要である．

②**姿勢筋緊張**：観察や触診から，筋緊張の状態（亢進・正常・低下・変動）や，筋の性状（痙縮・強剛・弛緩・動揺）をみる．姿勢・肢位や，心理的・情緒的な要因によって変化し，また，一人の子どものなかでも部位によって異なったり変化したりするため，作業療法の場面設定や姿勢を変えて何度かみる必要がある．また，日常生活や理学療法場面など他の人との関わりの場面をみるのもよい．

③**関節可動域**：制限だけでなく，過可動域についてもみる必要がある．子どもによってはセラピストの思うように計測ができない場合もある．子どもにとっては遊び感覚になるように，抱っこするなどしてある程度動かしながら大まかな状態を把握し，その後計測するとよい．すべての関

作業療法参加型臨床実習に向けて

姿勢と運動の評価は観るだけではわからない．触ってみることが基本．触れ方，支え方，動かし方を身につけよう．

節を詳細に計測し数値を出すことが目的なのではなく（手術後などのケースは除く），変形・拘縮の有無，あるいはその危険性の把握，左右差などを確認することが重要である。

④変形・拘縮：関節可動域と同時に確認できる。部位や程度，性質（軟部組織性か骨性かなど）などをみる。現在の状態だけでなく，今後のリスク管理の点から，進行しそうな部分，新たに発生しそうな部分などの評価も必要である。

⑤姿勢反射：脳性麻痺の場合，原始反射が残存しているケースが多い。どのような反射が残存しているかのみならず，そのことにより何が妨げられているかを理解することが重要である。残存しやすい原始反射には，非対称性緊張性頸反射（ATNR）や緊張性迷路反射（TLR）などがある。また，頭部・体幹の立ち直り反応などは認められるか，それはどのような状況下で起こりやすいかなどをみる必要がある。

治療的アプローチ：発達の各領域に対するアプローチ

● 原始反射

- 非対称性緊張性頸反射（asymmetrical tonic neck reflex：ATNR）（図2）
  ▶顔の向いているほうの上下肢が伸展し，後頭部側の上下肢が屈曲する。
  ▶正常発達では2～3カ月ごろに消失する。
  ▶正常での伸展，屈曲は軽度であり，異常な状態では完全に伸展，屈曲を示す。
  ▶ものを見ながらのリーチ，両手動作などの妨げとなる。

- 緊張性迷路反射（tonic labyrinthine reflex：TLR）
  ▶仰臥位（背臥位）で頭部を軽度後屈させると四肢が伸展し，腹臥位で頭部を軽度前屈させると四肢が屈曲する。
  ▶正常では，5～6カ月ごろ，迷路性立ち直り反射の出現とともに消失する。

試験対策 Point

「遠城寺式乳幼児分析的発達検査」，「改訂日本版デンバー式発達スクリーニング検査（JDDST-R）」「Milani運動発達評価表」などは，タテにもヨコにも読み取れるようになろう。
- あるスキルが獲得される順序
- 同時期に獲得されるある運動や動作

など。

試験対策 Point

0～1歳ごろまでの運動発達をしっかり頭に入れよう。特徴的な姿勢は，絵や写真で覚えるのもGood！

試験対策 Point

姿勢反射について
- 種類（名前）
- 出現・消失時期
- 誘因と反応

これらをしっかりおさえておこう。

図2　非対称性緊張性頸反射（ATNR）

▶異常な状態では亢進し，頭部を後屈，肩を後退，胸郭を強制的に広げるような姿勢となる。このことにより周りが見わたせない，胸郭の動きが制限されることにより呼吸が浅くなる，下肢を触って遊べない，などの困難が生じる。

⑥非対称性：筋緊張の分布は多くの場合非対称的であり，それに伴い姿勢や動きも非対称的となる。このことが，変形・拘縮を進行させる一因となったり，動かせる部分と動かせない部分との差を大きくする一因となったりする。

⑦代償動作：ATNRを使ってリーチする，割座（図3）で着替えをする，上肢の分離した動きを補うために肩を過剰に動かして車椅子をこぐなどがある。いずれも好ましい動きとはいえないが，このようにしないと目的動作が行えない場合が多い。しかし，このような動きを長期にわたって行っていると，乏しい動きはますます減少し，代償動作は異常なパターンとして固定化していく危険がある。従って，これらの代償動作を止めさせるのではなく，目的動作が行えるよりよい方法を考える必要がある。

⑧連合反応：もともとの動きに過剰な努力を要するときに，その部位とは関係のない部分に現れる動きをいう。例えば，片麻痺の子どもが非麻痺側で小さい物をつまもうとしたとき麻痺側上肢も屈曲する，両麻痺の子どもが肘這いをしたときに肩が挙上したり下肢の内転内旋が強まったりする，などである。

図3　割座（とんび座り，W-sittingともいう）

（p.155, 164も参照）

■ 脳性麻痺の評価

脳性麻痺の評価には，下記①～⑤のようなものがある。しかし，これらも観察が主体であり，脳性麻痺を理解するには，おもてに表れている状態とその背景にあるみえない理由や原因をみる「眼」を養うことが大事で

ある。

●①GMFCS

- Gross Motor Function Classification System：粗大運動能力分類システム
    - ▶脳性麻痺の運動機能障害の重症度の分類尺度。
    - ▶座位をとる能力および移動能力を中心とした粗大運動能力を元にして，6歳以降の年齢で最終的に到達するレベルを5段階に分類したもの。
    - ▶子どもたちが自分から開始した動作をもとにして作成され，特に座位，移乗および移動が重視されている。
    レベルⅠ…制限なく歩く
    レベルⅡ…制限を伴って歩く
    レベルⅢ…手に持つ移動器具を使用して歩く
    レベルⅣ…制限を伴って自力移動：電動の移動手段を使用してもよい
    レベルⅤ…手動車椅子で移送される
- 2007年，12〜18歳の年齢帯が付加された（GMFCS-E＆R）。

●②MACS

- Manual Ability Classification System：脳性まひ児の手指操作能力分類システム
    - ▶GMFCSの考えを基にして上肢版として開発された。
    - ▶4〜18歳の脳性麻痺児が日常生活において物・道具を操作するときの両手操作能力を5段階に分類する判別的評価尺度である。
    Ⅰ. 対象物の取り扱いが容易に上手く成功する。
    Ⅱ. 対象物の取り扱いはたいていのもので達成できるが，上手さ，早さという点で少し劣る。
    Ⅲ. 対象物の取り扱いには困難が伴うため，準備と課題の修正が必要となる。
    Ⅳ. かなり環境調整した限定した場面で簡単に取り扱えられるような物であれば取り扱うことができる。
    Ⅴ. すごく簡単な動作でさえも困難である。

●③GMFM

- Gross Motor Function Measure：粗大運動能力尺度
    - ▶評価的な尺度。
    - ▶粗大運動能力（寝返り，座ること，立つこと，歩行など生活の基盤となる動作を行う能力）の経時的な変化および医療的な介入の効果をみるために考案された。

▶88項目の運動課題を4段階のリカートスケールを使い，スコアをつける。
▶標準化され，欧米では治療効果を判定するためにすでに広く使われている。
▶88項目あるのは難点で，施行に40分〜1時間20分近く要する。
▶対象は脳性麻痺児および頭部外傷児である。

④PEDI

- Pediatric Evaluation of Disability Inventory：リハビリテーションのための子どもの能力低下評価法
  ▶Coster（コスター）らの「子どもにおける障害の概念的モデル」をもとに，特定のスキル要素を遂行する能力と機能的活動に必要な介助量の両方を測定することを考慮して開発されたものである。
  ▶「機能的制限」と「能力低下」の2つの階層を評価する。測定項目は，機能的スキル197項目と複合的活動20項目からなる。
  ▶いずれもセルフケア領域，移動領域，社会的機能領域の3領域に分類されている。

⑤JASPER

- Japanese Assessment Set of Pediatric Extensive Rehabilitation：障害児の包括的評価法マニュアル
  ▶厚生労働省が，「障害保健福祉総合研究事業」として平成14年度より「全国に共通する評価の確立に関する研究」に取り組みまとめた評価法。
  ▶肢体不自由児の広汎な領域に及ぶ療育を，多角的な視点で客観的に評価する目的で作成された評価法である。
  ▶内容は，①生命維持機能〔摂食（誤嚥検出），呼吸機能〕，②粗大運動能力，③基本的日常生活動作，④変形・拘縮，⑤社会生活力の5分野からなる。

試験対策 Point
それぞれ評価は，何を評価するものか，おさえておこう。

4 姿勢と運動へのアプローチ—予想される問題とその対応

■重度痙直型四肢麻痺児の特徴と作業療法アプローチ

●特徴

▶出生時から筋緊張が高いわけではなく，徐々に高まっていく。
▶頭部，四肢，体幹ともに障害が重い。
▶自発運動が少ない。
▶変形・拘縮が起こる危険性が高い。
▶可能な動きは定型的かつ全身的である（図4）。

図4 痙直型四肢麻痺

▶分離した動きが困難である。
▶中間位での動きや保持も困難である。
▶姿勢反応やバランス反応が発達しにくい。
▶手掌把握反射が残存し，握りこんだものを離せない。
▶背臥位での頭部の回旋は可能であり，玩具などの追視もほぼ180°できる場合が多い。
▶見たものに手を伸ばそうとしても，上肢を前方へリーチできず全身が伸展し反り返ってしまう。
▶腹臥位では頭部の挙上が困難であり，この姿勢を嫌う。
▶寝返りはできるようになるケースもあるが，全身性屈曲パターンで丸まるか，伸展パターンで反り返るかになってしまいがちである。
▶自力での座位は困難な場合が多い。

● アプローチの視点

長期的視点
- 移動手段の獲得
- コミュニケーション能力の向上
- ADLの部分的自立（できる部分をつくる・増やす，協力動作を覚える）
- 上肢機能の向上

短期的視点
- 頭部コントロールの促通
- 多様な自発運動の促進
- 姿勢反応の促通
- 関節可動域の維持・拡大
- 握る，離す，押す，引くなどの上肢機能の獲得
- 目と手の協調性の向上
- 座位の安定（介助，椅子での）

脳性麻痺の主な4つの類型（痙直型四肢麻痺，両麻痺，片麻痺，アテトーゼ型）の特徴を比較しながら覚えよう。

● アプローチの実際

乳児期，自発的な動きが少ないことから目立たないが（図5），実際には四肢に痙縮が分布しており，他動的な動きに対して抵抗が認められる（図6）。

図5 痙直型四肢麻痺の子どもの背臥位	図6 痙直型四肢麻痺の子ども

見た目には筋緊張の具合はわからない。	実際に触れてみると，四肢が硬く他動的な動きに対して抵抗がある。作業療法士の足で骨盤と下部体幹を支え，歌を歌いながら作業療法士の足を上下にトントン動かし全身を揺らすと，次第に身体も表情も柔らかくなっていく。ほどよい振動は，リラックスを促す。

　早期から拘縮が始まっているケースもある。人や物に対して働きかけようとする動きがでてくると，全身の筋緊張はさらに高まっていく。各関節の分離した動きが困難であり，かつ体幹の回旋が欠如しているため，寝返りはできたとしても全身性の屈曲または伸展パターンを使って，丸まるか反り返るかたちになってしまう。頭部のコントロールがある程度可能になるケースもあるが，自力での座位は多くの場合困難である。このように，自発運動が乏しく，可能な動きがあってもそれは好ましくない定型的なパターンになりがちであり，そのような状況が長く続くことにより，変形・拘縮に至る危険性がある。従って，早期から他動的にでも，よく動かすことが重要である。抱っこが可能なうちは，図6のように作業療法士の足で骨盤と下部体幹を支え四肢を動かすといったことが可能である。このとき，黙々と動かすのではなく，歌を歌ったり話しかけたりしながら作業療法士の足を上下にトントン動かすと，子どもはリラックスし，表情が和らぐ。

　動きが早いと逆に筋緊張を高めてしまうため，子どもの反応を見ながらゆっくりじっくり動かす範囲を拡大していくとよい。また，手指や足指などの末梢部は敏感なことが多いため，中枢部から動かし始めるとよい。これは，運動機能の発達を促すばかりでなく，スキンシップを通して，子どもが自身の身体に気づいたり，人を意識したりすることにもつながる。作業療法の時間は子どもの生活のなかのほんのごく一部であり，変形・拘縮をつくらないためには，それ以外の時間をどう過ごすかが重要となる。どんなものを使ってどんなふうに関わったらよいか，具体的な方法を養育者に伝えることが大事である。身の回りにあるものを使って誰にでも簡単にできることが実際場面で生かされるコツである。

例えば，図7のようにバスタオルを1枚丸めて胸の下にはさむだけでも，顔が上げやすくなる。さらに，動くもの，音が出るもの，光るものなどは，子どもの興味を引きやすく頭部のコントロールを促しやすい（図8）。

　学齢期ごろになると，言葉の表出は難しいものの，日ごろ周りで交わされている言葉や状況を少しずつ理解し始めるケースがある。また，態度や声で意思表示するようになり，同時に何かしたいという欲求が高まってくるケースもある。

　目的的に自力で手を使えるようになることは難しいが，頭部・体幹を支え，手の動きを誘導することにより，食事動作や絵を描くなど上肢動作の一部が可能になるケースがある（図9）。

　子どもにとっては，自分の手で「ごはんが食べられた！」，「絵が描けた！」という喜びが自己有能感につながり，またさらに新たなことに挑戦したいという意欲の向上にもつながっていく。

　このように，四肢麻痺で手の使用が困難な子どもでも，ときにはちょっと難しい作業（活動）にチャレンジすることが必要な場合がある。

図7　痙直型四肢麻痺の子どもの腹臥位

バスタオルを1枚丸めて腋下に挟み入れると，頭を上げやすくなる。

図8　注目を促しやすい玩具と刺激

a
ラッピング用の金色の紙を用いて，それを手で揉みながら提示することで視覚刺激（キラキラ光る）と聴覚刺激（バリバリ音が出る）を伝える。

図9　痙直型四肢麻痺の子どものスプーン操作指導

肘を机上に置いた台上に固定し，頭部と手関節を保持する。頭部のコントロールは手が近づくときにはやや前屈し，咀嚼時は中間位を保持するようにする。また，頭部と協調した肘の屈伸になるように介助する。

b
棒の先にキラキラ光って揺れるものをとりつけ，それを手に握らせ振ることで視覚刺激と固有感覚刺激（振動）を伝える。

治療的アプローチ：発達の各領域に対するアプローチ

中・高等部以降になると，体が大きくなり，徒手的に座位の介助を行いながら手での操作を促すことが困難になる。この場合には，車椅子や座位保持装置などの活用が欠かせなくなる。

　活動内容は，対象児の知的能力に見合い，かつ興味・関心をもてるものにする必要があるが，実年齢を考慮することも大切である。例えば，絵本のページをめくることが好きな子どもでも，それをパソコン上での活動に変えることで，大人っぽい活動になる，という具合である。パソコンでの活動は，クリックひとつで画面の変化を楽しむような段階から教科学習の補助的役割まで幅広く，さまざまな年齢層の子どもに適応でき，よく用いられている活動である（図10）。

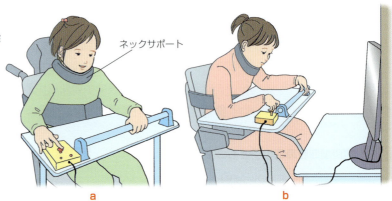

図10　痙直型四肢麻痺の子どものスイッチ操作

喜びの感情によって全身の伸展パターンにつながりやすいため，股関節をしっかり屈曲させた座位姿勢をとれるようにする。頭部を動かすことは可能だが，一定のところで保持することが困難であるため，ネックサポートをつけて補う。左上肢は前方にあるほうが姿勢は崩れにくいが，強制的に固定すると他の部位の緊張を高めてしまうため，テーブルにバーを取り付け，自発的に握ることを促す。右手の動きに連動してつかまったり離したりできることで，余計な緊張を高めずに姿勢保持ができる。スイッチは，座位をとったときに右手が自然に置かれる位置に設置する。スイッチはカチッと音が鳴り，本人が「押した」という感触がもてる程度の圧とし，その圧が最も効率的に押すことができた。

図11　痙直型両麻痺

■ 中等度痙直型両麻痺児の特徴とアプローチ

● 特徴

▶上肢より下肢のほうが障害が重い。
▶乳児期，骨盤から下肢の動きが不良である。
▶体幹は低緊張のケースが多い。
▶両下肢内転，足関節底屈の緊張が高い（図11）。
▶下肢の動きを代償し，上肢（特に肩周辺）が堅くなる。
▶上肢は回外制限がある。
▶身体の後面へのリーチが困難である。
▶座位は，自力でとれるようになっても空間での上肢操作を伴うと不安定である。
▶下肢に対する意識が低く，身体イメージや運動企画が未発達である。
▶斜視のケースが多い。

▶視空間知覚に問題をもつ。
▶学習の遅れを示す。
▶ADL上では箸の操作やボタンの留めはずしなど巧緻動作が課題となる。

● アプローチの視点
長期的視点
- ADLの自立
- 読み・書き・計算の習得
- 社会性の獲得(公共機関の利用,コミュニケーションツールの利用)
- 就業

短期的視点
- 上肢の代償動作からの解放
- 下肢への意識づけ
- 空間での両手動作に耐えうる座位バランスの向上
- さまざまな座位姿勢の体験・獲得
- 両手の協調動作の向上
- 手指の巧緻動作の向上
- 視空間知覚能力の発達促進
- 自助具の提案・作成(ペンホルダー,箸など)
- 教科学習への援助

> **作業療法参加型臨床実習に向けて**
> 背もたれのない椅子の上で,痙直型両麻痺の座位姿勢を模倣してみよう。その際,どこの筋がより緊張を高めているかを感じてみよう。

● アプローチの実際
　乳児期,一見さほど異常性は認められないが,身体に触れてみると,早期から足関節底屈(そくかんせつていくつ)に強い抵抗を認めるケースもある。通常,骨盤から下肢の持ち上げがみられる時期になってもこのような動きは認められず,手で足を持ったり足を持って舐めたりする経験ができない。
　定頸(ていけい)し,寝返りや肘這い移動が可能になるケースは多いが,骨盤から下肢の分離した動きが乏しいため,座位になったり四つ這い移動したりすることが困難である。他動的に座位をとらせることができても,下肢の全体的な伸展が強く,それを代償するために体幹は丸まり,手は固く握りしめられる。このような状態では手を使って遊ぶことも困難である。
　結果として,身体イメージの発達が阻害され,認知機能やADL能力の発達にも悪影響が及ぶ。従って,早期から下肢を意識させることや手を使って遊ぶ経験が重要となる。
　図12は,小豆(あずき)遊びの場面である。作業療法士の足と小豆の入ったケースとで子どもの体を支え,手や足で小豆に触れられるようにしている。小豆や砂,水(砂や水は場所と季節を選ぶため,小豆ほど使い勝手はよくないが)などは,遊びの型を規定しないため,重度の運動障害をもつ子どもにも導入しやすい。

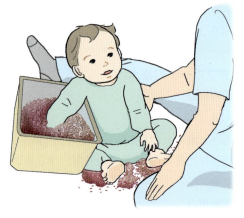

図12 痙直型両麻痺の子どもの小豆遊び

手や足が小豆に触れるよう場面設定している。足に小豆をかけたりゴシゴシこすったりすると足への注目が促せる。小豆ケースを右に置いたり左に置いたりすることで，重心移動や体幹の回旋を促すこともできる。遊び方しだいで単なる触覚遊びにとどまらず，子どもにとって必要な多くの要素を盛り込むことができる。

　幼児期には，後に自分で考え行動ができるように，想像的・創造的な遊びに取り組んだり，身の回りのことに関心をもったりするような援助が中心となる。

　両麻痺の子どもの多くは視空間認知に問題をもっており，絵を描いたり物を組み立てつくり上げたりすることが苦手なケースが多い。自分の能力が子どもなりにわかってくると，苦手なものはどんどん拒否的になっていく。そうなる前に，成功体験を積むように援助する必要がある。

　図13は，粘土遊びの場面である。この子どもは，両上肢が回内傾向，左手は引き込みがち，手指の巧緻性も未熟であり，粘土を机上でコロコロして伸ばしたり，両手で丸めたりすることが難しく，ちぎる，つぶす，叩く，といった動きしかできなかった。つまり，壊す方向の遊びにしかならず，遊びも長くは続かなかった。そこで，トンカチやローラーなどの道具を使ってみると，道具の使い方に関心を示し，それがきっかけとなって粘

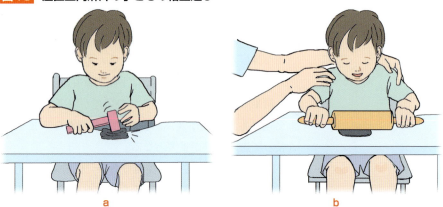

図13 痙直型両麻痺の子どもの粘土遊び

a　　　　　　　　　　　　　　　b

自分の手だけでは，なかなか思うような形がつくれず遊びが続きにくかった。道具を使用するとその使い方に興味を示したことがきっかけで，粘土遊びも楽しめるようになっていった。また，ローラー(b)は引き込みがちな左手の参加や手関節の背屈も促すよい道具となった。

土遊びも楽しめるようになっていった。

視空間認知の問題だけではなく，手が不器用でうまく使えないために，細かい操作を要する遊びを敬遠している場合もある。

クレヨンを持ちやすいようにクリップに挟むだけでも，手を動かしやすくなり，かつ筆圧が上がり自分が描く線の軌跡をはっきりとらえることができ，描く楽しみを感じられたケースもある（図14）。また，積み木は，積み上げたり立体的なものをつくる際には，慎重に扱う必要がある。両麻痺の子どもたちは，空間で手を使おうとすると骨盤・体幹の支えが不安定になるため，積み木に手や身体の一部が触れてしまい積み木が崩れ落ちるといったことがしばしば起こる。こうなると興味は続かない。しかし，ブロックにすると多少荒っぽい操作でも積んだり組み立てたりすることができるため，遊びが成立しやすい（図15）。

自分で考え行動ができるためには，自分の力で何かができる，という経験が必要である。図16は，痙直型両麻痺の子どもが乗れるように改造した三輪車である。この子どもは，このころ室内は肘這いで動けるが，外出する際にはどうしても人の助けが必要であった。両下肢の交互の運動性はあったため，改造した三輪車（足がペダルから落ちないためのベルト，体が前に倒れないための体幹ベルトと肩ベルト，骨盤が安定するための骨盤パッド，股関節が内転しないための内転防止パッドを取りつけたもの）に乗せてみたところ，なんとかこぐことができた。しかも通常は，下肢を動かそうとすると上肢は代償的に屈曲し，特に左上肢は引き込みが強くなる

治療的アプローチ：発達の各領域に対するアプローチ

図14　痙直型両麻痺の子どもの描画

クレヨンに紙を挟む市販のクリップを取りつけると，筆圧が強くなり腕を動かす範囲も広がった。このように小さな工夫一つで変わる機能もあり，その活動に取り組む意欲にも変化を与えることができる。

図15　痙直型両麻痺の子どものブロック遊び

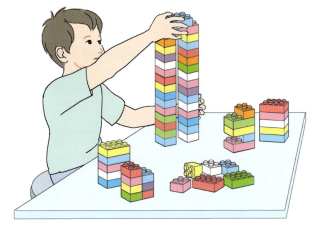

ブロックは，多少斜めになったり接触面がほんのわずかでも積み上げることができる。また，身体の一部が触れても容易には崩れないため両麻痺の子どもたちでも遊びやすい。

> アクティブラーニング ① 図14，図17bなど，さまざまな道具を使用して文字や絵を描き，道具を使用しない場合との差異を考えてみよう。

図16 改造した三輪車に乗る痙直型両麻痺の子ども

足がペダルから落ちないためのベルト，体が前に倒れないための体幹ベルトと肩ベルト，骨盤が安定するための骨盤パッド，股関節が内転しないための内転防止パッドを取りつけた。

> **作業療法参加型臨床実習に向けて**
>
> 図17aについて。ハサミを「開く」ことが難しいケースの場合，どのように動きを促したらよいか考えてみよう。

のだが，それではまっすぐに進めないため，自発的にハンドルを押して体を起こし，左に曲がらないように左肘を伸ばすようになっていった。なにより，本児にとっては人の力を借りずに移動できたことが嬉しかったようである。

　学齢期になると，教科学習の援助や，鉛筆の持ち方やはさみの使い方など，学校で使用するさまざまな道具の使い方の指導も必要になってくる（図17）。現在では，便利な道具類が市販されているが，作業療法士はそれらを紹介するだけではなく，どれが最も子どもに適しているか評価し，使い方をきちんと指導する必要がある。また，Frostig視知覚発達検査（図18）を行い，視空間知覚の問題点について精査する必要がある場合もあ

図17　学校で使用する道具の使い方

a　はさみの持ち方と使い方を教えている様子。

b　鉛筆ホルダーを検討している。さまざまなタイプの鉛筆ホルダーをつけて字を書いてもらい，本人にどれが使いやすいか尋ねている。

図18　Frostig視知覚発達検査用紙の一部

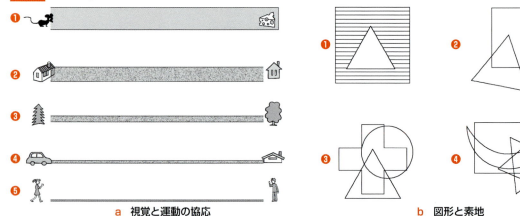

a　視覚と運動の協応　　　b　図形と素地

この検査は1963年M. Frostigにより作成され，1977年に日本でも標準化された。幼児，学童の学習の基礎となる視知覚能力の発達について検査するものである。適用は4～8歳，所用時間は30～40分程度である。「視覚と運動の協応」，「図形と素地」，「形の恒常性」，「空間における位置」，「空間関係」の5つの知覚技能を測定する。（Frostig, 1963）

る。また，リコーダー，習字，ミシンがけなどの活動（図19）は，事前に取り組み，本人ができる部分，工夫すればできる部分，どうしても援助が必要な部分を明確にしておくと，授業時間を有意義に過ごせる。

■ 痙直型片麻痺児の特徴とアプローチ

● 特徴
▶麻痺側は下肢より上肢のほうが障害が重い。
▶ほとんどのケースは歩行可能になる（図20）。
▶麻痺側の骨成長抑制により脚長差（きゃくちょうさ）が生じる。
▶麻痺側上肢は過敏を示し触られることに拒否的な場合が多い。
▶頸部を側屈させ，斜めに物を見る傾向がある。
▶姿勢も麻痺側が後退した斜めの姿勢をとる傾向がある。
▶非麻痺側の過剰な使用により姿勢の非対称性が増強する。
▶正中線がゆがみ，真ん中，左右の認識の発達が遅れる。
▶注意が転導しやすく集中力が低い。
▶ことばによるコミュニケーションが可能な場合が多い。
▶知的障害が重いほど運動機能の左右差は拡大傾向である。

● アプローチの視点
長期的視点
- ADLの自立
- 読み・書き・計算の習得
- 社会性の獲得（公共機関の利用，コミュニケーションツールの利用）
- 就業

図19　ミシンかけの練習

右足で押す動きがわずかに可能だったため，フットスイッチを試した例。フットスイッチが使用できると手は機械の布の送りに集中できるが，ミシンの動きと手と足の協調性が必要である。このケースの場合，縫う速度を最も遅く設定すると直線縫いが可能になった。

図20　痙直型片麻痺

治療的アプローチ：発達の各領域に対するアプローチ

短期的視点

- 遊びへの麻痺側の参加促進
- 両側性，対称性の経験
- 正中線を交差する運動の経験
- 麻痺側に対する意識向上
- 麻痺側の自発的使用促進
- 麻痺側の機能向上（連合反応抑制，補助的使用の促進）
- 両側の協調性向上
- 集中力の向上
- 教科学習の援助

> **作業療法参加型臨床実習に向けて**
>
> 痙直型片麻痺時の立位，座位姿勢を模倣してみよう。歩行時や非麻痺側の手の使用時，どこに連合反応が出現しやすいか考え，感じてみよう。

● **アプローチの実際**

　乳児期，非麻痺側の機能も未熟な時期から関わることが重要である。ある程度手が使えるようになり，かつ移動できるようになると，「使いにくい手をあえて使わない」，「麻痺側を触らせない」といったことが起こりうる。しかし，早期から介入したケースは，触れられることに強い拒否を示すことはほとんどなく，状況に応じては自発的に麻痺側を使うこともある。また，促されて使用することにもあまり抵抗を示さない。

　手は，左右別々の動きの経験を通して，それぞれが上手になっていくわけではない。両側性，対称性の動きを経験させることが手の発達には必要であり，そのような動きを実現させる玩具や遊びの工夫が大事になる。遊び（玩具）の選択ポイントは，両手を使ったほうがより楽しめる内容，両手を使わないと持てないような大きさの玩具，などである。

　木琴は，片手でも音は出せるが，両手で叩くことにより，さまざまな音を楽しめる（図21）。ボール遊びでは，子どもの体格に合った重さや大きさのボールを選ぶとよい。また，ボールの空気を少し抜くと両手で持ちやすい（図22）。重いものを持ち上げる，小さいボールを非麻痺側で投げる

図21 痙直型片麻痺の子どもの木琴遊び

麻痺側の左手にも棒を持たせることで，左手の連合反応を抑制し随意的に叩く動きを引き出すことができている。簡単な動きは無理なく麻痺側の動きを促しやすい。

図22 痙直型片麻痺の子どものボール遊び

空気を少し抜いたビーチボールを運んでいるところ。手掌がほどよくボールの面に接触し，安定して持つことができている。

など，努力を要する動きや早い動きは麻痺側の連合反応を高めてしまうため，ボールの種類や遊び方にも工夫が必要である。

大太鼓も子どもが好む玩具である．叩くだけではなく，表面に触れて振動を楽しむこともできる（図23）．

麻痺側上肢の「参加」という段階から「操作」を促す段階では，積み木や輪を使った遊びも導入しやすい（図24）．また，全身と手，目と手の協調性を高めたい場合には，魚釣りゲームもよい（図25）．子どもの姿勢のほか，釣る対象や竿の形状，竿と対象物の接触方法，糸の長さなどを変えることにより，多様な方法で遊びが展開できる．

図23 大太鼓に乗って遊ぶ痙直型片麻痺の子ども

初めは叩くだけだったが，作業療法士が表面に手を触れさせると，振動に興味をもち自ら手や足を乗せて振動を感じていた．

図24 積み木，輪による遊び

a
紙製の積み木を積んでいる．ちょうど両手でないと持てない大きさであり，動きにはやや慎重さも必要となる．

図25 魚釣り遊び

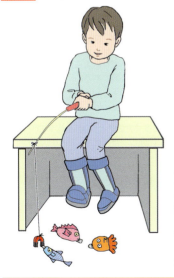

座位は安定しており，歩行器を使用した歩行が可能である．より高度のバランス・協調性を目指し，足のつかないところに座り，身体と両手を協調的に動かしながら竿を操り，床の広い空間に置かれた魚を釣っている．

b
輪を自分の手に通したりはずしたりして遊んでいる．更衣動作にもつながる．

アクティブラーニング ① 両手の使用を促す遊びについて，他にどのようなものがあるか考えてみよう．

さらに，より巧緻性の向上を目指す段階では，「押さえる」，「支える」，「協調して動く」など補助手としての機能を高める活動が必要となる（図26, 27）。

小学3年生になるとリコーダーが登場し，多くのケースがなんらかの工夫を必要とする。片手で操作可能な片手笛（図28）が市販されているが，これは運指が非常に難しい。非麻痺側の巧緻性がよく，認知機能にもほとんど問題がないケースには適応の可能性がある。また，音孔（指で塞ぐ穴）の位置を1個ずつ変えられる笛もあり，指が届く位置に音孔を調整することができる（図29）。

片麻痺の子どもは非麻痺側の体性感覚も未熟なことが多く，視覚確認なしで指が音孔をきちんと塞いでいるかを実感することが難しいケースがある。このような場合，音孔の周囲にゴム輪（水道パッキン）を貼りつけ凸凹をつくると，音孔を塞ぐ感覚がわかりやすくなる（図30）。

図26 補助手の機能を育てる遊び①：左片麻痺の子ども

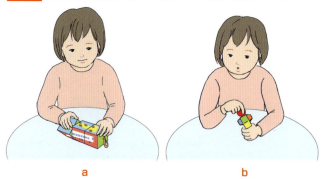

a   b

aは，立体パズルを左手で押さえ，右手で必要部分のみ回し絵合わせをしているところ。bは，左手で1個のパーツを握り，受け皿にカチッとはまるように右手で球面を入れているところ。いずれも右手の動きに連動せず支える動きを維持する必要がある。

図27 補助手の機能を育てる遊び②

玩具の本体を保持し紐を引くと人形が飛ぶ仕組みになっている。左右の上肢を反対方向に動かさなくてはならず，飛ばすためには引く際の最終域でもう一段階強く引くコツが必要。初めは本体を保持する方の肘が屈曲しなかなか飛ばせなかったが，何度か練習するうちに上手に飛ばせるようになった。単純だが子どもには人気の玩具である。

図28 片手笛

東京都補装具研究所の協力のもと，ヤマハ株式会社が開発・制作したもの。ソプラノ・アルト・右手用・左手用・5本指用・4本指用がある。

図29 アウロス®改造リコーダー

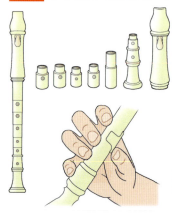

音孔（指で塞ぐ穴のこと）のある個々の短い管体が左右に回転し，音孔を指にあわせて演奏しやすい位置に移動できる。位置がきまったら接着剤で固定する。状態にあわせて音孔を6個までに減らすこともできる

図28：ヤマハ株式会社
図29："アウロス®"はトヤマ楽器製造株式会社の登録商標です。

スプリントを装着することにより，手の機能が確実に向上するケースがある（図31）。しかしながら手の装具は，足の装具に比べて作製しても使われなくなるケースが多い。手は頻繁に使われるものであり，装具を着けていると邪魔になったり不衛生になったりする，自分で装着することが難しいなどがその原因として考えられる。潜在的な機能を引き出すためにもこのような問題を解決し機能的に使える装具を考えていく必要がある。

多動傾向があるケースは，その原因をよく考え対処することが大事である。なんらかの感覚刺激を求めているのならば，その刺激をふんだんに与えられるような活動を取り入れる。課題が難しく集中力が低下してしまうならば，子どもの興味・知的レベルに合った活動を取り入れるなどの必要があるだろう。多動は年齢とともに薄れていく傾向にある。

変形・拘縮防止には，日頃の運動が大切である。小学校高学年ぐらいになったら，家庭で自主的に体操ができるように，麻痺側のストレッチや運動を本人に教えることも有効な練習方法である（図32）。

> **作業療法参加型臨床実習に向けて**
> 図32の自主体操を実際に行ってみよう。

治療的アプローチ：発達の各領域に対するアプローチ

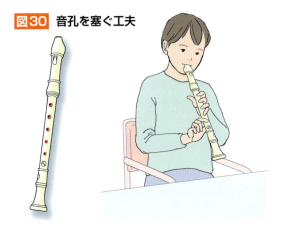

図30　音孔を塞ぐ工夫

音孔の周囲にゴム輪を貼りつけ凸凹をつくったところ，上手に音孔を塞げるようになった。

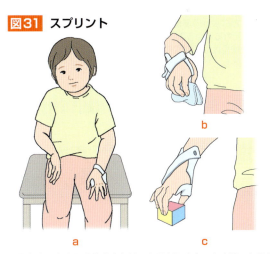

図31　スプリント

脳性麻痺両麻痺と分娩麻痺を伴った子ども（a）。麻痺側である右手の手指でのつまみは可能だが，前腕が回内した状態でしか行えなかった。スプリントを装着することにより，前腕の中間位でのつまみが可能となり，つまんでいる対象を見やすくなった（b，c）。

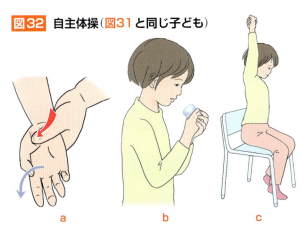

図32　自主体操（図31と同じ子ども）

麻痺側上肢のストレッチを自分自身で行っているところ。
a　母指球を外側に押しながら前腕を回外する。
b　コップを麻痺側（右手）に把持し手関節を背屈させながら肘関節を屈伸する。
c　非麻痺側（左手）で麻痺側（右手）を持ち，肩の屈伸を行う。

■ アテトーゼ型脳性麻痺児の特徴とアプローチ

● 特徴

- ▶筋緊張の動揺・不随意運動がある。
- ▶精神的緊張により不随意運動は増強する。
- ▶下肢より頭部・上肢のほうが障害が重い。
- ▶動きのコントロールが難しく，この点が最大の課題である。
- ▶過剰な相反神経支配[*2]により同時収縮[*3]が欠如し，姿勢の安定が難しい（図33）。
- ▶姿勢・動作が非対称的である。
- ▶運動が突発的で予測しにくい。
- ▶中間位での動きのコントロールが難しい。
- ▶原始反射が残存している場合が多い。
  - ATNR：非対称性緊張性頸反射
  - STNR：対称性緊張性頸反射
  - TLR：緊張性迷路反射
- ▶痙直型に比べて変形・拘縮は起きにくい。
- ▶視覚・聴覚・触覚などの刺激に対して敏感である。
- ▶口周囲にも不随意運動を認め，口腔機能も未熟である。
- ▶言語表出は困難だが，言語理解は良好な場合が多い。
- ▶加齢により頸椎症，腰痛症などの二次障害を生じる危険がある。

> **＊2　相反神経支配**
> 屈筋が興奮し収縮しているときはその拮抗筋である伸筋は抑制されて弛緩する。逆に＋6伸筋が収縮しているときは屈筋が抑制されて弛緩する。このような関係を「相反神経支配」という。

> **＊3　同時収縮**
> ある筋とそれに対する拮抗筋が同時に収縮することをいう。例えば，体幹の前面の筋と後面の筋が同時収縮することによって座位や立位が保たれるというように，姿勢の保持には同時収縮が必要である。

図33　アテトーゼ型四肢麻痺

● アプローチの視点

長期的視点
- 移動手段の獲得
- 表出（表現）手段の獲得
- 早期からのIT（information technology）活用の検討
- 頸椎症などの二次障害の予防

短期的視点
- 安定した対称的な姿勢の促進
- 運動の中間位でのコントロールと段階的なコントロールの促進

- 上肢・体幹の分離運動の促進
- 対称的な姿勢のなかでの両手動作の促進
- 目と手の協調性の促進
- 姿勢保持具や座位保持装置などの考案

● アプローチの実際

　乳幼児期には，さまざまな運動の基礎となる頭部・体幹のコントロール，上肢・下肢の支持性向上，正中位志向などの機能促進，日常生活上の姿勢管理が大切である。

　運動機能の促進は，作業療法場面においてはさまざまな遊びを通して行われるが，自我の芽生えや知的欲求の高まる時期には，しばしば「こうしたいのにできない」，「これで遊びたいのに遊べない」といったことが起こり，子どもはストレスを抱えることになる。従って，作業療法で取り入れる遊びは，運動機能を高めるようなものであり，かつそれが成功体験を積めるようなものである必要がある。

　発達初期には，筋緊張が低いため，養育者は抱っこがうまくできずに困るケースが多い。このような場合は，股関節を深めに屈曲させ，頭部・体幹を対称的に保ち，肩甲帯の後退を抑制し，両上肢を前にもってくるようにすると抱きやすい。あまり姿勢が丸くなると頭部が前方に倒れこんでしまうので，殿部－脊柱－頭部のアライメントに気をつける必要がある。このほか，日常生活上の姿勢管理で気をつけることは，「対称的である」ことである。平坦な床面での背臥位では，非対称性緊張性頸反射（ATNR）の影響を受けやすいため，枕やバスタオルなどを利用して頭部の安定を図るとよい。

　上肢で身体を支えたり頭部を挙上し保持したりすることが困難であるため，腹臥位は難しく好まない子どもが多い。この場合も，枕やバスタオル，三角マットなどを利用して楽に腹臥位がとれるようにすると，遊びが続きやすい。

　側臥位は非常に不安定な姿勢であるが，前後に倒れないようにしっかり支えると，手と手を合わせたり手もとを目で確認したりするには都合のよい姿勢である。

　アテトーゼ型の子どもの場合，姿勢を保持しつつ目で見ながら手を使うことは非常に難しい。このような場合には，「見る」だけの活動も有用である。座位や立位の工夫により，見る活動を通して姿勢反応が促せる（**図34, 35**）。

　学齢期になるころには，ある程度将来を予測し，練習によっても困難な部分には福祉機器やIT機器を導入することも視野に入れるべきである。こうした機器の習得にも長い時間を要するため，小さいうちからゲーム感覚で慣れ親しんでいくとよい。**図36**はパソコンでのゲームを行っている

補足

筋緊張の低い子どもの抱き方
丸まってつぶれたり，反り返って大人の腕から落ちたりしないように，肩甲帯と骨盤帯が安定するように支えることがポイント。

治療的アプローチ：発達の各領域に対するアプローチ

145

図34 座位での遊びの工夫

ブランコに乗ることを通して，殿部で体重を支えること，手で身体を支えること，頭部のコントロール，さらには揺れる感覚，それに伴う視覚的な動きが経験できる。作業療法士は，子どもの骨盤から下部体幹を大腿部で両側からしっかり支え，坐骨で座っている感覚を伝える。また，頭部を両手で支え，ブランコの揺れに合わせながら頭部から体幹の立ち直りを促していく。

図35 立位での遊びの工夫

SRC-Walker（有薗製作所製）を利用し立位を試みた例。座位では頭部・上肢のバラバラな動きが目立つが，この姿勢では全身的に落ち着き，頭部を間欠的に持ち上げ周囲を見ることができた。足で支える経験は，姿勢反応を促すほか，骨や筋肉の発達にも重要であり，また，新たな感覚刺激を与える遊びとしても有用である。

作業療法参加型臨床実習に向けて

図34を参考に，支える側，支えられる側それぞれを体験し，どのような支え方が適切か，意見交換してみよう。

図36 手指スイッチでパソコンゲームを行う

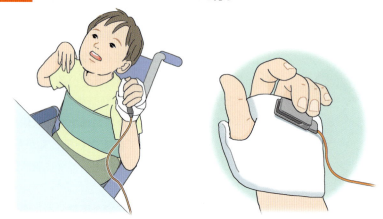

マジックテープ®（株式会社クラレの登録商標）でスイッチを取りつけてある。小さすぎると握りこんでしまい，圧が強いと全身に力が入ってしまうため，大きさと圧力を個々に検討する必要がある。

場面である。この子どもは手を一定の位置に確実にもってくること，なおかつ画面を見ながらその動作を行うことが困難であり，固定したスイッチの操作は難しかった。そこで，手に布を巻きそこに手指スイッチを貼りつけ，手をグーパーすることでON-OFFをできるようにした。すると，上肢は大きく動いてしまうものの，画面を見てクリックすることが可能になった。練習によりタイミングを測ってクリックすることもできるようになっていった。

直接的に手を使う活動経験もまた大切である(図37)．アテトーゼ型の子どもには「自分の手」で何かしたいという欲求が高いことが多く，その欲求が少しでも満たされる体験が必要である．自分でできることが増えることは自信につながり，さらには将来的に社会参加の道につながっていく．

図37　手を使ったゲームを行っている

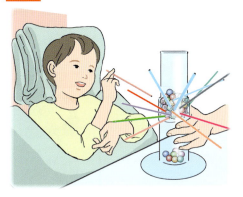

痙直型とアテトーゼ型の要素をもつ子どもである．筋緊張が高いうえに不随意運動もあるため，姿勢保持，手の操作ともに非常に困難なケースである．ビー玉を落とさないように棒を引き抜いていくゲームを行っている場面である．わずかな肘の屈曲の動きを使って棒が引き抜けるように設定している．最終的な動きを本人ができることで，本人は自分でやった！という感覚がもてる．

■ **重症心身障害児への作業療法アプローチ**

　脳性麻痺に続いて「5番目の項目」としてあるが，脳性麻痺と重症心身障害は次元の異なる用語である．脳性麻痺は医学的診断名，重症心身障害は行政用語である．児童福祉法第43条の4項においては，「重度の肢体不自由および重度の知的障害が重複している児童」と規定されている．厚生省(現 厚生労働省)の分類では，「身体障害者障害程度等級表1，2級とIQ35以下の重複者」と規定している．基礎疾患は，半数以上が周産期の脳障害に基づく重度の脳性麻痺といわれている(この他には，脳炎後遺症，染色体異常，先天性の脳奇形などがある)．

　重症心身障害児施設の入所基準の1つとして，「大島の分類」(図38)がある．大島の分類は，知能と移動能力とで1〜21に分類され，このうち分類1〜4が定義上の重症心身障害児，そのうち1が超重症児である．本項では主に大島の分類1〜4に相当するケースについて述べる．

　重症心身障害をもつ子どもは(図39)，年齢や時期により問題の大小は変化しても，下記のアプローチの実際に示すような問題を，少なからずみな乳児期からもっている．将来を予測し，幼児期にはさまざまな機能の促進的関わりを，学齢期以降はもてる機能をできるだけ長く維持できるような関わりが必要である．

　子どもはそれぞれその子なりの発達を遂げていくが，障害が重いがゆえに変化はゆっくりであり目に見えにくいために気づきにくい．作業療法士には小さな変化を見て取れる「目」ときめ細かい対応が求められる．

治療的アプローチ：発達の各領域に対するアプローチ

図38 大島の分類

					IQ
21	22	23	24	25	80
20	13	14	15	16	70
19	12	7	8	9	50
18	11	6	3	4	35
17	10	5	2	1	20
走れる	歩ける	歩行障害	座れる	寝たきり	0

■：定義上の重症心身障害児
■：超重症児

知能指数を縦軸に5段階，運動機能を横軸に5段階に分類し，障害の程度を分類している。

(文献8より改変引用)

補足

横地分類（改訂大島分類）
知能と移動能力に「特記事項」を加え，障害区分の枠組みを明確にしたもの。

【知的発達】
E6	E5	E4	E3	E2	E1	簡単な計算可
D6	D5	D4	D3	D2	D1	簡単な文字・数字の理解可
C6	C5	C4	C3	C2	C1	簡単な色・数の理解可
B6	B5	B4	B3	B2	B1	簡単な言語理解可
A6	A5	A4	A3	A2	A1	言語理解不可
戸外歩行可	室内歩行可	室内移動可	座位保持可	寝返り可	寝返り不可	

【移動機能】

【特記事項】
C：優位な眼瞼運動なし
B：盲
D：難聴
U：両上肢機能全廃
TLS：完全閉じ込め状態

(文献15より引用)

図39 重症心身障害

● アプローチの視点

長期的視点
- もてる機能を長く維持していく。
- 呼吸・嚥下機能を維持する。
- 楽しめる活動をもつ。
- 誰からの介助も受け入れられる。
- 介助者からみた介助のしやすさを得る。

短期的視点
- 乳幼児期は積極的な発達を促す。
- 「できる」部分を増やす・伸ばす。
- さまざまな姿勢を経験させる。
- 動かされることに慣れさせる。
- 変形・拘縮を予防する。
- 呼吸・嚥下機能を高める。

● アプローチの実際

呼吸器への対応

　重度の呼吸障害がある場合，理学療法士が対応するが，重度でない場合でも日ごろから胸郭の動きが不良なケースが多いため，作業療法士も，酸素が十分に取り込める姿勢や簡単な呼吸介助方法は知っておいたほうがよい。血中の酸素飽和度は顔色，唇の色，四肢末端の色からも推測はできるが，パルスオキシメーター[*4]を使用すると確かである。

　乳児期にはあまり問題がなくても，自発運動の乏しさから呼吸機能は次第に悪化してくる場合もあり，日常的に下顎（かがく）の後退を予防したり，体幹や胸郭の関節可動域を確保するなどの対応が大事になる。

摂食嚥下

　①運動機能，②口腔機能，③認知機能，④精神機能との関係から問題とその対応を考えてみる。

①運動機能：ここで問題となるのは，食事時の姿勢であり，第一にリラックスした姿勢がとれることが大事である。また，車椅子や座位保持装置などに座って食事ができることは外出の可能性も広げる。重症児は全介助のケースが多く，水分補給なども入れると1日に数回は介助の必要があるため，介助者にとっても楽な姿勢という視点は必要である。介助者が苦しい姿勢は介助される側にとっても苦しいものである。

②口腔機能：口腔内も含めた口周辺の形態異常と運動性の低下・未熟さが問題となる。自発的な動きが少なく臥位でいることが多いと下顎は後退してくる。加えて，顔面筋の動きも乏しいため口を閉じることも困難であり，常に開口した状態になりやすい。こうなると食べることだけでなく，呼吸にも悪い影響を及ぼす。従って，乳幼児期から腹臥位や前傾位で体幹前面や頸部の筋の活性化を促進したり，日常的に頸や顎を支える自助具を装着するなどの工夫が必要となる。

③認知機能：食物の匂いを嗅（か）ぐと口をモグモグしたり，味の違いによって表情を変えたりすることがある。生命維持のためだけの食事ではなく，食物や食べることを認識したり，人とのコミュニケーションの場として発展させられる可能性がある。

④精神機能：重症心身障害の子どもはてんかんを合併していることが多く，発作や投薬が覚醒状態に影響している。生活リズム全体の見直しには，主治医との薬の相談や養育者との1日の過ごし方についての話し合いなどが必要となる。覚醒状態が低い子どもへの食事中の対応については，食事の合間に身体や手を動かしたり，食べさせるリズムを不規則にしたり，味や形状の異なるものをときどき食べさせてみたりするなどして，常に刺激を与えるようにするとよい。それでも，眠ってしまうような場合には，口腔内に食物が残存していると誤嚥を招く危険があるた

*4　パルスオキシメーター
洗濯ばさみのようなセンサーを指先や耳などにつけて，侵襲せずに脈拍数と経皮的動脈血酸素飽和度（SpO_2）をモニターする医療機器。センサーの内側には赤色のLEDがあり，指先の場合にはその光を爪に当てることにより，指の内部の動脈に含まれる酸素の量を測定できる。小型のものは携帯に便利であり，センサーを取りつけた状態で活動ができるため，どのような姿勢がよいかをリアルタイムで検討することが可能であり，呼吸障害のある子どもには有用である。

め，口腔内の食物をきれいに取り除いておく必要がある。

姿勢への配慮

①背臥位：背臥位は，呼吸障害が重いケースにはあまり好ましくないが，そうではないケースでも全身的な筋緊張を高めやすい姿勢であるため，頭部を少し持ち上げたり膝を軽く屈曲するような配慮が必要である。視覚反応が良好であり頭部の回旋が可能なケースが，「見る」活動を行う場合には背臥位は適している（図40）。また，上肢の屈筋の緊張が高いケースや屈曲拘縮があるケースにもよい。

②（半）側臥位：側臥位は不安定なため，反り返りが強いケースには適さない。また，低緊張のケースでは，胸郭の圧迫，上側の股関節脱臼の危険がある。上肢の随意的な動きが乏しいケースの場合，背臥位では重力に負け，側臥位では不安定となり，いずれも上肢の動きを引き出すことが難しい。その点，半側臥位は体幹の角度を微調整することにより，わずかな動きを引き出せる可能性がある。また，この姿勢では手を動かすことと玩具を見ることの両方が可能となる（図41）。半側臥位は，背臥位の状態で頭部や背部，殿部，膝の下などにクッションを入れるだけで比較的楽に姿勢がつくれる。

③腹臥位：腹臥位は，多くのケースで血中酸素濃度が増加するため，呼吸にはよい姿勢である。過度なストレッチや疼痛が生じないように，変形・拘縮のある部位を確認しながら腹臥位をつくっていく必要がある。顔面や顎，胸は圧迫により呼吸が苦しくならないように除圧する（図42）。

> **作業療法参加型臨床実習に向けて**
>
> 背臥位，腹臥位，側臥位を，さまざまに角度を変えてとってみよう。重力のかかり方，頭部や上肢の動かしやすさなど，それぞれの姿勢の利点・欠点を考えてみよう。

図40 背臥位の利点

背臥位で乗れるブランコに揺れながら大好きな玩具で遊んでいる場面。ブランコ自体が股関節屈曲を助けるような構造になっている。頭部と膝の下にクッションを置き，緩やかな背臥位をとらせている。下肢は外転を防ぐためベルトで軽く閉じている。横方向にも緩やかにカーブしているため，上肢は自由にしてあるが，両手で何かに触れさせたい場合は下肢と同様ベルトで軽く閉じるとよい。楽な姿勢では，笑顔も多くみられる。

図41 半側臥位の利点

半側臥位で手の動きを引き出す遊びを試みている場面。半側臥位にすることで，上肢をわずかに後方に引く動きがみられた。その動きを利用してスイッチを引っ張れる仕組みをつくった。スイッチが入るとドラムが鳴り，ドラムのほうへ視線を向けることができた。

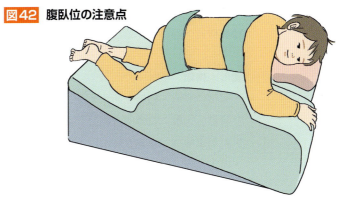

図42　腹臥位の注意点

- 肩関節屈曲制限，足関節背屈制限があるため，上腕の外側，足の甲を除圧する。
- 腹側が接触する面は柔らかいスポンジを使用する。
- 頭部の位置は頸部が過伸展しないように配慮する。
- 上肢の重みで肩が過度にストレッチされないように肘を置く場所をつくる。

④座位：座位は，覚醒レベルを上げる，内臓を適切な位置に戻すなどの役割を果たす。座れないということは，バギーや車椅子も使用困難となり外出手段がなく活動に制限をきたすことにつながる。このように，機能的側面と社会的側面からみても座位がとれる意義は大きく，乳幼児期から座る練習をすることが大事である。

⑤立位：立位をとる目的は，運動発達促進だけではない。骨や筋を強くし，変形・拘縮，骨折や捻挫を予防する目的がある。また，足底で支える感覚や視線の高さの違いから得られる新たな感覚を感じる目的もある。重症心身障害の場合，後者の2つの側面の意味合いが強い。

関節可動域制限

　姿勢筋緊張の異常と自発運動の乏しさは変形・拘縮を生み，それは加齢に伴い進行し固定化してくる。予防には，日常生活において動く，または動かす時間を少しでも多くつくることが大事である。特に，肩関節や股関節，足関節や手関節の関節可動域を維持することはADL上重要である。これらの関節に制限があるとオムツ替えや着替えに支障をきたす。逆にいえば，関節可動域練習の時間を改めて設けるのではなく，オムツ交換や着替えの時間を利用して動かせば時間が有効に活用できる。ADLへの影響のほか，関節可動域制限と機能制限には次のような関連がある。

　頸部や胸郭上部をよい状態に保持し，呼吸や摂食嚥下機能の悪化を防ぐためには，肩から上腕の変形・拘縮を防ぎ可動域を保つことが重要である。

　呼吸器系や消化器系の機能悪化には胸郭の変形が影響する。

　下肢ではハムストリングス，大腿直筋などの二関節筋が短縮しやすい。股関節屈曲制限は，トイレ動作や下肢の更衣動作時の妨げになるほか，腹臥位や座位保持も困難にするなど，生活に大きな支障をきたす。従って，

治療的アプローチ：発達の各領域に対するアプローチ

痛みを伴う場合には手術も検討する必要があるが，呼吸，摂食嚥下機能，精神機能への影響や術後のケアも十分に考慮する必要がある。

変形・拘縮

　完全に変形・拘縮を防止することは困難であり，しばしば次に示すような変形・拘縮，特徴的な姿勢を認める。どの部位が変形・拘縮をきたしやすいかを理解し，できるだけ予防に努めることが必要となる。

- 扁平胸郭（へんぺい）：胸郭がつぶれ，胸骨が陥没している状態。胸郭の前後方向の可動性が低下する。
- 樽状胸郭（たるじょう）：肋骨が上部に引き上げられ，下部が開いている状態。下部胸郭の横方向の可動性が低下する。
- 側彎：自発運動・移動運動の低い重症児（者）に多くみられる。
- 股関節脱臼：多くの場合，股関節内転の筋緊張が高く骨頭が外側にはずれる。まれに，内側への脱臼もみられる。
- カエル様肢位：大腿の外側が床に着くほど股関節が屈曲・外転・外旋した状態。低緊張のケースに多くみられる。
- 風に吹かれた股関節（図43）：横から吹いてきた風に倒されたかのような下肢の状態。上側の股関節脱臼に注意が必要。
- 上肢のW肢位（図43）：手関節の掌屈を伴うケースが多い。

図43 風に吹かれた股関節と上肢のW肢位

この図の場合は，右側から吹いてきた風に両足が倒されたような状態になっている。

5 適応行動を促すための環境調整

■ 物理的環境

● 座位保持装置

　さまざまな福祉機器のなかで，障害児の生活を最も大きく変えうる道具は座位保持装置であるといっても過言ではない。

　座位保持は，姿勢運動の発達促進や機能の維持・向上などの機能的側面と，活動の場を広げ人との交流の機会をつくるといった社会的側面によい影響をもたらす。特に重症心身障害の場合，後者の利益は大きい。また，

手を使った活動には，安定した姿勢の保持が必要であり，座位がとれる片麻痺児や両麻痺児であっても，活動の難易度によっては適度なサポートが必要になる。

このように，座位保持装置は対象児の能力や使用目的，使用場所などに応じた工夫が必要となる。主な目的としては次のようなものが考えられる。

> ①姿勢筋緊張の調整　　　　　　　⑥食事動作の改善
> ②変形・拘縮予防　　　　　　　　⑦覚醒レベルの向上
> ③頭部・体幹のコントロール促進　⑧意欲の向上
> ④上肢機能の向上（支持からの解放）⑨活動（遊び）内容の拡大
> ⑤目と手の協調性の促進　　　　　⑩社会参加促進

座位保持装置の作製にあたっては医師の処方により製作業者によって行われるが，具体的な要望は本人，家族，介護者，作業療法士や理学療法士，教師などからのものが多い。目的を達成するような椅子の作製には，さまざまな角度からの意見が必要であり，意見調整は子どもや家族と接する機会の多い作業療法士や理学療法士などのセラピストが行う場合が多い。

現在では，機能的にも見た目にもさまざまな工夫が施された座位保持装置を見かけ，使用者のニーズや用途に対応できるようになってきたと感じる。

以下に実例を示す。図44は，施設入所している脳性麻痺四肢麻痺の子どもであり，人が関われない時間帯を有意義に過ごすために考案した座位保持装置である。この子どもは，日中人が関われない時間は，床上で臥位にてテレビや周囲の様子を見て過ごすことが多かった。しかし，作業療法場面では座位をとらせ目の前に玩具を置くと，わずかに手指を伸展させそ

図44 可変式のテーブルを取り付けた座位保持装置

a

b

作業療法参加型臨床実習に向けて

図44のように，後ろもたれ，前もたれの姿勢をとり，本を見たり手を使ったりしてみよう。a，bそれぞれどのような活動時に適しているか考えてみよう。

の玩具に触れようとする動きがあった。そこで，病棟で使用する椅子を作製し，手を使った遊びが実現できるようにしようと考えた。テーブル面が平らな状態では玩具へのリーチは困難なため，テーブル上の玩具に手指が触れやすいように座位保持装置に角度可変式のテーブルを取り付ける工夫をした。このことにより，わずかな時間ではあるが，キーボードを押して楽しむことができるようなった。また，人が関わる場合，これまでは後ろから身体を支えながら手を持って動かす介助が必要であったが，座位保持と玩具の設置によって椅子での対応が可能になり，手を使って動作を行う際の介助が容易になった。さらに，前にいる人のほうに顔を向けたり，人の動きを目で追ったりすることが増え，逆に人から声をかけてもらう機会も増えた。

　良肢位を保持することは大事であるが，「固定」になってはいけない。ポイントは「安定」であり，「あそび」が必要である。具体的には次のようなことが考えられる。

　体を自分自身で支えることが困難なケースの場合，骨盤から体幹にかけての側方の支えが重要になるが，薄手の洋服から厚手の洋服まで対応できる幅をもたせたり，体に直接接触する部分のスポンジは柔らかく外側は硬めにする，倒れやすいほうは少し厚く高くするなど工夫するとよい。

　全身の反り返りが強いケースでは，各部を支えるベルトを伸縮性のあるものにしたり，反り返ったときに圧力が加わりやすいヘッドレストや足台をたわむような材質のものにするなどの工夫が考えられる。

　四肢麻痺の子どもの場合，手を動かそうとすると同時に肩が挙上し，頸部を縮めるような緊張も高まり，頭部が前方や側方に倒れる。しかも自分自身ではそれを戻すことができない。その場合には，ネックサポート(図44a)や顎を置くクッション(図44b)を併用するとよい。

　見た目については，一番外側をくるむレザーの色が豊富になり，少しこだわったデザインにも対応してもらえるようになり，椅子を置く場所に違和感なく溶け込めるようになった。選択肢が増えた分，本人と母親との意見が食い違った例もあった。本人は赤い椅子を希望，母親は部屋の家具との色調をそろえるため茶色を希望。両者の話し合い(?)の結果，茶色い椅子になった。代わりにこの子どもは短下肢装具の色は自分で選ばせてもらえた。

　図45は，絵を描くことが好きな軽度のアテトーゼ型の子どもに，自分でセッティングができるテーブルを作製した例である。テーブルの左右の端を持ち上げる(図45a)。ちょうどよい角度で止めると，ストッパーがかかる仕組みになっている(図45b)。片づける際は，椅子から降りて，紐のついた棒を引っ張るとストッパーがはずれる仕組みになっている(図45c)。この工夫のお陰で，子どもは自分の好きな時間に描画ができるようになり，母親は毎回準備・後片づけをしなくて済むようになった。

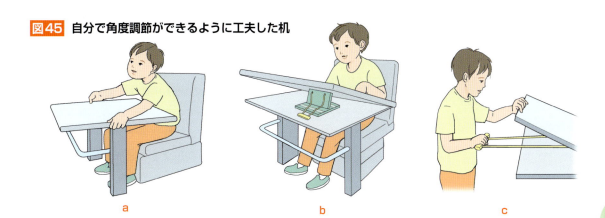

図45 自分で角度調節ができるように工夫した机

● 手づくりによる座位保持の工夫

　乳幼児期は，身体の成長が早く，機能的変化も大きいため，業者に依頼して椅子をつくるタイミングが難しい。従って，市販のものを代用しながら近い将来どのような椅子を作製したらよいか検討したり，手作りしたりすることも少なくない。

　図46は，市販の幼児用椅子に骨盤サポートと股関節内転防止パッドを取りつけた例である。骨盤周囲のサポートにはバスマットと着付けに使用するだてじめを，内転防止パッドには空き缶をスポンジでくるんだものを使用している。骨盤周囲のサポートが甘いのが若干難点ではあるが，これがないと床上で割座をとることしかできないため，一時的なものでもあったほうがよい。

　図47は，市販のバギーに，ヘッドレスト，体幹パッド，座面クッションを手作りしたものである。子どもは自発的な動きがほとんどなく，自身の身体を支えることも困難であった。従って，骨盤周囲を安定させること，肩が下制しないように肩関節を少し屈曲させ上肢を前に出すこと，頸部が過剰に後屈しないことに留意した。

治療的アプローチ：発達の各領域に対するアプローチ

図46 幼児用椅子を工夫した例

図47 バギーに工夫を施した例

● 前傾型歩行器

図48はサドルのついた歩行器SRC-Walker（有薗製作所製）を利用した例である。

図48aは，左片麻痺の子どもの床上でのいざり動作が盛んで，姿勢の非対称性と左上肢の筋緊張の亢進が目立っていた時期である。動きが盛んな時期の片麻痺の子どもはさまざまなものに興味津々で，なかなかじっとしていられない。この子どもは，歩行器を利用することで，動きたい欲求が満たされ，なおかつ姿勢の対称性，両上肢での支持を促すことができた。

図48bは重症心身障害の子どもである。成人女性と同じぐらいの体格であるため，母親が介助して支えて立位をとらせることが非常に難しくなっていた。少しでも介助が楽になり，立位機能を維持するためにこの歩行器を利用した。少し前傾位にすると，自分の体の重みでわずかに前進する。そうすると足が前に出る，といった具合に数歩歩くことができるようになった。

このほか，前述のアテトーゼ型四肢麻痺の子どものような例もある（図35）。

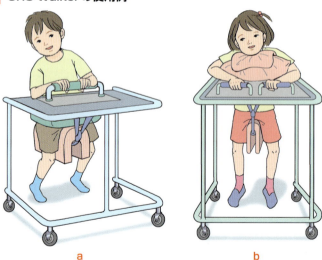

図48 SRC-Walkerの使用例

a　　　　　　　　　　　b

● IT機器

理解力はあるが運動障害が重く言語や身振りによる表出手段の獲得が難しいケースの場合，早期からIT機器に触れる機会をもち，コミュニケーションツールとして実用化できるよう促すことが大事であると考える。

脳性麻痺アテトーゼ型の6歳の子どもに，パソコンのマウスのポインタの移動をスイッチ操作で試みた例を示す。手で物を握り続ける，握った状態で上肢を動かす，その状態で手指のみ動かすといったマウス操作に必要

な動きはどれも困難であった。トラックボールもジョイスティックも動きすぎてしまいポインタを適切な位置にもってくることが困難であった。そこで，らくらくマウス（ここことステップの商品）を改造して上・下・左・右・決定の機能をそれぞれジェリービーンスイッチ（AbleNet, Inc）に取り出し，5個のスイッチ操作の練習を行ったところ，簡単なゲームなら自分でポインタを移動させゲームを楽しめるようになった（図49）。

ここで考慮しなければならないのは，5個のスイッチの配置である。

当初，ポインタの動きとスイッチの位置が一致するような配置（図49b）としたが，この並びでは肘の屈伸の動きが必要であり，中間位での動きのコントロールが難しいケースには困難であった。そこで，図49cのように扇状に並べ変えてみたところ，肘伸展位で肩の内外転を使って操作することができた。決定ボタン（図中，「決」）は，動きの性質が異なるため，他の4つとは少し離れた位置に置くことにし，子どもがリーチしやすい場所を探し決定した。

こうした段階を経てケース独自のものを作製する段階に至っていくが，その作製には，自宅でのパソコンの使用頻度や使えるソフトの種類，対象児の目標（さらに上の機能を目指すのかどうか）などを考慮する必要がある。

IT機器は年々発展してきているが，それを活かせるかどうかは作業療法士にかかっている。作業療法士には，対象児はどのような動きが可能なのか，どういうものなら使いこなせる可能性があるのかをしっかり評価する能力が求められる。

いずれにしても，福祉機器は子どもたちと周囲の人たちの生活を豊かにするものであるといえる。

> **作業療法参加型臨床実習に向けて**
>
> 図49b，cのようなスイッチの配置を想定して上肢を動かし，肩，肘，手首の動きや角度を確認してみよう。

図49 マウスのポインタの移動をスイッチ操作で試みた例

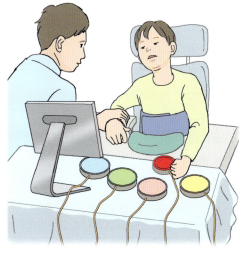

a

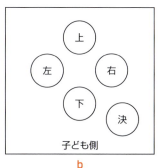

b

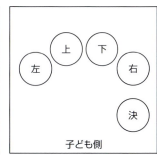

c

■ 人的環境

　障害をもった子どもたちは，親，家族をはじめ多くの人たちの協力を得ながら成長していく。どのような人との関わりがあるか，どのような関わりが必要か，作業療法士はどんなことができるかを，「親」を中心に考えていきたいと思う。

● 家族

　乳幼児期には，とりわけ母親をサポートする体制が重要である。育児で疲弊してしまわないように，父親の育児参加（休日には子どもの面倒は父親がみる，家事を手伝うなど）を促す必要がある。作業療法の日を父親の休みの日に合わせて見学してもらい，日ごろ母親がどんなことで困っているか，子どもはどんなことが好きか，どんなふうに遊んであげたらいいかを伝えることも有用である。百聞は一見にしかず，一度の見学で父親の対応が一変することは少なくない。

　祖父母や父親や母親の兄弟夫婦家族の近くに住み換えることを検討することも一案である。人間関係は複雑であり，親族だから気を使う面もあるため，これには双方の家族メンバーの総意が必要であると思われる。

● 友人・仲間

　幼児期から学齢期にかけて，子どもはさまざまな集団に属し，社会で生きていくための新たな力を身につけていく。同時に親も障害をもった子どもの親たちと出会う。ここでの出会いが一生のつきあいになることは少なくない。同じような立場にある親同士だから話せることも多いと思われる。楽しさを共有したり愚痴や悩みを言ったりできる場所があることは日々生活していくうえでとても大事なことである。子どもを連れて出かけたり，ときには子どもを家族に預け親同士で出かけたりできたらいいと思う。

　ひとりで悩んでいる親には，障害をもった子どもの親御さんがつくっているホームページを紹介したり，親の会などを紹介してみることも仲間をつくる一つのきっかけになると思われる。

● 高校卒業後の生活を支える人たち

　高校卒業後というと，子どもの身体はすでに大人であり，体重は重くなり変形や拘縮が進行しているケースが多い。一方，親のほうは少しずつ歳をとり体力も衰え，着替えのために子どもの手足ひとつを動かすことさえ重労働になってくる。

　高校卒業後の生活は子どもの人生のなかで最も長い期間になると予測されるため，この時期の日常生活をいかに支えるかが大きな課題となる。ヘルパー，訪問リハ，訪問看護，入浴サービス，一時預かりなどのサービス

の充実が望まれる。

　こうしたサービスが身近にない場合もあるが，サービスがあるにもかかわらず，子どもが親から離れられないために預けられないといったことも耳にする。親にとって「私がいなければ…」という思いを抱けることは，子どもを育てていくうえで大きなエネルギー源になると思われる。しかし，いずれ親から離れる日がくることを考えると，いろいろな人の介助や関わりを受け入れられることや，多くの人にかわいがられることも必要な技能だと考える。

　やむをえない事情がない限り一時預かりなどを利用せず，結局は体力的にも精神的にも無理をしている親たちを見かける。作業療法士は，子どもの将来や親のケアにも目を向け，さまざまなサービスの情報を提供したり，親とじっくり話す時間を設けたりすることも必要であると考える。

6 セルフケアの援助

　セルフケアにもいろいろあるが，ここでは，食事，更衣，排泄を取り上げる。

■食事

　食べることは生命維持に不可欠であり，また食欲は生得的欲求であることから，運動障害や認知障害があっても，セルフケアのなかでは最も自立を促しやすい側面がある。

　運動障害と認知障害の程度により，そのアプローチの目的は，①手を使って食べる，②食べたい気持ちを育てる，③口腔運動機能を高める，に大別できる。

　これらをさらに細かく分析すると，下記a～hに示すような要素が関連している。下記にこれらの項目に沿って，その問題と援助方法を述べる。

食事に関連する問題

a. 姿勢・筋緊張	e. 感覚機能
b. 上肢機能	f. 精神機能
c. 口腔機能（形態・動き，感覚）	g. 覚醒状態
d. 呼吸機能	h. その他

● a. 姿勢・筋緊張

　脳性麻痺児は筋緊張の亢進・低下，あるいは動揺という問題をもっており，このような筋緊張の異常により，筋の協調運動が障害される。そうすると，乳児期には吸啜，嚥下との連動がうまくいかず，誤嚥や喘鳴を引き起こし呼吸障害を合併してしまう。また，食べることに必要なリラックスした姿勢をとりにくいという問題が生じる。

治療的アプローチ：発達の各領域に対するアプローチ

食事に適した姿勢は❶〜❺に示すようなものであり，抱っこや椅子を利用してこうした姿勢に近づける必要がある。

> ❶頸部の角度：中間位から軽度屈曲位。
> ❷床面に対する体幹の角度：個々の状態により変化。
> ❸頭頸部の安定：頭部や下顎の物理的安定性が不十分な場合，過剰な筋緊張や不随意運動がでやすくなる。肩や上肢が後方に引かれると体が伸展しやすくなるため，上肢を屈曲させ，身体の前方にもってくることも大切。
> ❹下顎の安定：嚥下や舌，口唇の運動を助けるためには不可欠。
> ❺支持基底面への適応：股関節をしっかり屈曲させ，殿部で支持させる。可能なら足底も接地させる。

※（　）内の数字は「食事に適した姿勢」に対応

作業療法参加型臨床実習に向けて
目を閉じて食べ物を食べさせてもらってみよう。介助者はどのような配慮をすべきか考えてみよう。

図50は，重症心身障害の子どもである。体幹・頭部のねじれを伴う反り返りが強いため，股関節をしっかり屈曲させて作業療法士の両足で殿部と背部を挟んで支えている（上記❷，❺に対応）。また，作業療法士は左手で，肩甲帯が後方に引かれないように肩を支えると同時に頭部を支えている（❶，❸）。この手は食べ物が口に入った後は，下顎を支え，咀嚼と嚥下を助ける（❹）。

抱っこは，作業療法士が子どもの動きを体で感じとり，瞬時に対応できるメリットがある。しかし，体が大きくなってくると抱っこは不可能になる。図50の場面では，椅子の作製を念頭におき，筋緊張の状態の評価も同時に行っている。

図51は，アテトーゼ型の子どもである。両肘をテーブル上に置き，頭部がやや前屈位になる位置でコップに口がつくように援助している。作業療法士の手で子どもの手を支え，示指で側頭部を軽く支え，正中線上で頭部を保持できるようコントロールしている（❶，❸，❹）。ここでは，コップ飲みの自立が目的ではなく，コップ飲みを通して頭部−肩−上肢の安定性を促すことと，口唇ですする動きを促すことを目的としている。

図50 抱っこによる食事時の姿勢介助

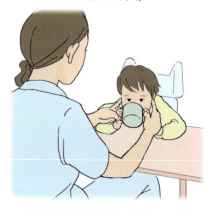

図51 アテトーゼ型脳性麻痺児のコップ飲みの介助

b. 上肢機能

手で食べるためには，手を動かせること(運動機能)と手の使い方を知っていること(認知機能)の両者が必要である．このどちらが障害されても，食べ物やスプーンを持てない，運べない，手を使わない，適切に動かせないといった問題が生じる．手の使用を促すためには，①手が使いやすい姿勢を工夫する，②自助具を工夫する，③食物に注意を向けさせる，④スプーン操作の発達を促すなどの方法がある．

図52は①の例である．痙直型両麻痺で失調症状も混在している子どもである．上肢に振戦があるため，皿と口との距離が遠かったり空間での上肢操作を伴ったりすると，こぼすことが多くなる．そこで，肘の屈伸のみでスプーンを口に運べるように肘をテーブル上に置き，皿と口との距離を縮めるために食器を台に置くと，動作が安定した．さらに，ある程度の重みがあり，縁に立ち上がりのついた食器にすると，左手を添えておけるようになった．

図53は②自助具を工夫する例である．箸で食べられることを目標とする痙直型両麻痺児である．現在では，食事に関連したさまざまな自助具が市販されており，なかでも箸の種類は豊富である．既製のものが子どもの機能と合致すればよいが，実際には微調整が必要となるケースが多い．こうなると，作業療法士が手作りで試行錯誤する必要がある(図54a)．多くのケースは，手の中にほどよい空間をつくることができず，何でも握りこんでしまうため，手指が機能的に動かせない．そのため，空間をつくる(埋める)ような工夫によって(図54の○囲み部分)，手関節や手指の動きが良好になることが多い．

③の食事に注意を向けさせる工夫としては，視覚や聴覚刺激を整理することが挙げられる．食事の場所を大部屋から小部屋にしてみる，子どもの座る場所を人と人の間から端のほうにしてみる，テレビや音楽は消したり内容を変えたりしてみる，食べ物と器との色のコントラストをはっきりさ

治療的アプローチ：発達の各領域に対するアプローチ

図52　手が使いやすい姿勢を工夫した例

図53　箸の自助具を工夫した例

アクティブラーニング② 市場にはさまざまなタイプのスプーンや箸が出回っている．どのようなものがあるか調べてみよう．また，どのようなお子さんに適しているか考えてみよう．

図54 手の空間をつくる(埋める)工夫

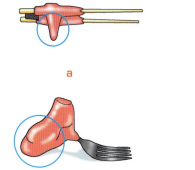
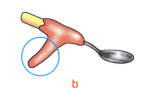

a　b　c　d　e

せてみる，など。集中させるつもりで仕切りをつけたり隔離したりすると，かえって外が気になり，より一層注意散漫になる場合がある。

④のスプーン操作の発達を促すには，①②③に加えて，スプーンの把持，一連の操作の流れの運動感覚を，子どもに直接手を添えて教えていく必要がある。

● c. 口腔機能

口腔機能の面においては，次のような問題を認めるケースがある。

①形態・動きの問題

- 口腔の形態異常：吸啜窩*5残存，開咬*6，歯肉増殖
- 舌尖形成未熟：嚥下・咀嚼運動阻害
- 原始反射残存：咬反射
- 嚥下機能不全：乳児様嚥下(舌突出型)，逆嚥下(強度な舌突出：口を大きく開けて舌をできるだけ突出させ，口腔内の食塊を無理にのどに落とし込む)

②感覚の問題

- 口腔内の感覚異常：過敏あるいは鈍麻
- 舌尖の感覚未発達：食物の物性(大きさ，硬さなど)の感知困難
  ↓これらの問題から
- 食物の口腔内残存
- 食物の取り込み困難
- 誤嚥

などの状態が引き起こされる。

「形態・動きの問題」は，成人の脳性麻痺の人に多く見受けられ，長期間にわたって好ましくない方法が繰り返されて生じる傾向があるため，乳幼

---

*5 吸啜窩（きゅうてつか）
乳児の口蓋は中央部がくぼんでおり，そこに乳首を固定し乳汁を吸う。このくぼみを吸啜窩とよぶ。その後，咀嚼や嚥下が身につく段階で，舌の圧力が口蓋を押し広げ，くぼみはなくなってくる。

*6 開咬（かいこう）
開咬とは前歯に上下方向の隙間ができる不正咬合のこと。舌が口から出たり入ったりする不随意な動きが長く繰り返されるとこのような状態に陥る場合がある。

児期から姿勢を含めた適切な食事介助を行うことが重要である。

「感覚の問題」については，過敏がある場合，スプーンの材質や口の拭き方，食べ物の味・温度に配慮が必要である。咬反射や過敏をもつケースには，シリコン製のスプーンやコップが有用である。口を拭く際には，人肌程度の温かいタオルで少し圧迫を加えながら口をすぼめる方向に動かすとよい。食べ物は酸味の強いもの，極端に冷たいもの・熱いものは避けたほうがよい。また，味覚は，重度の障害をもった子どもでも残存している場合が多いといわれるため，複数の食材をあまり混ぜずに，さまざまな味が楽しめる配慮も必要である。

● d. 呼吸機能

呼吸は嚥下と密接な関係にある。喘鳴，陥没呼吸[*7]，口呼吸は呼吸機能の異常のサインである。このようなケースは，気道と口腔が遮断されずむせたり咳き込む，1回できれいに嚥下できず食物が残存する，などの状態を示すことが多い。誤嚥しているにもかかわらず，まったくむせないケースもあるため，原因不明の微熱が続いたり，長期間の経管栄養から経口摂取に移行する場合には，VF検査[*8]を行い，安全を確認してから食事指導に入る必要がある。

● e. 感覚機能

諸感覚は，食べる機能においてさまざまに役立っている。
- 視覚，聴覚，嗅覚：食物を取り込む段階で必要
- 触圧覚：咀嚼を促す鍵の1つ
- 味覚：舌運動の促進，嚥下促進

重症心身障害の子どもでも，食物の匂いを嗅ぐと口をモグモグする場合がある。視覚反応が不明確であっても，スプーンを口元にもっていく際には，声をかけたり食物の匂いをかがせるなどすることで，自発的な動きを引き出す可能性がある。過敏な子どもには十分な注意が必要だが，覚醒レベルの低い子どもには，味の異なるものを交互に食べさせたり，果物などをガーゼにくるんで奥歯に置き咀嚼を促したりすると，適度な覚醒状態が保たれる。

● f. 精神機能

認知，社会性，気難しさの問題には，食事だけではなく，睡眠・排泄・運動の生活リズムや日常生活習慣の整備が必要である。食事に関しては，介助者，場所，道具などの物理的・人的環境を考慮する必要がある。

● g. 覚醒状態

主に，痙攣発作と投薬が覚醒状態に影響する。特に，重症心身障害の子

[*7] 陥没呼吸
息を吸い込むときに胸の一部が陥没する状態のこと。呼吸障害のある重症心身障害児（者）にみられることがある。

[*8] 嚥下造影（VF）検査
VFはvideofluoroscopic examination of swallowingの略で，造影剤や造景剤を含んだ模擬食品をX線透視下に嚥下させ，ビデオに記録して解析する検査。誤嚥をしていないかどうかを確認する目的と，誤嚥しない方法を検討する目的とがある。

治療的アプローチ：発達の各領域に対するアプローチ

どもは痙攣発作をもっていることが多く，食事中に発作が起きた場合には，口腔内の食べ物を出し，意識が十分回復してから経口摂取を開始する必要がある。

　ベンゾジアゼピン系(ジアゼパム，ニトラゼパム，クロナゼパムなど)は催眠作用，口腔内分泌物増加作用がある。薬によって発作は抑えられるが活動性が極度に低下してしまう場合は，主治医とよく相談することが大事である。

● h. その他

　偏食，拒食，異食[*9]，嘔吐といった問題をもつケースもある。嘔吐の原因には，胃食道逆流，精神的ストレス，アレルギー，空気嚥下症などがある。胃食道逆流症がある場合には，上体を高くした腹臥位がよいとされる。

> [*9] 異食
> 食べ物ではないものを口に入れてしまうこと。

■ 更衣

　更衣動作は，セルフケアのなかでも，運動機能，認知機能ともに高い能力を必要とするため，完全に自立に至るケースは少ない。知的障害が重い場合や年齢が低いほど，動機づけが難しい。食べることは好きな子どもが多く，作業療法場面でも直接的な指導として取り入れやすい。しかし，更衣動作は，子どもにとってはあまり楽しいものではなく，むしろ大変なもの，難しいものであるため作業療法場面で取り入れにくい場合が多い。従って，実生活のなかでの指導とともに，更衣動作を構成する要素を分析し，それらを遊びや活動のなかに取り入れることが重要になる。また，痙直型四肢麻痺の子どもや重症心身障害の子どもでは介助量が多いため，介助者からみた更衣動作に必要な動きという視点も重要になる。

　ここでは，運動機能面と衣服の形状に焦点をあてて考えてみる。

> **作業療法参加型臨床実習に向けて**
> 立位，座位それぞれの姿勢で靴下の脱着をしてみよう。どのような機能が備わっている必要があるか考えてみよう。

● 運動機能

　上着の着脱には，広い範囲でのリーチ機能と，リーチに伴う重心移動に対応するバランス能力，頭部と上肢，左右の上肢の分離した動き，衣服(布)を把持し保持する力，手指の巧緻性などが必要である。つまり，空間で自由に手を動かせるだけの姿勢の安定が必須条件になる。支持面が広いほど安定性は高くなるため，痙直型両麻痺の子どもの場合，椅子座位では難しくても割座なら上着の着脱ができる場合もあるが，この姿勢は股関節脱臼の危険性があるため，できるだけほかの姿勢で行えるように促していく必要がある。

　図55は，痙直型両麻痺の子どもである。体幹の支持性を高めるために立位でのボール投げ(図55a)，空間での両手動作の練習として玩具のバイオリン演奏(図55b)，把持力を高めるために描画(図55c)などを行っ

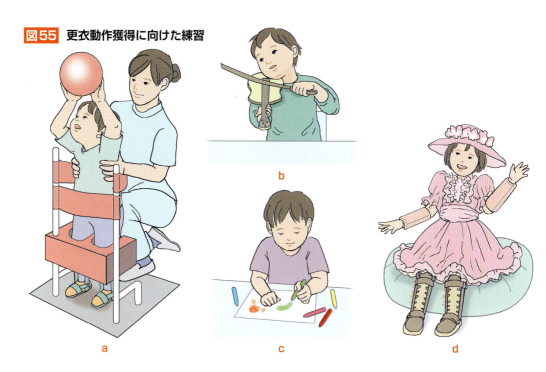

図55 更衣動作獲得に向けた練習

た。更衣動作の練習にはコスプレ衣装を利用した（図55d）。おしゃれに関心のある女の子や好きなアニメのキャラクターなどがある場合には使えるプログラムである。

ズボンの着脱には，一側上肢や一側下肢での体重支持，上肢と下肢，左右の下肢の分離した動き，背面へのリーチとその場での把持力などが必要である。特に着衣の際には，足部や殿部がひっかかることが多い。日ごろから，足関節の底背屈や，股関節の伸展を促すようなアプローチが必要である。

痙直型四肢麻痺の子どもや重症心身障害の子どもでは，変形・拘縮をつくらないように幼少期から配慮する必要がある。また，介助者が子どもの頭部を持ち上げるときや横向きを促すとき，腕を通すときに，わずかでも子どもによる協力動作がみられると介助者は非常に楽である。わずかな動きでもできることを見出し，その機能を長く維持させることも重要である。

● **衣服の形状**

更衣動作のしやすさ，しづらさは，その形や素材によっても変わってくる。長袖・長ズボンよりも半袖短パンのほうが容易であるため，練習として導入しやすい。伸縮性のある素材は運動制限を補ってくれるが，あまり伸びすぎると手足や頭がひっかかり，そこから抜け出せないという状況が生じやすいため，適度な伸縮性が求められる。ウエストのゴムは，細いと止める力が弱く引っ張っているうちに丸まりやすい。一方，太いと手で開いておくには強すぎる。細めのゴムを2，3本入れると，弱い力でも開き

治療的アプローチ：発達の各領域に対するアプローチ

やすく，ずり落ちることも防げる。

> アクティブラーニング ❸ さまざまな素材・形状の衣服を着脱し，着やすさ・着づらさを考えてみよう。

■ **排泄**

排泄行動の自立には，「排尿・排便」行為のほか，脱衣と着衣，トイレまでの移動，便座への移動，座位または立位の保持，後始末，手洗いも関係する。また，排泄行動は学習により獲得していくものであるため，幼児期からトイレで排泄することを意識づけていく必要がある。

独歩が可能な脳性麻痺の子どもは自立の可能性もあるが，杖や歩行器歩行レベルの子どもはトイレに十分なスペースがないと難しいかもしれない。立位可能なレベルでも，体幹の回旋が難しいと便座への移動は困難であり，座位がやっと可能なレベルでは足が浮くような高さの便座ではつかまるところがないと排泄が困難かもしれない。

援助方法としては，幼児期，姿勢の保持が困難であったり股関節の内転が強い場合には，後ろから抱えたり，背もたれや体幹を支えるためのテーブルを取りつけた椅子などを利用するとよい。ある程度座位が安定してきたら，市販のおまるや便座シートも利用できる。外出時には，折りたたみ式のポータブル便座シートも便利である。

便座への移動が可能となったら，簡単に設置できる手すり（図56）も有効である。可能なら，家庭のトイレは専用に改造することも検討するとよい。

図56 置くだけのタイプの手すり

Case Study

カラオケ好きのA君20歳。痙直型両麻痺。移動は車椅子である。排泄は介助がないと行えない。いろいろな街のカラオケボックスに行ってみたい気持ちはあるが，どこもトイレの間口が狭く車椅子が入れない。結局いつも行くのは某所のとあるカラオケボックスである。トイレ1つの問題で大きな活動制限が生じてしまう現実がある。

しかし，公共の場ではそうはいかない。駅や公園のトイレ，デパートや会社など，ほとんどの場所に車椅子用のトイレが設置されているが，便座の設置場所が機能的でない，便座が高すぎる，トイレットペーパーホルダーの位置が遠かったり後ろすぎたりする，手すりが車椅子で便座に接近しにくい位置にあるなど，どこでも安心して外出できるわけではないのが現状である。

動作の観点からみると，一連の動作のなかで難しいのが，「後始末」（お尻を拭く動作）である。殿部を浮かせ，後方にリーチし，トイレットペーパーを持って殿部に押し当て動かす，それを見えない所で行う。後始末の部分が最後まで課題として残ったケースで，ウォシュレットを取りつけることにより，ほぼ自立できたケースもある。

7 関連施設との連携

障害をもった子どもが，生まれてから成長していくうえで関わりをもつ機関には図57のようなものがある。

例えば，ここにB君という20歳の脳性麻痺をもつ青年がいるとする。B君は保健所の3カ月健診で障害を発見され，ここ（保健所）で6カ月まで作

図57　障害児の成長と関連する分野と関連機関

業療法を受けた．その後，発達障害のリハビリテーション専門機関を紹介され，理学療法，作業療法を受けることになった．母親は専業主婦であったが，家庭の事情で一時的に半年ほど子どもを保育所に預けた期間があった．3歳時より同機関の障害児通園サービスに通い，4歳からは近所の私立幼稚園に入園した．

小学校は地域の公立小学校へ．同時期，これまで通っていた機関は未就学児しか外来ではフォローされないため，作業療法，理学療法は他の医療機関へ移行した．1年間通常のクラスに所属し，2年生からは特別支援学校へ転校し，ここで，中学・高校時代を過ごした．高校卒業後，親の会が運営する作業所に通い，現在に至っている．作業療法，理学療法は，小学校以来同じ医療機関で継続されている．

このように書くと，大きな問題もなく順調に20歳を迎えたように感じるが，果たしてそうだろうか…？

ここで，節目節目で起こりうる問題とその対策について考えてみる．

■ **乳児期**

保健所の健診で母親は子どもの障害を告げられ，大変な混乱の時期にある．子どもが小さいうちは障害の大きさは表立ってはわかりにくい．母親は「この子は座れるようになるだろうか？」，「歩けるようになるだろうか？」といった不安を抱き，医師や保健師，作業療法士にこのような質問をするかもしれない．このとき三者の答えが微妙に異なると，母親はますます混乱し不安を抱くことになる．従って，スタッフ間で母親への対応の仕方を統一したり，質問内容によって対応するスタッフを決めるなどの役割分担をしたりする必要があるかもしれない．

治療的アプローチ：発達の各領域に対するアプローチ

■ 6カ月時と就学時

　6カ月時と就学時のリハビリテーションの機関が変わる際の申し送り（情報伝達）について，通常は担当作業療法士から次の担当作業療法士宛に報告書を送る場合が多い。このとき留意すべきことは，脳性麻痺の誰にでもあてはまるような一般的な記述をするのではなく，「その子が何が好きなのか」，「どんなことを行っていたのか」といった対象児に特有な事項，具体的な方法などを記すことである。

> **補足**
> 「報告書」は誰に宛てて書くのかを意識し，言葉を選ぶ。一般論ではなく，「その子」についての具体的事実を書く。

■ 保育園や幼稚園，小学校

　作業療法士間では通じる言葉や表現も，他職種には通じないことが多々ある。保育園や幼稚園，通常の小学校に対しては，教員にわかりやすい言葉で書いたり，写真や図を利用したりして説明することが大事である。可能であれば，一度現場に行き，子どもを目の前にして話し合いが行えるとよりよい。近年では巡回相談というかたちで，作業療法士が保育園や幼稚園，小・中学校に関わるケース（自治体）が増えている。

■ 特別支援学校

　特別支援学校では，一人一人のニーズに応じた指導をということで，人的環境も含めた支援体制が整備されつつある。B君が通っていたころは，まだ「養護学校」の時代であり，「医療」と「教育」は隣にいながら互いに何をしているか知らないことのほうが多かったと思われる。

　現在は，まだ地域差はあるが，作業療法士や理学療法士，言語聴覚士などが常勤として配属されている学校もある。コ・メディカル[*10]スタッフが配置されたことで，教育と医療は近づくチャンスを得た。ある1人の子どもを同じ場所でみられることは非常に意味のあることである。12年間の義務教育期間を子どもが有意義に過ごすために，教育の場におけるコ・メディカルスタッフの担う役割は大きいと考える。しかしここでは，まず第一に同じ職場で働く人間としての意識が大切であると思われる。

> ***10 コ・メディカル（co-medical）**
> 医師以外の医療従事者。看護師，臨床検査技師，診療放射線技師，理学療法士，作業療法士，言語聴覚士など。最近では，職種の範囲が明確ではない，「comedy（喜劇）」の形容詞形である「comedical」と誤って解釈される，「医師以外の医療従事者」という上下関係を暗示させる恐れがありチーム医療の精神に反する，といった理由から，「コ・メディカル（co-medical）」という呼称を用いないとする学会も一部ある。

■ 作業所

　作業所に通うようになると，学校時代以上に施設間交流が少なくなり，親を通して近況などを聞くことが多くなりがちである。しかしここからの人生のほうが長いということを考えると，長く子どもを見てきた作業療法士は，施設の職員にこれまでその子どもがどのようなことを経験してきたのか，具体的にどんなこと（作業）ができるのか，といったことをきちんと伝える必要があると感じる。

　最後に，ここで「距離」について考えてみる。B君が関わった各機関が住んでいる地域からほど近いところにあったのならいい。しかし，あまり交

通の便のよくない所に住んでおり，ある機関には高速道路を利用して通わなくてはならない状況であったらどうだろうか．費用はかかるし，母親はB君の送迎だけで1日の多くの時間を費やされ，疲労困憊してしまうだろう．同じような状況にあるケースで，適切な支援を求めて転居する例も少なくない．できる限り，子どもが生まれた土地で安心して暮らせるように，地域ごとにこれらの機関が充足されることが望まれる．

謝辞
　イラストの元となる写真の提供にご協力下さったお子さんとそのご家族に深謝致します．

【参考文献】
1) 阿部浩美：脳性麻痺児の手の機能，坐位姿勢，遊び．ボバースジャーナル，26(1): 40-43, 2003.
2) 阿部浩美，宮崎　泰：アテトーゼ型脳性麻痺児に対するスイッチ操作獲得に向けた取り組み．第40回日本作業療法学会抄録集，172, 2006.
3) 阿部浩美 著，伊藤利之，鎌倉矩子 編：重症心身障害．ADLとその周辺—評価・指導・介護の実際．254-267, 医学書院, 2008.
4) 岩倉博光，岩谷　力，土肥信之 編：臨床リハビリテーション 小児リハビリテーションI 脳性麻痺．医歯薬出版, 2005.
5) 岩崎清隆，岸本光夫：発達障害と作業療法[実践編]．三輪書店, 2008.
6) 児玉和夫：目でみる小児神経　脳性麻痺．小児神経学の進歩，38: 55-68, 2009.
7) 近藤和泉，福田道隆 監訳：粗大運動能力尺度(GMFM)．医学書院, 2000.
8) 大島良一：重症心身障害児の基本的問題．公衆衛生，35: 648-655, 1977.
9) 里宇明元，近藤和泉，問川博之 監訳：PEDI リハビリテーションのための子どもの能力低下評価法．医歯薬出版, 2003.
10) 社団法人 日本リハビリテーション医学会 監修：脳性麻痺リハビリテーションガイドライン．医学書院, 2009.
11) 千野直一，安藤徳彦 編集主幹：リハビリテーションMOOK8 小児のリハビリテーション 病態とライフステージへの対応．金原出版, 2004.
12) 山根　寛，菊池恵美子，岩波君代：着る・装うことの障害とアプローチ(作業療法ルネッサンス-ひとと生活障害-(3))．三輪書店, 2006.
13) 横地健治：脳性麻痺の考え方．脳と発達，41: 327-333, 2009.
14) 全国肢体不自由児施設運営協議会 編：障害児の包括的評価法マニュアル JASPER の実践的活用法．メジカルビュー社, 2006.
15) 公益社団法人 日本重症心身障害福祉協会ホームページ：
http://www.zyushin1512.or.jp/gakkai/yokochian.htm
16) 日本リハビリテーション医学会 監修：脳性麻痺リハビリテーションガイドライン第2版．
https://www.jarm.or.jp/wp-content/uploads/file/member/member_publication_isbn9784307750387.pdf

✓チェックテスト

Q
① 脳性麻痺はどのようにとらえられるか(☞p.124, 125)。　臨床
② 脳性麻痺の運動機能障害の重症度を分類する尺度は何か(☞p.129)。　基礎
③ 生活機能を評価する代表的な評価法は何か(☞p.130)。　基礎
④ 臨床的に多く認められる4つの類型とは何か(☞p.131, 134, 139, 144)。　基礎
⑤ 上肢よりも下肢のほうが障害が重いタイプは何か(☞p.134)。　基礎
⑥ 動きのコントロールが最大の課題となるタイプは何か(☞p.144)。　基礎
⑦ 姿勢と運動の評価において大切な点は何か(☞p.126)。　臨床
⑧ 残存しやすい原始反射にはどのようなものがあるか(☞p.127, 128)。　基礎
⑨ 作業(活動)の選択において考慮すべき点は何か。　臨床
⑩ さまざまな障害をもつ子どもに対する作業療法アプローチにおいて共通することは何か。　臨床

治療的アプローチ：発達の各領域に対するアプローチ

3 知的障害に対するアプローチ

酒井康年

Outline
- 知的障害のある方に対する作業療法アプローチは，ライフステージにより求められる作業が大きく異なるので，ライフステージごとの特徴をよく理解する。
- 子ども自身へのアプローチに加えて，子どもを育てる保護者への支援も不可欠である。
- 知的な側面の障害が，生活上のさまざまな場面にどのように影響を及ぼしているのか作業遂行の状態を把握することが重要になる。

補足

知的障害の定義
- 「アメリカ精神医学会」の診断基準であるDSM-5が2013年に改訂され，日本語訳が2014年に刊行された。そのなかで，知的障害については，新たに創設された神経発達症群／神経発達障害群というカテゴリーに分類されることとなった。
- そのなかで，知的能力障害群として位置づけられ，知的能力障害と，全般性発達遅滞，特定不能の知的能力障害の3つの下位分類が設けられている。
- さらに，DSM-5では知能指数による基準を見直し，生活適応能力が重視されるようになった。「学力領域（Conceptual Domain）・社会性領域（Social Domain）・生活自立能力領域（Practical Domain）」に関して，それぞれ具体的な状況から重症度の判定を行う形に変更になった。

1 知的障害とは

知的障害という障害は，以前は「精神発達遅滞」という用語が使われており，「知恵遅れ」という言葉は一般的にも耳にすることが多い障害であろうが，その障害像を理解することは容易ではない。

そもそも，知的障害という言葉自体，変遷を重ねている。2013年に改訂されたアメリカ精神医学会作成の『精神疾患の診断と統計のためのマニュアル第5版：DSM-5』においては，新たに知的能力障害群として示されている。

知的障害について，「幼い」，「ゆっくりである」，「学習ができない」というイメージをもっている人は多いかもしれない。しかし，本人たちに会うと決して幼いまま止まってしまっている人たちではない。その生活年齢に相当する自尊心とプライドを当然有している。「精神」が「遅滞」しているという言葉自体が，このような誤解を生じさせていた一因かもしれない。

あくまで「知的機能が平均以下」なのであり，かつまたここでいう知的機能とはあくまで知能検査で測定することができるものを指している。つまり，人が量的に扱うことができるものだけに頼って（そうするしかないわけであるが），定義にしているのである。しかし，人には人自身の力では計り知れない豊かな力が内在しており，知能検査で測定・評価できるものは非常に限られている。この違いを十分に理解することが，知的障害のある方への支援を考えていくうえで最も重要なことではないだろうか。

2 知的障害のある人の評価

知的機能を評価する方法としては知能検査がまず挙げられる。ここで注意しておかなければならないことは，**知的な機能を評価することと知的障害のある人を評価することは，まったく異なる**ということである。

知的な機能を評価するための知能検査は，知能とは何かという観点から検査が作成されており，その検査ごとに特徴が異なる。先にも述べたが，人がもつ豊かな力のうちの限られた領域だけを測定していることに留意されたい。知能検査の結果を対象者の理解のために活用することはもちろん意味があるが，その検査の特徴をしっかり把握したうえで活用することが重要である。同じ数字でも検査によっては意味合いが異なることがあるし，数値以上にどの検査に対してどのような取り組みをしたのか，ということのほうが多くの意味を提供してくれる。つまり，検査に取り組んでいるその状況を作業遂行としてとらえ，作業分析を行う必要がある。作業療法士なので検査について一般的にいわれる特徴と，作業という観点から作業分析して得られた特徴の両者をもって検査結果の活用を図っていきたい。

■ 行っている行動・活動を評価する

　知的障害のある人を評価するために作業療法士として必要なことは，その行動を作業遂行の様子としてとらえ，よく観察し，行動・活動の分析，つまり作業分析を行う必要がある。

　できることとできないことを正確に把握することはもちろん重要であるが，それを把握しただけでは，その人を理解することにはつながりにくい。障害が重い，もしくは問題行動などを抱えていると，得てして「できないこと探し」になりがちである。できないことを羅列しても，結局何がわかっていないのか，できていないのかがわからないままである。

　見るべき点は「できること」である。特に障害が重いといわれる場合，何もできないのではないかと思われる場合は，意識的にできることを探す。ちょっとした視点の違いで「できない」と思っていたことが，「できること」と「できないこと」の集合体であったりして，「できること」が見つかることがある。

　「できること探し」のコツは，基本的で当たり前のことであるが，「必ずあるはず」と思って探すことである。また，「フツーは」，「他の子は」などの先入観を捨てて探すこと。そして，「でも，○○はできない」という思いも脇に置いて探すことである。その子どもとの生活経験が蓄積されればされるほど，探しにくくなる傾向がある。スタッフの思い込みが強くなってしまうからである。

■ 活動を分析する

　「できること」探しによってできることが見つかったら，次にそこに含まれる要素を分析する(図1を参照)。分析によって，活動が成立するための条件が見つかれば，活動場面で必要な手立てを講じることができる。

治療的アプローチ：発達の各領域に対するアプローチ

図1 活動分析を行う際の要素の例

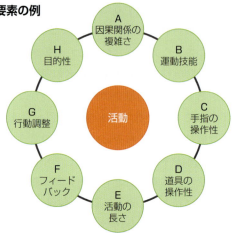

実際にその活動を遂行するために必要な力を次の項目に沿って分析をする。そのうえで，どの項目のどの部分が本人のできる・できないを左右しているのかを把握していくようにする。

● A. 因果関係の理解

「ボタンを押したらジュースが出てくる」。このようにボタンとジュースの関係を時間軸に沿って原因と結果として理解する力を，「因果関係理解」という。太鼓を叩けば音が出るように，原因となる部分(叩く)と結果の部分(音)が直接的になっている場合と，リモコン操作のように間接的になっている場合とがあるので，どの程度の間接性なのかを分析する。原因から結果が起こるまでの時間の長さも把握する。その活動を完成させるために，いくつの因果関係を連結させるのか，ということも把握する必要がある。

● B. 運動の技能

主に粗大な運動機能がどの程度要求されるかである。一般的に要求される運動機能と，本人がどの程度そこに努力を必要としているかを把握する必要がある。階段を上ることは，大人には簡単でも，2歳児には大きな努力を要する。

● C. 手指の操作性

運動と同様に，どの程度の機能性が要求されるか。手指の操作性の発達(補足参照)，目と手の**協応**[*1]，両手の協応などの能力について把握する。目と手の協応とは，視覚的な力で運動をどの程度コントロールできているか，という観点である。例えば，線をなぞったり，色塗りをしている場合，線からはみ出したときには，はみ出したことを見ること(視覚)で確認でき，それを受けて書く力や方向を調整(運動のコントロール)する。この

[*1] **協応**
複数の働きを協調して用いること。目と手の協応でいえば，よく見ながら操作を行うこと。

ときに，目と手の協応の力が必要とされる。

● D. 道具の操作性

　道具を必要とする場合，それを道具としてどの程度認識できているか，を把握する。道具の道具性といえるかもしれない。例えば，背中を掻きたいときにマゴの手を使う。マゴの手の先の動きを確認しながらかゆい所を掻くわけであるが，掻く所に対して間接的に自分の力が及ぶことを認識する能力が必要である。この道具性の把握が曖昧であると，当然道具は使いこなせない。小さな子どもがマゴの手を正しく使えないのは，このためである。

● E. 活動の長さ

　その活動が完成するまでの時間的な長さを把握する。

● F. 得られるフィードバック

　その活動をすることによって，自分にはどのような結果が返ってくるのかを把握する。担任の先生に褒められるという心理的要因なのか，自分で達成できたという達成感なのか，粘土の感触が気持ちいいという感覚的な要因なのか，である。一般的に要求される部分と，本人が得ているものとは，ずれていることがあるので，よく観察することが必要である。

● G. 行動調整

　その活動を完成させるまでに必要な，自分自身をコントロールする力を把握する。繰り返しや目的遂行にあたり，同時にその活動を持続するためにどのような力が要求されているかを把握する。分析する際には，持続するために人を含めた周囲の環境がどの程度支援をしているか，ということも把握する。

● H. 目的性

　その活動の目的について，本人はどのように認識しているかを把握する。これも一般的に要求される目的と，本人が認識している目的とのずれを把握することが重要である。

　これらは，分析するときの要素の1例である。このように分析をしていき，本来要求されている力と，本人ができている力とのずれを把握すること，それが活動全体にどう影響しているのかを理解していくことが評価となる。そのうえで，どんな活動が適しているか，もし支援を行うならばポイントはどこかを検討することができる。
　具体的なケースを交えて確認する。

補足

手指の操作性の発達
手指の操作性の発達としては，物をつかむ様子の変化をとらえていく見方が1つある[2]。その文献では，指先で豆をつまむような「精巧なつまみ把握」までが紹介されている。つまみ把握ができるようになった以降の手指の発達で重要なのが手内操作である。Exner[3]によって「移動」，「シフト」，「回転：単純回転・複雑回転」として分類されている。「移動」は手指から手掌あるいは手掌から手指への手の中で起こる対象物の直線運動。「シフト」は（通常は橈側の）母指とその他の手指の動きの変化を伴いその他の手指と母指の指腹で生じる。「回転」は1つあるいは複数の軸を中心に対象物を動かすこと。

治療的アプローチ：発達の各領域に対するアプローチ

Case Study

前頁A～Hの要素に従って次の各作業を分析してみる。

| はさみ切り | カゴを片づける | 教材：くるくるチャイム |

A. 手を動かせば紙が切れる。線に沿って切ったら模様ができる。
B. 椅子に座っての姿勢調整。努力は要しない。
C. 利き手の確立と両手の協応が必要。手内操作も確立している。
D. 道具が必要。上手く切れないときも，引きちぎることなく使えている。
E. 1つの形を切り抜くのに集中すべきであるが，年齢的に苦にはなっていない。
F. 紙を切る感覚，きれいに切れたときの達成感，人から褒められること。
G. 多くの力は必要としない。
H. 模様を切り出すという目的。

A. カゴを持ち，運び，置くことで行動が完成する。持って置くまでの間に時間があるし，連結が必要。
B. 物を持って歩くことが必要。
C. 物を持続的に把握することが必要。
D. 道具としての使用はない。
E. 活動を開始したところから置く所まで一定の時間が必要。
F. 感覚的なフィードバックはほとんどない。できて当たり前の行動になると，褒められることもない。すべきことを終えたという自分のなかでの達成感。
G. ゴールに到達するまでにほかの物が目に入っても持続する必要がある。
H. 使った物を片づけるという目的を理解する必要がある。

A. 玉を入れれば音がする。入れてから音がするまでに少しの時間が必要。
B. 座位の保持や上へリーチしたときのバランスが必要。
C. 玉を把握する力と，リリースする力が必要。
D. 因果関係とも関係するが，玉には道具としての側面も含まれる。
E. 入れる／鳴るという1回であれば時間は短い。
F. 玉を入れるところの感覚的なものと，音が鳴るという聴覚的なフィードバック。
G. 楽しさが理解できれば，繰り返すのに多くの力は必要としない。
H. 玉を入れるという，本人も把握しやすい目的。

臨床での活用例

上記の分析例を使って，例えば次のような力をもっている子どもがいた場合に提供する作業種目の選択例を示す。
- 因果関係理解：「押せば鳴る」直接的関係を理解する。
- 手の操作：把握可能。目的的リリース可能。手内操作未熟。
- 目的の把握：時間的に長い目的は難しい。目の前では遊べる。

上の3つの活動のうち，現在の力で行うとしたら，はさみ切りは「目的の把握」，「手の操作」の点で，まだ難しいだろう。カゴの片づけは，「手の操作」は可能。「目的の把握」の点が難しいだろう。教材（くるくるチャイム）であると，「因果関係理解」，「手の操作」，「目的の把握」，「フィードバック」などの点で，機能的側面としてちょうどよい可能性はあるが，本人が気に入っているかどうかは別である。本人にとってどのような意味を生むのか，もう少し評価が必要である。

日常生活活動場面においてカゴの片づけが必要な場合，「目的の把握」に困難があるので，その点について支援が必要である。筆者であれば，着替えが終わった段階でカゴに気づいて自分から持てるように，少しだけカゴを動かして注意を向けてもらうという支援を行ってみたい。

■ICFを活用した対象者理解

周知のとおり，世界保健機関（WHO）によって障害を理解し対策を進めていくために「国際障害分類（ICIDH）」が作成されたが，決定論的な性格を見直し，生活上の困難さにより注目し，専門職種間の共通言語とするために「国際生活機能分類（International Classification of Functioning, Disability and Health：ICF）」が作成された〔「2章 評価」の項（p.64）参照〕。

作業療法においても、作業療法サービスを一般化して説明していくために、ICFを活用することは有用である。また、対象者の状態を理解していくために、図を活用して分類し整理することができるので、全体の関係を俯瞰して把握しやすく、構造的に理解できる。

先に紹介した、一つ一つの活動を丁寧に作業分析していく視点と、ICFなどを活用して全体を俯瞰しながら把握していく視点と、ミクロとマクロの両者の視点をもつことが重要である。

3 ライフステージとアプローチ

■ 乳児期

● 孤立する保護者

子どもの発達支援においては、早期発見が重要との指摘に異論を唱える人は少なくなっているだろうが、それでも「発見」できないケースはたくさんある。その理由は極めてシンプルで、幼い時期は単に年齢が低いためにみられる状態像なのか、発達につまずきがあるために起こっている状態像なのかの区別が難しいためである。

早期に「発見」されるケースの多くは、原因が明確なものが多い。母体内にいるときに健診などで脳の形成異常や発育不全などが見つかるケース、診断で発見されるケース、周産期に仮死や低出生体重、早産などハイリスクで生まれるケース、出生直後に発見が比較的容易な遺伝子疾患や症候群などである。

「発見」が遅れると、さまざまな悩みを母親が抱えることになりがちで、孤立することが大きなリスクになる。出生後すぐに「発見」に至ったケースでも、子どもへの医療的ケア、リハビリテーション的ケアだけが優先され、保護者・家族への福祉的ケアを欠いたときには、保護者が孤立するリスクが生じるので、重要な課題であることに変わりはない。訓練偏重の傾向を助長するリスクにも配慮したい。

子どももこの世に生を受けてまだ間もないが、親も親になってまだ間もないのである。一般的な子育てだけで大変なのに、それに加えて障害への対応が迫られる。その時期に孤立するということが大きなリスクであることは容易に想像ができよう。

● 孤立する赤ちゃん

「発見」されにくいのは、上記のような特徴的な疾患ではなく、主には行動・成長面での様子に気づかなければいけない場合である。知的発達に障害がある子どもや、軽度の発達障害とよばれる子どもたちがこれに該当する。

そういった傾向のある子どもたちの乳児期に最も心配されるのが親子関

Web動画

補足

発達を学ぶ

作業療法以外でも発達については多くの重要な研究・成果がある。次に紹介するような先人の知識はぜひ機会を見つけて学習しておくべきであろう。著書は1例として挙げる。

- J. Piaget（ピアジェ）：著書も他者による紹介の文献も数多くある。
- H. Wallon（ワロン）：浜田寿美男 訳編：ワロン／身体・自我・社会、ミネルヴァ書房、1983．
- E. H. Erikson（エリクソン）：幼児期と社会1/2、みすず書房、1977．
- L. S. Vygotsky（ヴィゴツキー）：思考と言語、新読書社、2001．
- A. R. Luria（ルリア）：言語と意識、金子書房、1982．
- 田中昌人・田中杉恵：子どもの発達と診断1～5、大月書店、1981～1988．
- 宇佐川 浩：感覚と運動の高次化からみた子ども理解、学苑社、2007．

治療的アプローチ：発達の各領域に対するアプローチ

係である。大きくなった子どもの保護者に幼少期を振り返ってもらうと、「あまり泣かなかった」、「おとなしかった」という傾向と、「いつも泣いていた」、「かんしゃくがひどくて大変だった」という傾向とがある。泣きが強い傾向のある子どもの場合、感覚統合障害、なかでも感覚調整障害を抱えている可能性があるので、その側面からの評価と対応が必要である。静かな傾向がある子どもの場合は、親が手をかけなくても済んでしまうことがリスクとなる。

　定型発達の赤ちゃんたちは、泣いたりぐずったりと、親が手をかけなければいけないような状況を自分たちでつくり出す。意図しているかどうかは別にして、少なくとも現象としては、忙しい親の手を引き出す手段をもっている(図2)。その結果として、まずは信頼できる保護者との濃密な関係を構築していくことができるのである。逆に静かな赤ちゃんは、その機会が失われやすい。それがリスクになることがある。まだ「親業」の経験が浅い保護者は、子育てをしながらの日常生活だけで苦労をしている。すべきことは山のようにあるわけで、どうしてもそちらが優先されてしまう。ただし、誤解しないでいただきたいのは、保護者が面倒をみないから障害を抱える、という意味ではまったくない。発達の弱さを補う環境になりにくい、ということである。

　泣き、ぐずりが強い赤ちゃんも、たいていの保護者はその理由を探りあぐね、途方に暮れてしまうことが多い。泣かないで過ごすことが親子共々の目標になってしまい、チャレンジングな環境になりにくい。つまり、赤ちゃんにとっては、新奇な遊びなどにチャレンジする機会が減ってしまうという意味で、環境から孤立するリスクをもっている。

> **アクティブラーニング ①** 泣きが強い傾向の子どもと静かな傾向の子どもの、それぞれに生じる問題点を整理してみよう。

図2　親を呼ぶ赤ちゃん、孤立する赤ちゃん

- ●遊ぶ：その当たり前すぎる作業の遂行

　乳児期の赤ちゃんだけでなく，子どもにとって最も重要な作業の1つは「遊び」である（**図3**）。知的発達に障害がある場合，この遊びという作業を十分に遂行できないリスクがある。主体的に環境を探索し，自分の力で遊びを組み立てることが苦手になりがちである。なかには筋緊張が低いことで，積極的に動くよりは床の上で過ごすことを選んでしまうこともある。そうして，乳児期のこの時期に与えられた環境のなかで，与えられた範囲でしか行動ができなくなり，より遊びが狭められてしまう。子ども本人がもつ特性と環境との間で生じる相互作用を理解することが重要になる。肯定的な相互作用と否定的な相互作用があることも知っておく。

　障害の種類によっては，「発見」が遅れやすい時期であったり，医療的ケアなど最優先事項を抱えている時期であったりして，後回しになりがちであるが，だからこそ作業療法士が彼らに適切な「作業」を提供し，十分な作業遂行，つまり充実した遊びを保障する必要があるだろう。そのときには，**保護者の子育て・生活内容など，大人の作業の評価も含めて検討する必要がある**ことはいうまでもない。

> **アクティブラーニング②** 知的障害がある場合の遊びは，どのようになるだろうか。考えてみよう。

図3 乳児期の遊ぶ子ども

遊びに熱中する子ども

幼児期

- ●遊ぶことの保障

　一般的にこの時期は，遊びが広がり，体が成長して自由に動くことができてくるので，他の子どもたちと交流する機会が自然と多くなる。乳児期から交流が増えている子も多いが，大部分の子どもたちがこの時期までに集団生活を経験することになる。この時期になると，いわゆる「問題行動」が顕在化してくることがある。いたずらでは済まされない室内探索，叩く・噛む，集団からの逸脱，パニック，などである。年齢的に起きている問題もあり，さまざまな悩みを保護者は抱えやすい。

　大人の視点では「問題」ととらえられるさまざまなことが起こる時期であるが，子どもの目線に下り活動を見直して，乳児期同様に，子どもたちの

作業である遊びが十分に保障されているかを確認したい。特に感覚統合上の課題をもっている子どもや，低緊張などによる運動の幼さを抱えていると，運動体験が制限されてしまうことがある。子ども本人のもつ特性と環境との相互作用を踏まえた適切な作業の提供と，保護者に子どもの遊び支援のポイントをアドバイスすることが重要になる。

● いわゆる問題行動への理解

「問題行動」とは，誰にとっての「問題」なのだろうか。その行動を行っている子ども自身，「これは問題だ」と思っているかと問えば，おそらく「No」であろう。そう，**いわゆる問題行動の「問題」という視点は，大人から見たときのとらえ方なのである**。子どもの視点に立ったときは，いずれもなんらかの意味をもった行動であることが大部分である。しかし，それが大人や社会の都合からすると，困った「問題」となってしまうのである。「だれ」が問題にしているのか，という観点である。

また，「なぜ」それを問題としているのかも，重要である。同じ行動でも，人によって，その行動をどうとらえているのか，どう解消したいと思っているのかは異なるからである。<u>図4</u>を例にすれば，「掃除をするのが大変だから」問題だと思っているのか，「水浸しにすると，下の階からクレームが来るから」問題だと思っているのか，「服が濡れてしまうと風邪を引くかもしれないから」問題だと思っているのか，などが考えられる。

このいってみれば当たり前の視点を，行動の分析の当初からしっかり念頭に置いておくことがとても大切である。子どもの行動を作業としてとらえて，その本人の作業を尊重するというのが，作業療法の姿勢である。ただし，これは大人の都合や社会のルールは関係ない，子どものことだけ考えればよい，という意味ではない。子どもの都合（やりたいこと，楽しいこと，困っていること）はそれで把握し，大人の都合はそれで把握し，社会ルールはそれで把握し，それぞれをすべて土俵に乗せてから検討をしよう，という意味である。

図4 問題行動は「だれが？」「なぜ？」問題と感じるか，が「問題」である

こういった視点で検討を行うと，いわゆる問題行動だとして子どもに全責任を負わせなくて済むことにもなる。もしかしたら，困っていることの解消には大人が変わればよい，ということがあるかもしれない。環境調整である。そのためにも，なぜその行動が起きているのか，先に紹介した評価を行い，分析・理解することが不可欠である。

> **アクティブラーニング❸** 大人にとって問題だと思えることでも，幼児期の子どもにとっては何か意味のある遊びはあるだろうか。いくつか挙げてみよう。

● 集団適応

　先に触れたように，この時期までには大部分の子どもたちが集団生活を経験する。障害や医療的ケアといった理由によって，集団への参加が制限されていないか，確認すべきである。たとえ何かあったとしても，子どもとして当たり前の経験を積めるようにすることが必要である。地域の幼稚園や保育園，または療育機関などで，同じメンバーで過ごす生活体験を保障する必要がある。遊びやADL，集団活動などの作業を共有し，かつ作業を通じて交流するという，当然の経験が蓄積されるべきである。

　集団生活を開始した後は，どのような段階を経て集団適応していくかが次の課題となる。集団生活ではある程度の一斉の活動が多くなってくるので，どうしてもマイペースな子どもの場合，参加が難しくいわゆる問題として取り上げられることが多くなる。

　対応の前に考えることは，集団生活の経験が浅いために起こっているのか，発達に課題があるために起こっているのかの見極め，集団と環境の影響の検討，さらに対応としては集団経験の蓄積でよいのか，個別の支援が必要なのかの見極めが必要である。

● 日常生活活動の獲得

　幼児期は日常の生活活動の獲得がさらに進む時期である。保護者は，同年齢の子どもたちの様子を見て比較することで，できないことに気づき，焦りをもつことが少なくない。そうして，懸命(けんめい)な練習で習得を目指す傾向がみられることがある。

　日常生活活動の獲得のための取り組みについては後述するが（p.186参照），この時期だからこそ考えてほしいことがある。定型発達の子どもたちは着替えができるようになると，とても誇(ほこ)らしげな顔をする。大人が手助けすると，強く強く怒り出すほどである。自分のことが自分でまかなえるということは，子どもたちに大きな自信と自己有能感をもたせるようである。それまで着替えは，大人がすべて介助することが当たり前であった。着替えという作業は，大人が行うもので，子どもは受け身になる作業であった。それが，自分が主体となることができるのである。自分自身に最も身近なもので，結果が視覚的にわかりやすく，これまで大人の役割で

治療的アプローチ：発達の各領域に対するアプローチ

あったものを自分の役割に代えることができる，複層的な意味が着替えには含まれている。だからこそ，子どもにこれだけ大きな自己有能感をもたせるのであろう。まさに作業の力といえる。何らかの理由があり，着替えが自分の力でできなかったとしたら，自信・自己有能感を育むことが阻害される可能性が高いことが理解できるだろう。

　従って，作業療法士は知的発達に障害がある子どもたちへの技能の獲得という視点だけでなく，自己有能感が得られる重要な作業を経験するという視点でも，日常生活活動の獲得に向けた取り組み方を検討したい（図5）。単に機能への支援だけでなく，作業遂行への支援として考えてほしい。

アクティブラーニング ④ 自分が自己有能感を感じられるのは，どのようなときだろうか。

図5　「自分のことは自分で」が育てる自己有能感

■ 学童期
● 学校生活

　学童期の大きなイベントは，なんといってもまずは就学である。就学相談については紙面の都合でここで述べることはできないが，作業療法士としても考えておかなければならない問題である。

　就学および学校生活において知っておくべきことは，学校という場は学習することが中心であるということである。学校は就学前とは異なり，集団での規律をより学習し，教科学習をはじめとするさまざまな学習が授業という形で行われる場である。就学前には，学習は遊びという活動のなかで行われることが中心であった。それが学童期になると，集団参加への規律はより明確になり，一斉行動が求められることが多くなる。ただし同じ学校であっても，地域の小学校と特別支援学級（固定学級）と特別支援学校ではその様子が少しずつ変わってくる（図6）。

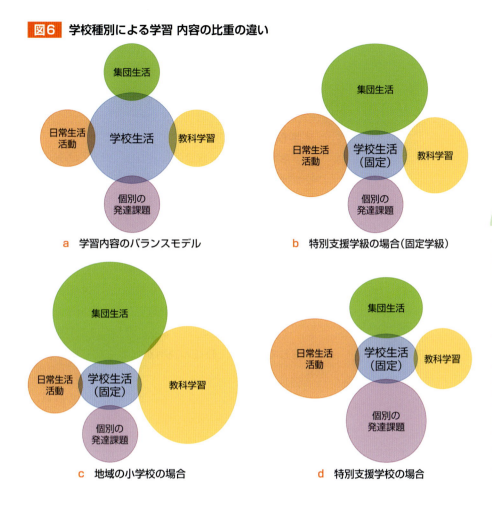

図6 学校種別による学習内容の比重の違い

a 学習内容のバランスモデル
b 特別支援学級の場合（固定学級）
c 地域の小学校の場合
d 特別支援学校の場合

　図6をご覧いただきたい。学校で学習できることを大まかに4つの領域に分けて示している。さらに地域の小学校と特別支援学級，特別支援学校ではそれぞれどの程度の割合で学習ができるかをイメージしたものである。もちろん個々の学校で異なるし，担任の教員の運営によっても変わってくるし，子ども自身がもつ発達特性によっても変わってくるので，絶対的なものではないが，イメージとして示したものである。

　作業療法士が，学校生活での対応を検討していくときには，このようなイメージをもっておくことが必要であると考えている。このイメージを基本形にして，「この地域の小学校では個別課題への対応も可能」，「特別支援学校でも教科学習の充実が他の学校よりも図られている」など，学校ごとの特色を把握して，その子を取り巻く環境として押さえておくことが大切だからである。このイメージをもっておかないと，とかく作業療法士は一人一人の子どもを丁寧に見る傾向があるので，その視点で学校の教員に依頼してしまうことになる。地域の学校の担任では，個別の理解はしてもらえても，やみくもな個別対応の要求には困ってしまうであろう。逆に保護者が，そのような希望をもったときには，「その願いは，学校では実現

が難しい」と伝え，どのような場で実現ができるのか一緒に考えていく必要があるかもしれない。

就学にあたって，このような考え方をもって，子どもの発達課題と願い，保護者の願いを組み合わせて検討していくことが必要だろう。

● 学校生活の支援

学童期の子どもで課題になるのは，学習への対応である。特に地域の学校では，一斉指示で授業が行われ，板書はあるが日常生活を含めて多くは言葉での説明が中心となり，自発的な行動だけでなく集団での行動も求められる。知的障害があったり，感覚統合上の課題を抱えていたり，情報処理の困難さを抱えていたりすると，これらは難しい環境であるといえる。

例えば，地域の小学校での実践例として，言葉だけでは活動がイメージしにくいケースを挙げる。一斉指示では次の時間の準備ができず，授業が始まると前の時間の片づけが始まり教科書が用意できるまでの時間が必要で，その間授業は進んでしまう。自分だけ取り残されることでさらに焦りを感じてしまい，教員の説明がわからなくなるという悪循環を呈していた。

そこで，図7のようなグッズを用意し担任の教員に使ってもらった。休み時間に入る前に説明をしながら，これを黒板に出してもらうことで対応した。

学童期の作業は遊びから教科学習に大きくシフトする。だからこそ，このように本人の発達特性に応じて学習しやすい方法を把握し，それに応じた取り組みを提案したり，実践したりすることが学童期の作業療法では重要なことであると考えている。また，本人がもっている発達特性・発達課題を評価し把握しておくことはもちろんであるが，その課題は改善が必要なのか，図7のグッズのような支援を用いて代償的に生活を送るのか，改善が必要であれば，学校で行うのか，家庭で行うのか，療育センターで行

図7 地域の小学校に提案したグッズの例

うのか，またこの時期であれば塾や家庭教師の活用ということも視野に入れ，その他の機関で行うのか，といった判断が求められる。その他の機関としては，ほかにボーイ/ガールスカウト，各種運動クラブ，理科実験教室，料理教室，など地域にはさまざまな活動がある。

■ 青年期

● 青年期の生活の場

文部科学省の調査[4]によると，令和2年3月の中学校卒業者数は108万7千人で，そのうち高等学校など(高等学校・中等教育学校後期課程・特別支援学校高等部の本科・別科および高等専門学校，専修学校)への進学率(通信制課程を含む)は99.0%で過去最高になり，就職率は0.2%であった。残り約0.8%がどういう生活をしているのかまでの調査報告は掲載されていないが，このなかに引きこもりのケースやなんらかの障害を抱えているケースがあるかもしれない。そういった意味では，この数字の向こう側にいる一人一人のケースへの接近が必要になるが，ここではこれ以上触れることはできない。

この数値を参考にすると，青年期の最初の時期は，大部分のケースはまだ学校生活を送っているといえるだろう。また，学校生活を終えた後は高等教育へ進学の道を選択するケースと就労を含めた地域での生活へと移行していくケースとがある。就労を含めた成人期の地域での生活については非常に多岐にわたるし，さまざまな課題が生じてくることもあり，ここで扱うことはできない。

青年期前期の，高校生/高等部の時期に作業療法士が関わりをもつことができる機会は，現状では多くはない。肢体不自由がある場合には，病院や訪問などでのリハビリテーションが幼少期から継続されている場合があるだろう。知的障害のみの場合は，学校に在籍している間は放課後等デイサービスにおいて関わりをもてるかもしれない。病院でのリハビリテーションを受けられるかどうかは，地域差があったり，幼少期に対して頻度が少なくなっていることがあるためである。

● 作業学習や就労に向けて

特別支援学校高等部では，作業学習(p.184補足参照)が本格的に始まり，就労に向けた取り組みが行われている。作業療法士が行う教科学習や日常生活面への対応はこれまでみてきた乳児期・幼児期・学童期と同様に作業分析に基づく本人の発達特性を把握することが出発点になり，課題となる作業行動を分析し，対策を検討することである。作業学習になって，もしくは就労を見据えて変わってくる点は，その活動に対して要求される水準が明確になり，一律であるということである。ある一定の水準にある品物を仕上げることや，作業効率が求められる，という意味である。

> **補足**
> 近年，高等学校年齢の生徒に対する教育の場は，多岐にわたっている。東京都では，都立高校のなかでも選択肢が多様になっていたり，特別支援学校のなかでも企業就労100%を目指す学校が複数設置されたりしている。それぞれの地域にどのようなリソースがあるのか，ぜひ把握しておいてほしい。

作業学習に介入できるときには，基本的な分析・評価・把握のほかに，その活動で求められる製品の仕上がり具合，作業効率と，その施設で許容される幅を把握する必要がある。「許容される幅」とは，例えばタイル製品を作製しているとして，出荷する製品としては枠の中に正確に収めなくてはいけないが，生徒の活動後，教員の微調整が可能な場合，実際の作業活動時にはそれほど厳密にしなくても大丈夫，ということになり，要求水準に対して許容される部分ができてくる。「許容される幅」とはその部分のことを指している。

　発達特性を把握し，その施設における作業活動での要求水準がわかれば，対策を立てていくことができる。ここでも，本人の発達課題の改善に取り組むのか，発達特性をおさえて代償する方法などを検討するのか，ということになる。

> **アクティブラーニング ⑤** 学童期と就労における作業の違いを整理しよう。

> **補足**
> 作業学習は，「作業活動を学習活動の中心にしながら，児童生徒の働く意欲を培い，将来の職業生活や社会自立に必要な事柄を総合的に学習するもの」[4]とされている。
> 具体的に行われている活動としては，「農耕，園芸，紙工，木工，縫製，織物，金工，窯業，セメント加工，印刷，調理，食品加工，クリーニングなどのほか，販売，清掃，接客など」がある。学校により特色があり，伝統的に取り組んでいるものもあるので，その学校ごとの活動を知るとよいだろう。

● 思春期への対応

　青年前期から思春期にさしかかり，第二次性徴もみられる時期である。この時期から青年期にかけて性の問題にどう取り組むのかは大きな課題であるが，残念ながら筆者はその実践経験がないために，ここで詳細を述べることはできない。特別支援学校高等部や一般の高等学校においては多くの教育実践がなされている。作業療法士だけで考えることはできないと思われ，これら他領域の実践を参考にしながら，協働して取り組めるとよいと思われる。

● 主体性の育ち

　学校教育卒業後のことを念頭に最も大切に考えたいことは「主体性の育ち」である。先に紹介した作業学習や就労という範囲のなかでは，どうしても指示されたことを正確に遂行できる，という力が求められる。また，学童期からの生活のなかでも，集団への適応が求められ，一斉の指示にいかに従えるかという観点で成長が確認されるという側面がある。これらの生活のなかで懸念されることが，大人からの指示があれば動くことができるが，指示がないと自分から考えて動くことが難しいという指示待ちの姿である。

　対応としては，さまざまな活動場面において，「大人からの指示をいかに守るか/守らせるか」というルール遵守の観点のほかに，**「いかに自分で判断してもらうか」**という観点を忘れないようにしたい。「判断する/考える/選択する」機会を確実に提供していく。環境調整も，そのために整備をしたい。意思決定支援という観点が重要になってくる。

■ **適応行動を促すための環境調整**
● **理解のための手立て**

　知的障害のある人に，場面ごとに適切な行動を促すためには，最も支援が必要な部分として「理解する」ことに焦点を当てて，環境調整を行いたい。そのためにも，まずはどのように本人が理解しているのか，丁寧なアセスメントを行ってほしい。発達検査や知能検査の結果も参考になるが，生活の中で行動観察をすることで得られる情報も重要になる。つまり，環境の中のどのような情報が，本人がさまざまなことを理解するときのヒントになっているのか，その理解の情報源を把握したい。視覚情報なのか，聴覚情報なのか。視覚情報であれば，文字・イラスト・他者の先行するモデルなのか。聴覚情報であれば，音・言葉の意味・音楽なのか。日々繰り返すルーティンとしての理解ということもある。動きで理解するともいう。

　一般的なコミュニケーション環境では，言葉を使ったやりとりが行われている。次に行うこと，その活動の説明，何を考えればよいか，会話における選択肢など，基本的には言葉が中心である。そうなると言葉の理解が不十分な場合，適切に考えることができなくなってしまう。

　そこで，発達支援の現場などでよく使われるのが，絵カード（図8）や写真カード，スケジュールボード（図9）である。これらのツールを使いながら，「次，3番目の活動なんだけど，これとこれ（絵カードで示す）のどっちにしようか？」と提案する。そうすると，本人が主体的に考えて選択するための機会を用意することができる。

| 図8 | 絵カードの一例 |

Web上からイラストをダウンロードすることができる。iPhone（アップル社の商品）で使えるアプリも開発されていて，積極的な開発と提供を行っているプロジェクトである。
（Droplet Project:http://droplet.ddo.jp/:Dropletより許可を得て掲載）

| 図9 | スケジュールボードの一例 |

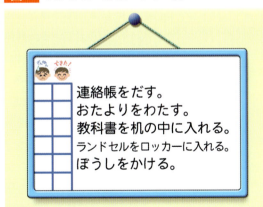

これは，文字を使って作成したボードであるが，上記の絵カードや写真カードを組み合わせてボードをつくることもできる。

治療的アプローチ：発達の各領域に対するアプローチ

いろいろな生活場面，学習場面，作業学習場面，就労につながるような場面，そのいずれの場面においても，このように本人がわかるための手立てになると理解して判断し，考えるための手立てを作業工程に組み込んでいくことは，作業療法士の仕事になるだろう。

● 本人が理解し，行動するために

上記のコミュニケーションツールは物理的環境の調整であるが，同時に人的環境の調整も重要である。それは，これらのツールの使い方である。関わる人たちが，このツールを単に本人に言うことを聞かせるためだけに使うのではなく，双方向のやりとりを伴うコミュニケーションツールとして使うことで，その効果は大きく異なってくる。そのためにも，前述した理解のための情報源を把握し，そのうえで関わる人たちが，どのような場面で，何の支援のために，どのような使い方をするのかを確認し，共有しておくことが必要だろう。

● 子育ての支援

p.175に紹介したように，わかりにくい，発見しにくい障害であるがゆえに，保護者は孤立してしまうリスクを抱えている。また，障害への対応が最優先されてしまい，一般的な子育て支援を受けにくくなってしまうリスクも抱えているといえる。障害受容[*2]の問題も，大きなテーマであることはいうまでもない。

作業療法士の観点で考えると，一般的な子育てに関する一つ一つの具体的なエピソードを保護者が経験できるように支援していくことによって，具体的な結果を残すことになり，その結果を保護者自身が紡いでいくことによって，親としての存在を成り立たせていくことができるのではないかと考えている。具体的なエピソードとは，例えば，公園デビューや，近所への散歩，買い物，七五三の写真撮影，入園式・卒園式，誕生日パーティ，クリスマスプレゼントを用意する，など日常では当たり前の"作業"である。子を思う親の具体的なアクションとしての場面である。

感覚調整障害があったり，偏食があったり，見通しが立たなかったりすると，これら一つ一つのエピソードが，パニックの連続になってしまったりする。そうならないように，作業療法士の観点から，子どもの発達特性を踏まえた経験の仕方を提案していき，子どもが楽しく参加でき，そのことを保護者も共有できる，そのような日常への支援が重要ではないかと考えている。

> *2 障害受容
> 保護者の心情に寄り添おうと思うときに障害受容という概念に出会うかもしれない。筆者は，複数の理由によって，障害受容という観点では保護者をみていない。詳細はここでは述べないが[6]，ぜひ各自で一度考えてほしい問題である。

■ セルフケアの援助

セルフケアは，通常の家庭生活や，保育園などでの生活の中で身につけることができている子どもたちもたくさんいる。しかし，身につけること

ができていなかったり，身につけるまでに苦労している場合，前述したように自己有能感の育ちについても懸念される。作業療法士としては，技能的側面に加えて，自己有能感も考慮しつつ，状態把握に努めたい。

セルフケアがまだ確立していない子どもをみると，年齢的に難しい場合を除いては，「運動的に（不器用で）難しい」，「要求されている内容の理解が難しい」，「行為自体を組み立てることが難しい」に大別することができる。

● 運動的に（不器用で）難しい

辛島[7]が指摘しているように，知的発達の障害のある子どもたちも，低緊張などの特徴をもつことが多く，バランスを維持することが難しいことがある。感覚統合上の課題があるときにはなおさらである。このことが影響しやすいのが，更衣，特にズボンや下着の着脱，靴の着脱，場面などである。また同時に排泄時の着脱にも影響する。

粗大運動のバランスか，身体図式の未熟さで，排泄後に紙で拭く動作が困難になることもある。粗大な運動だけでなく，手先の不器用さを抱えることも多い。ダウン症の子どもなどは形態的な影響があり，概して不器用になりがちである。スプーンや箸などの食具の扱い，ボタンの操作，ベルト，靴下，シャツをズボンの中に入れる，ときにはハンカチをポケットに入れる，などが難しくなることがある。

対応としては，運動機能の改善を目指すプログラムを組むか，現在の機能でも操作が可能なように調整を行うか（代償もしくは代用）である。後者の例としては，ボタンの穴を大きくしたり，箸の代わりにスプーンを使う，姿勢を保つための方法の工夫，などである。

● 要求されている内容の理解が難しい

シャツの裏表を正しく着る，靴の左右を正しく履く，靴下の方向を正しく履く，など着脱には動作だけではない理解の要素が伴う。もう少し広げると，気候にあわせて衣服を選択するということも含まれよう。食事場面では，いわゆる三角食べをすること，こぼさずに食べること，などもこのカテゴリーに属するかもしれない。

理解することが主な障害である知的発達なので，これらの課題を要求することが本人の発達課題として妥当なことかの判断が必要である。もし，本人にとって妥当な要求であるならば，何が要求されているのかを適切に理解してもらう必要がある。シャツの裏表を確認できるマークを付けたり，踵の位置がわかりやすい靴下を用意する，などである。

ただし，日々繰り返していると習慣的に学習できることもあるので，要求として難しいときでも，一つ一つの動きを大人がやってしまうのではなく，なるべくともに手を動かしながら確認できるようにするとよいだろう。

ときには着脱の理解そのものが難しいこともある。そのようなときは，

治療的アプローチ：発達の各領域に対するアプローチ

セルフケアの各行為を作業分析し，細かく活動を分解する。そして，その工程のどの部分はできて，どの部分はできないのか，という細かい評価が必要になる。その評価を元にして，どの部分を次のステップのねらいにするのか，という目標の設定が必要である（Case Studyを参照）。

Case Study

身近なエピソード

知的機能では重度の障害があるAくん。視覚にも重度の障害があり，光の明暗がわかる程度。ADLは全介助に近い。「靴を履くよ」と声をかけても動く様子がないが，足を大人が持ち上げ，靴の入り口に足が触れるようにすると（足部の体性感覚を活用して探索を可能にする），「足を押し込む」動きが少しみられるようになってきた。そこで，靴を履くときには，「足を押し込む」部分だけを目標として設定した。

靴を履く（片足）工程

足を上げる
↓
足を近づける
↓
足を入れる
↓
足を押し込む
↓
足の甲のベルトを留める

● **行為自体を組み立てることが難しい**

具体的には，「言えばできるのに，やらない」という場合である。感覚統合機能でいう行為機能の影響や行動調整の課題があるものと考えられる。この場合，目標としては「指示がなくてもできる」とすることが多いが，実際は指示をしないといつまでも始めないし，指示をすればできてしまうが実際は指示をしないようにしたい，というジレンマに陥ってしまう。

主体的に行動を開始し，行動を持続するための手立てが必要になる。感覚統合機能に由来する課題である場合については，感覚統合の項（p.70）を参照してほしい。「適応行動を促すための環境調整」（p.114）で紹介したようなスケジュールボードなどが，具体的な手立てとして考えられる。

セルフケアの援助を行ううえで最も重要なことは，「何歳でボタンができる」というようなマイルストーンを覚えることではなく，また「できる／できない」という量的な評価でもない。一人一人の取り組みの様子を丁寧に観察し，いかに行っているかの作業分析を行うことである。

補足

ときに，「カードなどを使っていると，いつまでも自分でできるようにならない」という声を聞くことがある。では，到達点は「カードを使わなくなる」ことなのだろうか。大きな目標は，本人が自立することである。カードがなく，曖昧なまま更衣を行い，他者からの指摘を受けるような生活を重ねることと，カードを見ながらではあるが，確実な更衣をし，他者の確認を必要としない生活を重ねること，どちらが自立した生活に近いだろうか。

また，われわれ自身，定型発達とよばれている人たちの生活のなかにも，実は確認のための手段が多く存在している。旅行に出る前に，持ち物リストをつくる人は多いのではないだろうか。または，バッグインバッグなどを用いて忘れ物を防いでいることもあるだろう。何も手段を使わないのではなく，ミスが生じないような手立てを講じること，それを学ぶことのほうが自立へは近道のような気がしている。
加えて，ライフステージの変化に応じて，支援ツールも変更していくことが必要である。大人になっても絵カードではなく，大人になったらスマートフォンやタブレットを活用する。これも重要な観点である。

■ 関連施設との連携

　関連機関との連携を考えていくときには，どんな支援がなぜ必要かを整理し，共有することである。ときに，療育センターや作業療法場面で行っていることを地域の幼稚園・保育園・学校に紹介し，紹介するだけならよいが，同じことを実践してほしいと求めてしまうことがある。地域の機関では担っている役割が違うために，困惑してしまうのは当然であろう。

　そこで，筆者は子どもの行動を3つの段階で整理したうえで，その段階に即した介入方法をまとめ，役割分担について説明する。

● 子どもの行動の整理

　まず，子どもの行動や話題にされる問題について，次のように整理したい。まず，子どもがとっているさまざまな「行動」がある。ある特定のエピソードであることもあれば，その子どもの行動上の特徴としてもとらえられる。その行動には，なんらかの「理由」が想定される。単に性格ということもあるかもしれないし，その人の物事の考え方・とらえ方の特徴（認知特性）からくるもの，障害特性からくるもの，などが考えられる。なんらかの理由があり行動をとる。行動をとった結果として，日常生活上の「参加」状態がみられる。

　以上のように，子どもの行動を「理由」，「行動」，「参加」という3つの段階に分けて整理することができる。この整理の仕方は国際生活機能分類（ICF）を参考にしている（図10）。

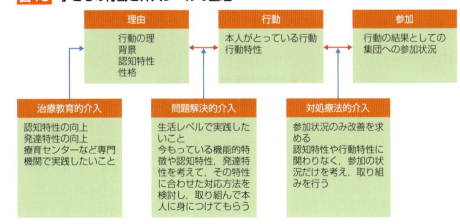

図10 子どもの行動と介入レベルの整理

● 介入レベルの整理

　前項で整理した3つの段階に即して，3つの介入のレベルを想定することができる。

①治療教育的介入：本人が行動の背景にもっている考え方や物事・環境のとらえ方の特徴，発達特性などのアセスメントを行い，その向上・改善

を目指して行われる介入。
②問題解決的介入：今もっている認知の特性・発達の特性は踏まえながら，その特性を活用して，その特性に応じて，生活上，生じるさまざまな問題点にどう対処するかを検討していくもの。
③対処療法的介入：行動の背景・理由の如何によらず，行動特性も考慮せずに，参加状況のみに対処する方法。

● 療育機関と地域機関との役割分担

このように子どもの行動と介入のレベルを整理したうえで，療育機関と幼稚園・保育園などの地域機関との役割分担について考える。

その子どもがもっている発達的特徴や考え方の特徴などを丁寧にアセスメントする必要があり，個別の対応が中心になる治療教育的介入は，主には療育機関で行われることが妥当であると考えられる。

発達特性・認知特性を活かして問題解決に取り組む問題解決的介入は，生活の場でこそ行われるべきで，主には地域機関で行われることが妥当であると考えられる。

ただし，療育機関で集団療育が行われる場合には，生活場面をある程度想定して介入を行うことが可能であり，問題解決的介入を行うこともできるだろう。介入のプランを立案し，実際に行ってみた成果を地域機関に提案することが可能なので，より具体的ですぐに使える情報を交換することができる。

対処療法的介入は，根拠なく行った場合は適切さを欠くことがすぐに想定されるが，子どもによって，状況によっては必要な場面が考えられる。既成事実を積み重ねてしまったほうが理解できたり，家族支援の観点から望ましいことがあるからである。

● 個別支援か集団支援か

関係機関との連携で気をつけたいのは，個別での「配慮」なのか，個別の「対応」なのかの違いである。一人一人発達特性は異なるわけで，これは障害の有無に関わりなく，個性ともいえる部分であり，その違いに応じた指導という観点では，指名する順番を変えたり，席を工夫したり，チームを工夫したり，一般の教育・保育でも行われている。これが個別の配慮であり，集団を運営することと矛盾しない。一方，集団とは切り離して特別授業を組んだり，プログラムを提供したり，遊び場面をつくったりすることも支援としては行う。これは個別的に行う個別の対応である。

関係機関の先生方と話していてよく心配されるのが，「子どもの数に対して大人の数が限られているので個別での対応は難しい」，という声である。そのときには，必ずしもマンツーマンで対応を求めているのではなく，他の子と同じように個別の配慮をするときに，「このように配慮して

ほしい」と伝えることで安心されることがある。

　作業療法士が，関係機関の先生と話をするときに，自分が求めていることが**個別の配慮なのか，個別の対応なのかは**，よく吟味すべきである。子どもによっては，個別での対応が必要なことが当然あるので，その場合，関係機関の先生方が納得できるような理由の説明が必要である。

Case Study

筆者が幼稚園・保育園の巡回相談のなかで出会った子どもを例に，行動と介入レベルの整理について具体例を示す。なお，次に示す症例は，理解しやすいように，実際にあったケースを元に架空の設定となっている。

● 運動会に参加できない女の子

① 子どもの紹介：幼稚園に通う年中児の女の子。ダウン症の診断がついている。
② 具体的なエピソード：運動会の練習が始まっているが，集団に入ることができず，1人でウロウロすることが続いている。先生が近づくと逃げるが，完全にいなくなってしまうわけではなく，自分からは近づいてくることもある。「ア・オ」などの音や「アイ」と返事をすることはできるが，やりとりは難しい。日常的な行動については，言葉だけの指示でも行うことができる。
③ 行動の整理：見られている「行動」としては，集団に近寄らない，逃げる，ときどき近づく，である。その結果との「参加」状況としては練習に参加できない，である。これらの行動をとっている「理由」としては，行動観察の結果から次のように考えられた。繰り返し行っていると必要な行動が理解できるが，初めての指示・行動を理解することが難しい。言葉での理解も難しいが，文字で示しても，十分に理解ができないようである。
④ 介入の整理：この場合，対処療法的介入として考えられるのは，有無を言わさずに連れてきて練習に参加させる，であるが，その介入が得策であるとは考えられなかったので，園の先生も，筆者も選択しなかった。

- 治療教育的介入としては，まず言葉の理解や視覚情報の理解について，正確なアセスメントを行いたい。何が得意で，どんな情報なら理解しやすいのかを把握するためである。その結果を基に理解力を高めるプログラムを行うことが，このレベルでの介入となっていく。より具体的には，視覚認知の弁別課題などが選択されるかもしれない。
- 問題解決的介入としては，詳細なアセスメントではなかったが，少なくとも言語での理解は十分ではなく，文字の理解は難しいことが推察されていた。また，初めての指示・行動の理解は難しいということもわかった。ここから，本人の認知の特徴からは情報を十分に得ることができず，指示内容が理解されていないということが，ここでみられた行動を説明すると考えられた。そこで「練習の流れをカード式にして示す」，「当日のシナリオを文字ではなく，写真や絵カードを駆使したビジュアル版にする」，「先生や友達の配置図を作成する」といったことを提案した。

⑤ ケースのまとめ：ここで具体的に症例に対して提案している介入方法は，いずれも療育場面においてはオーソドックスなものであろう。目新しくはない。しかし，これらをどのような構造のなかでとらえ，理解し，役割分担するのかが重要である，と考えている。

【参考文献】
1) アメリカ精神遅滞学会（AAMR）編：精神遅滞．第9版，学苑社，1999．
2) R.P.Erhardt：手の発達機能障害，医歯薬出版，1988．
3) Exner：操作スキル，p52：Jane Case-Smith, Char-lene Pehoski 編著：ハンドスキル，45-61，協同医書出版社，1997．
4) 文部科学省：令和2年度学校基本調査卒業後の状況調査 中学校．
5) 文部科学省：特別支援学校学習指導要領解説　総則等編（幼稚部・小学部・中学部），253，2009．
6) 小西紀一，小松則登，酒井康年 編：子どもの能力から考える発達障害領域の作業療法アプローチ，p.68，メジカルビュー社，2012．
7) 辛島千恵子：発達障害をもつ子どもと成人．家族のためのADL，三輪書店，2008．

✓チェックテスト

Q ①知的障害のある方の行動・活動を分析する際の要素として何が挙げられるか（☞p.172, 173）。 臨床

②乳児期のアプローチで大切なこととして何が挙げられるか（☞p.175～177）。 臨床
③幼児期のアプローチで大切なこととして何が挙げられるか（☞p.177～180）。 臨床
④学童期のアプローチで大切なこととして何が挙げられるか（☞p.180～183）。 臨床
⑤青年期のアプローチで大切なこととして何が挙げられるか（☞p.183, 184）。 臨床

治療的アプローチ：発達の各領域に対するアプローチ

治療的アプローチ：発達の各領域に対するアプローチ

4 摂食嚥下障害に対する作業療法

神作一実

> **Outline**
> - 食べることはさまざまな発達検査からも，最も早い時期に獲得されるセルフケアの一つであるといわれている。発達期において，セルフケアの自立は重要な発達課題である。
> - ここでは，摂食嚥下機能の発達とその評価の基本について説明をする。

1 発達領域の作業療法と摂食嚥下

発達障害領域の作業療法において，さまざまな発達支援や問題解決を行っていく。そのなかでも，食べる機能については，毎日繰り返される活動であるばかりでなく，誤嚥や窒息などの生命に関わる機能である。また，保護者にとって子どもの食事は大きな関心事項であり，作業療法士は早期に問題解決に取り組む必要がある。

摂食嚥下リハビリテーションは学際的な領域といわれており，超職種型（transdisciplinary team model）であることが望まれている[1]。

2007年7月，厚生労働省通達により，医療保険，介護保険において摂食機能療法を算定できる職種として作業療法士が明記された。作業療法士は，摂食嚥下リハビリテーションのチームのなかで役割を果たしていくことが期待されており，卒前教育のなかで知識および技術を学ぶ必要がある。

■ 食べるということの意味（表1）

食べるということは，ただ単に生命維持のために栄養を取り込むことではない。人間にとって食事は，社会的行動の一部である。そのため，食べる機能が制限されることはICFの参加を制限することにつながる。栄養摂取は経管栄養などで代償することができるが，「一緒に食べて楽しい時間を共有する」ことは摂食嚥下機能に大きく依存しているということができる。そのため，作業療法士は単に摂食嚥下機能に注目するだけではなく，食べることの意味を十分理解したうえで摂食嚥下リハビリテーションに取り組む必要がある。

■ 摂食5期[2]

摂食嚥下の一連の運動は，その特徴的な動態から5つの期に分類されている（表2）。認知期には食物を認知するとともに，手によって食物を口に運ぶプロセスである。準備期（咀嚼期）は，捕食，処理，食塊形成のプロセ

表1 食べるということの意味
- 生命維持に必要な栄養の摂取
- 根源的な快
- 食味の楽しみ
- 構音器官の協調運動
- 共感の場面
- 人との接点の場として

表2 摂食5期

	認知期	準備期(咀嚼期)	(嚥下)口腔期	咽頭期	食道期
		随意運動相		反射相	
各期の運動	食物を見る，食物に触れる，香りを嗅ぐなど	認知期の情報を利用して ①口唇での捕食 ②舌尖と横口蓋ヒダとの間での押しつぶし ③咀嚼を行う。 その後 ④食塊形成を行う	①舌尖を横口蓋ヒダに固定する ②下顎を臼歯部が嚙み合った位置で固定する ③口唇を閉鎖する	①舌骨の挙上 ②口頭の挙上 ③喉頭蓋の反転 ④咽頭部の蠕動運動により食塊を食道入口部に移送する	①食道入口部の開大（輪状咽頭筋の弛緩） ②食道の蠕動運動
各期の機能	視覚・嗅覚・触覚・固有受容覚などからの食物の情報を得る	認知期の情報を利用して食物を処理する。その際，認知期の情報と実際に食物が口腔内に入った後に得られる情報を元に，効率よく食物を嚥下可能な形に粉砕し唾液と混和する。食物を嚥下するために食塊形成を行う	舌背部にある食塊を咽頭に送り出すためのスタートポイント	この間，一過性の呼吸抑制が起こる。誤嚥しないためのメカニズムが複数存在する。誤嚥せず，安全に食物を食道に移送するために一連の協調運動が必要となる	食塊の食道から胃への移送

(文献1, 4を基に加筆して作成)

スである。また，**嚥下の口腔期**は舌尖部が横口蓋ヒダに固定され，嚥下が開始される相である。この3つの期は随意運動相であり，意志によってコントロールすることが可能であり，運動学習が成立する期である。そのため，作業療法士は，この3期について積極的に介入する必要がある。

咽頭期および**食道期**は反射相であり，作業療法士が直接介入することは難しい。また，作業療法士が単独で介入することも難しく，医療連携にゆだねる部分である。

■ 発達期の摂食嚥下リハビリテーションの意味

摂食嚥下に関与する器官は構音に関与する器官でもある。摂食嚥下機能に問題を有している場合には，構音の明瞭度にも問題を有する。

哺乳は出生直後から，離乳食は生後6カ月ごろから開始され，定型発達ではおおむね1歳6カ月で完了する[3]。この間に，呼吸や摂食と構音の両方に共通の，口唇，舌，頬などの協調運動が発達してくる。

2 発達期の摂食嚥下機能評価について

摂食嚥下機能はさまざまな要因によって影響を受ける。そのため，幅広い項目に対し，評価を行う必要がある。ここでは，主に作業療法士が行う

必要のある項目について解説する。

表3は幅広い観察項目を網羅しており，作業療法士が観察を行ううえで非常に参考になると考えられる．

表3 摂食機能評価用紙

対象者名		評価日	年　　月　　日
生年月日　　年　　月　　日		年齢	歳
診断名・障害名：		評価者	

粗大運動発達	定頚・寝返り・座位保持・腹ばい移動・四つ這い移動・つかまり立ち・独歩	
前回の指導日	年　　　月	
事前ミーティングでの情報	自宅の食形態（　　　　相当）　食事の方法（介助食べ・自食・介助＋自食）	
食事時の姿勢		
自食時	食具：　　　　　　把持・操作方法：	
捕食	できない・ややできる・充分可	
処理	なし（丸飲み）・押しつぶし	
	不十分な咀嚼・十分な咀嚼	
	下顎　　　　口唇	
食塊形成	舌背/口腔内に残る　・　残らない	
嚥下	成人嚥下　・　乳児様嚥下	
咬み取り	できる　・　できない・機会なし	
一口量の妥当性	少ない　・　妥当　・　多い	
ペーシング	早い　・　妥当　・　遅い	
すくう量の調節	できる　・　できない	
液体摂取	上唇でのコントロール：	
	上肢でのコントロール：	
介助下	介助者の使用する食具：	
介助下での捕食	できない・ややできる・充分可	
処理	無し（丸飲み）・押しつぶし	
	不十分な咀嚼・十分な咀嚼	
	下顎　　　　口唇	
食塊形成	舌背/口腔内に残る　・　残らない	
嚥下	成人嚥下　・　乳児様嚥下	
咬み取り	できる　・　できない・機会無し	
介助者の入れる一口量	少ない　・　妥当　・　多い	
介助者のペース	早い　・　妥当　・　遅い	
介助者の入れる位置	捕食できる位置・前歯部・舌背	
液体摂取時の介助方法	口唇でのコントロールができる位置に入れているか：	
	下顎のコントロール：あり・なし	

その他

```
保護者からの情報
主訴：
食物形態：
食事方法：
```

```
センタースタッフ，保育園等からの情報
```

```
評価結果および考察
```

```
方針
【家庭】                          【group 保育園】
目的：                            目的：
食物形態：                        食物形態：
食事方法：                        食事方法：
```

（筆者作成）

治療的アプローチ：発達の各領域に対するアプローチ

■ 姿勢のコントロール

摂食嚥下機能は，姿勢コントロール機能に影響される。筋緊張やヘッドコントロール，座位保持能力などの評価を行う。

■ 呼吸状態

成人嚥下では，喉頭蓋の反転，声門閉鎖により，一時的な呼吸抑制[*1]が起こる。嚥下と呼吸の協調が保たれているかどうかの評価を行う。また，パルスオキシメーター[*2]を用いて経皮的動脈血酸素飽和度をモニターすることで，摂食嚥下による呼吸状態の影響を把握することができる。

＊1 呼吸抑制
正常嚥下パターンでは，食塊が咽頭を通過する際に喉頭蓋が反転，声帯の内転が生じ，一過性に呼吸が抑制される。

＊2 パルスオキシメーター
プローブのセンサーが経皮的に動脈血中の赤血球に含まれるヘモグロビンの何％が酸素と結合しているかを測定する。

■ 捕食機能（図1）

食物を口唇で取り込むことができるかどうかについて観察を行う。捕食により，食物は**舌尖**と**横口蓋ヒダ**の間に取り込まれる。食物の大きさ・硬さ・性状などの情報を得ることができるとともに，次に続く処理を効率よく行うことができる。そのため，スプーンのボール部分から力強く上唇を使って取り込めているかどうか観察を行う。

■ 処理機能

処理機能には舌での押しつぶしと咀嚼（そしゃく）が含まれる。

図1 捕食

● ①舌での押しつぶし(図2)[4]

　舌での押しつぶしは，マッシュ状または舌で押しつぶせる程度の硬さの食品であり，離乳食中期(補足 参照)に相当する食品の処理方法である。**舌での押しつぶしは，舌尖と横口蓋ヒダの間で食物を押しつぶし，唾液と混和するプロセス**をいう。捕食により食物が舌尖と横口蓋ヒダの間に入ることが，舌での押しつぶしのために重要である。そのため，捕食機能を確認するとともに，顎の安定が保たれ，舌尖が食物を押しつぶす様子を観察する。

● ②咀嚼(図3)[4]

　捕食によって舌尖部に乗った食品が，舌での押しつぶしでは処理ができないことが感覚情報により判断されると，舌尖は側方に移動し臼歯部に食物を移送する。
　咀嚼(そしゃく)の際の顎運動が単純な上下動か臼磨(きゅうま)運動かを観察する。同時に，咀嚼を行っている間に口唇を閉じているか，食物が臼歯部に保持されているかなども観察を行う。**咀嚼には，食塊形成のプロセスも含まれるが，いずれも口唇，舌，顎，軟口蓋などの協調性が必要である。**咀嚼中のムセの有無も観察を行う。

● ③食塊形成(図4)[1]

　咀嚼のプロセスにおいて，口の中に広がった食物の破片を唾液と混和

> **補足**
> 改定「離乳の基本」1995年では，離乳の進め方の目安の区分(離乳初期，中期，後期，完了期)が示されていた。2007年の「離乳・離乳の支援ガイド」では，なめらかにすりつぶした状態，舌でつぶせる硬さ，歯ぐきでつぶせる硬さ，歯ぐきで噛める硬さ，と表記が変更された。1995年の区分は現在でも一般的であるため，ここでは1995年の区分も表記する。

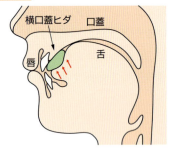

図2 舌での押しつぶし

舌での押しつぶしや咀嚼にとって，捕食によって食品が舌尖部に入ることが大切。
(文献4より改変引用)

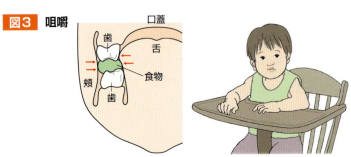

図3 咀嚼

食品は4点で支持される。そのため，頬，舌，下顎の協調性が必要。食物が臼歯部で粉砕されると，食物が入っている側の口角が引ける様子が観察される。
(文献4より改変引用)

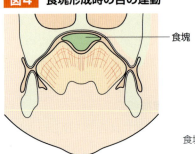

図4 食塊形成時の舌の運動

食塊形成は舌の巧緻性に依存している。
(文献1より改変引用)

補足

残渣
通常，食塊形成が十分に行われている場合には，嚥下後はほとんど食物の残渣は口腔内に残らない。しかし，嚥下後にもかかわらず，口腔内に粉砕した食品の一部が多量に残っていたり，残渣が口腔内に広がっている場合には，食塊形成が十分に行われていないことを示している。食塊形成不全により残渣が口腔内にあり，それを吸気とともに吸い込んでしまうことでムセが発生する。

＊3　乳児様嚥下
乳児嚥下は，哺乳時には上顎と下顎の間に舌が入り，吸啜運動による一体運動にて乳汁等の液体を乳首より摂取する。通常，離乳食が開始されると，口唇を閉鎖し舌尖を横口蓋ヒダに固定して舌の蠕動運動により食塊を咽頭に送り込む成人嚥下を獲得する。しかし，成人嚥下が獲得されていないにもかかわらず離乳食が進むことにより，乳児嚥下と同じ嚥下パターンで嚥下する様子が観察される。このような嚥下パターンを乳児様嚥下という。

＊4　逆嚥下
逆嚥下は，舌を前方に突出することで重力を利用し食物を咽頭に送り込む嚥下方法である。

し，食塊を形成する。食塊形成自体がなされているかどうかは観察することができないが，咀嚼と嚥下の間に下顎が安定する様子があるか，嚥下後の口腔内に残渣がないか，ムセの有無などで判断することが可能である。

■ 嚥下機能

嚥下時には臼歯部が噛み合った位置での**下顎の安定性**，**口唇閉鎖**，舌の突出の有無などを観察する。対象児の一部には**乳児様嚥下**＊3が残存していたり，**逆嚥下**＊4で嚥下している場合などがあり，摂食嚥下機能発達を妨げているばかりではなく，窒息事故などの危険があることから，十分な観察を行う必要がある。

■ 前歯での咬断（図5）

大きい食物が口元に運ばれてきたときに，一口量を咬み取れるかどうかを観察する。介助下での咬み取りができるかどうかは，手づかみ食べの導入ができるかどうかの判断に重要である。

■ 手と口の協調（図6）

●①自食の状況

食物を口唇中央部に運ぶことができるか，捕食できているか，指が口腔内に入らないか，自分で食物を口元に運んでも前歯での咬断ができているか，咬断した一口が妥当な量か，口の中が空になってから次の一口を口に運んでいるか，などの観察を行う（図6）。

●②食具食べの状況

食具食べは，スプーン，フォーク，箸など，食具を用いて，どのように食べているか観察を行う。観察のポイントは手づかみ食べと同様である。

図5　前歯での咬断

口唇・前歯と手の協調運動により，妥当な一口量を採り込む。

図6　手と口の協調

手と口の協調が不十分な段階では，指が歯列を超えて口腔内に入る様子が観察される。手と口の協調性の高まりに伴って，食品は口唇に受け渡されるようになり，食品を受け取った口唇が食品を口腔内に取り込むようになる。

3 その他の評価

■ 摂取している食物の形態

摂食嚥下機能の発達を促すためには，摂食嚥下機能と食物形態が一致している必要がある．摂食嚥下機能よりも食物形態が容易な場合はあまり問題が生じない．しかし，摂食嚥下機能では処理しきれない食物形態を摂取すると処理できないので，そのまま丸飲みが出現する，嚥下することができず長時間口の中に溜める，嚥下圧産出[*5]を代償するために乳児様嚥下が強く出現するなどの異常なパターンが出現するリスクが高まる．

食物形態は，ベースラインを現在の摂食嚥下機能の段階に設定し，練習用に次のステップのものを少量導入する．そのうえで観察を継続し，妥当な食物形態について検討を行うことが重要である．

> [*5] 嚥下圧産出
> 通常，嚥下は下顎が固定され舌尖が横口蓋ヒダに固定され，舌の蠕動運動により食塊が咽頭に送り込まれる．また，咽頭に送り込まれた食塊は咽頭の蠕動運動により食道入口部に達し食道の中に入っていく．食塊移動に必要な圧力は嚥下に関わる諸器官の協調運動によって産出される．

■ 頸部聴診法（図7）

作業療法士が実施できるものとしては，頸部聴診法がある．頸部聴診は生体に対する侵襲性がなく，食事場面でも必要に応じて実施することが可能である．画像診断以外の観察の難しい嚥下の状態が，聴診音によって観察可能である．

頸部聴診法は，喉頭軟骨の側面にチェストピースを当て嚥下前後の呼吸音と嚥下音を聴診する[5]．頸部聴診の判定を(**表4**)[5]に示す．

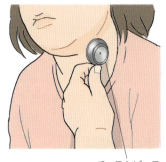

図7 頸部聴診
チェストピース

表4 頸部聴診による判定

	聴診結果	判定
嚥下音	・0.5秒以上の長い嚥下音 ・短い嚥下音 ・複数回の嚥下音	食塊の移送不全，咽頭収縮減弱，喉頭挙上不全，食道入口部弛緩不全の疑い
	・嚥下時の泡立ち音 ・ムセに伴う喀出音	誤嚥の疑い
呼吸音	・湿性音 ・嗽音（がいおん） ・液体振動音 ・喘鳴（ぜいめい）	誤嚥，喉頭侵入，下咽頭部の貯留の疑い

（文献5より引用）

■ その他（図8，9）

作業療法士は実施することができないものの，医師，歯科医師などが実施した**嚥下造影検査**（video fluoroscopy：VF），**嚥下内視鏡検査**（video endoscopy：VE）によって得られた画像から評価を実施する．これらは，嚥下を動画の状態で評価する方法であり，摂食嚥下リハビリテーションを実施する各職種が，嚥下動態に対して共通の認識をもつうえで重要な検査である．そのため，作業療法士も読影ができるだけの知識を有する必要がある．

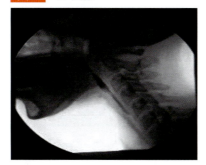
図8 VF画像

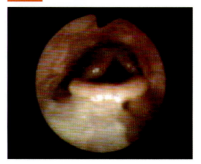
図9 VE画像

4 発達期の摂食嚥下障害とそのアプローチ

作業療法の一貫として摂食嚥下機能へのアプローチを行う場合は，単に口腔機能だけでなく，対象児の食事全体について総合的に問題解決をすることが必要である。

■ どの相の問題か

摂食5期のうち，どの期の問題か，評価結果から考察を行う。随意運動相の問題であれば介入が可能であるが，反射相の問題であれば，医師・歯科医師との連携が必要となる。

特に，認知期の問題，ペーシング[*6]の問題や，準備期の問題，姿勢コントロールや食物形態，食具の調整については，認知面や感覚運動機能へのアプローチが可能である作業療法士が積極的に取り組む必要がある。

> [*6] ペーシング
> 食物を口に運ぶペースのことを指す。通常は，嚥下が終了して口腔内が空になってから次の一口を運ぶ。次々に食物を口に運ぶ状態は，ペーシングに問題がある状態。

■ どのような問題か？

①認知期の問題：詰め込み食べ，丸飲み，ペーシングの問題などの認知期の問題が中心にある場合には，部分的に介助食べを導入し，適切な一口量のフィードバックを行う。また，一口量の決定に問題を有する場合，前歯での咬断ができないことがしばしば観察されるので，合わせて前歯での咬断の練習を行う。

②準備期の問題：捕食機能不全については，介助下で捕食機能へアプローチを行う。舌での押しつぶし不全に対しては，比較的水分の多いマッシュ状の食物など，容易に舌での押しつぶしが可能なものから開始し，少しずつ柔らかい形のある食物形態に移行する。このプロセスを通して，舌圧を高め，舌での押しつぶし機能を高める。咀嚼や食塊形成については，舌での押しつぶしで獲得した舌の巧緻性が基礎となっている。そのため，離乳食中期相当から簡単な後期食を利用して舌機能向上を図る。

■ 自食の条件を満たしているか

自食に必要な各機能の獲得は，獲得の順序性はあるものの，オーバー

ラップして発達する。

　自食を行うためには，口腔機能が十分発達し，咬み取りにより，一口量を決定できる必要がある。**一口量決定**のためには，前歯での咬断が不可欠であることから，介助下で前歯での咬断を行い，適切な一口量の感覚フィードバックを行う。

　介助下での**前歯での咬断**が可能となったら，手づかみ食べを積極的に導入する。嚥下した後に次の一口を口に運ぶなど，**ペーシング**について定着を図る（これらの条件が満たされる前に自食を積極的に勧めた場合には，詰め込み食べや丸飲みなどの誤学習の発生が危惧される）。その後，スプーンなどの食具の導入を始める。なお，箸については早期の導入よりも定型発達児においても5歳以降の導入が効率的であるとされている[6,7]。

■ 食物形態（図10）

　食物は摂食嚥下機能にとっては重要な環境である。対象児の処理機能や嚥下機能に合致した食物形態を摂取することが対象児の摂食機能発達の促進のためには不可欠である。そのため，口腔機能評価に加え，対象児が摂取している食物形態についても評価し，口腔機能に見合う食物形態を摂取するよう調整する。保護者に対しても，日々の食物形態の調整についてアドバイスを行う。

図10 食物形態

a　幼児食

b　初期食

c　中期食

d　後期食

■ 姿勢のコントロール

　獲得した摂食嚥下機能を十分発揮するために，食事時間中，体幹の安定性が得られる必要があり，姿勢のコントロールが可能となるよう，工夫が必要である。脳性麻痺などであれば座位保持装置など（図11）を導入し，

姿勢のコントロールを促す。また，明らかな肢体不自由がない場合であっても，足底が接地していることや，テーブルと体幹が接近していること，上肢操作に有効なテーブルの高さに調整するなど，安定した座位が保てるよう工夫する。

■ 食具について

介助食べでは，一口量に配慮するとともに，捕食機能を促すためにボール部の比較的浅いものを利用する。また，自食開始直後は，一口量の調整が難しいことを考慮し，ボール部が小さめのスプーンを利用する（図12）。自食の際のスプーン操作の状況によっては，ピストル型の柄をつけるなど工夫を行う（図13）。

図11　座位保持装置

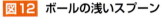

図12　ボールの浅いスプーン

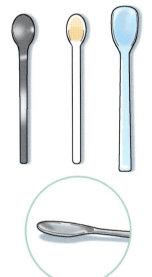

図13　柄に工夫を加えたスプーン

5　保護者に対する配慮

摂食嚥下リハビリテーションは，長期にわたる介入が必要である。直接の練習には，実際の食物を利用するため，その準備を保護者に依頼することが少なくない。

食事の準備は，家事の担い手にとって比較的負担が大きい。摂食嚥下リハビリテーションが順調に進んでいるときはともかく，食が細く一生懸命つくった食事をほとんど食べないことがしばしば起こる。また，摂食嚥下リハビリテーションは実施期間が長いため，モチベーションが維持できなくなることも多い。まして，プログラムが上手く進まない時期には保護者の負担感は相当大きくなるものと考えられる。

このような負担感の大きい状態で，「きちんとやる」ことや「毎日やる」に

治療的アプローチ：発達の各領域に対するアプローチ

とを保護者に要求することは，まったく意味がない．摂食嚥下リハビリテーションを行ううえで，表5に示すように，負担を軽減するよう配慮することが不可欠である．

摂食嚥下リハビリテーションの多くの部分を保護者が担うことを考え，保護者が無理なく実施可能なプログラムを立て，また保護者の負担感に共感しながらプログラムを進めていけるよう作業療法士は努力を続けていくことが重要である．

表5 保護者に対する配慮

精神的な側面	プログラムが上手く進まないときは，保護者の努力不足ではなく，プログラムの立て方がよくなかった作業療法士の責任であることを明確に伝える（具体的には「お母さんのせいじゃなく，私（作業療法士）のプログラムの立て方が悪いわけだから，プログラムの修正が必要なので上手くいかなかったら教えてくださいね」と伝える）．そのことにより，保護者は上手くいかなかった経過を隠すことなく作業療法士に伝えやすくなるとともに，実施可能な治療プログラムに修正することが可能となる
	親子どちらかの体調が悪かったり，忙しいときにはがんばらないように伝える（具体的には，「1日や2日実施できなくても，獲得した摂食嚥下機能は簡単に逆戻りしないので，安心して中断してください」と伝える）
	準備した食物が上手く食べられないときには，「失敗した」と考えず，「こういう形態は上手くいかないんだ」と情報を得たと考えてほしいと伝える．作業療法場面で，ぜひ上手くいかなかった食物形態についても教えてほしいと保護者に伝える
物理的な側面	離乳食初期，中期の食物を準備することは非常に手間がかかるので，簡単に手に入る市販品やたくさん作って冷凍する方法，便利な調理器具などを積極的に伝える
	若干形態の合わない物でも，2次調理である程度対応できることを伝え，現在の口腔機能であればどんな物が利用できるか具体的に伝える

補足

食べることはADLの重要な部分にもかかわらず，臨床場面で作業療法士が活躍できないのはなぜ？
- 作業療法士養成教育（卒前教育）のなかで十分な教育を受けていない．
- 摂食嚥下に関わる諸器官の解剖学・生理学・運動学への理解が不十分．
- 摂食機能発達のプロセスに関する知識が不十分．
- 食物形態や食事方法が摂食機能にどのような影響を及ぼすか，理解が不十分．

そのため，摂食嚥下に関わる諸器官のどのような感覚運動機能を促通すれば，摂食機能の発達を促すことができるのかがイメージできないという問題がしばしば発生する．今後，卒前教育の充実が望まれる．

補足

観察とアプローチのポイント

①成人嚥下ができているか

乳児様嚥下と成人嚥下の運動パターンがどのように異なっているのか、乳児様嚥下の遷延が発達上のどのような問題発生につながっているのかを理解し、成人嚥下の獲得を促す。

②捕食を促す

捕食は、咀嚼期やその後の嚥下機能を十分発揮するための基本的な機能である。十分な捕食が行われていれば、食品は必ず舌尖部に取り込まれる。食物が舌尖部に入ることで、次のプロセスである舌での押しつぶしや臼歯部への食物の移送（stage I transport）がスムースとなる。摂食嚥下リハビリテーションにおいて、初期の介助食べ時から自食に至るまで、継続的に捕食機能の状態を観察する必要がある。

③捕食ののち、舌での押しつぶしが十分行えているかを確認する

舌での押しつぶしは、舌の巧緻性の発達を促す重要な機能であることを理解する。

④咀嚼時、舌が食物を臼歯部に移送しているかどうかを観察する

咀嚼時、食物が臼歯部にある側は口角が引けることを手がかりに、対象児の咀嚼機能を評価する。

⑤食塊形成

嚥下後、口腔内残渣の有無を確認する。食塊形成は舌の機能によって行われていることから、捕食以降の一連の動作のどの部分に問題があるか評価する。

⑥食物形態と口腔機能

食物形態と口腔機能が一致しているかどうかの評価を行い、適正な食物形態に調整する。摂取している食物形態と口腔機能の不一致は、誤学習を助長するので、指導上最も注意しなければならない。

⑦口腔機能発達と手と口の協調発達

小児の摂食機能発達は、口腔機能発達が先行する。また、自食に必要な手と口の協調発達は、不十分な上肢の巧緻性を完成した口腔機能がカバーするかたちで進んでいく。作業療法士は、介助食べの際の口腔機能と自食時の口腔機能の差を評価し、問題の焦点化を図る必要がある。

治療的アプローチ：発達の各領域に対するアプローチ

摂食嚥下障害に対するアプローチ

摂食嚥下機能に関連した諸器官の構造と機能については、理解を深めることが必要である。イラストはVF（video fluoroscopy）の評価を行う際に必要なランドマークとなる部位でもある。

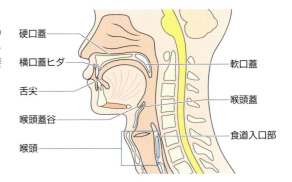

Case Study

2歳8カ月のダウン症候群児。現在，自食をしているが，次々に口の中に食べ物を運び，ほとんど咀嚼することなく飲み込んでいる。嚥下パターンは乳児様嚥下で，嚥下時に舌突出が認められる。

Question 1

どのような評価をする必要があるか？

☞ 解答 p.279

評価結果および問題点
介助下でピューレ状食品をセラピストが適切な量を捕食可能な位置に運んだ場合には，捕食が可能。また，成人嚥下が観察される。
すなわち，成人嚥下による嚥下が出現する条件は限られており，適切な一口量の食品が口に運ばれ，かつ，捕食により舌尖と横口蓋ヒダの間に取り込まれた場合に限定されている。現在は，口腔機能および上肢機能，手と口の協調いずれも未熟な状態にもかかわらず，自食が行われており，乳児様嚥下の遷延という誤学習が発生している。

Question 2

どのような目標を設定するか，考えてみよう。

☞ 解答 p.279

初期評価時の治療プログラム
①乳児様嚥下の出現頻度を少なくし，成人嚥下の頻度を高める。そのために，口腔機能発達のために介助食べを導入し，成人嚥下が出現する条件を整えたうえで食事を行う
②食物形態は，成人嚥下獲得のために適切なピューレ状の食品に切り替える。
③捕食機能を高める
④アクティブタッチ，手と口の協調性向上のために，おやつ場面などで手づかみ食べを行うことは禁止しない。ただし，この場合には赤ちゃんせんべいなど，手づかみができ，かつ口の中での処理が容易なものを用いる。

その他
上に挙げたプログラムをそのまま実行できることは非常にまれである。実際には，今まで自食していたので，自分で食べたがる様子がみられるのが一般的である。そのため，食物形態や食事方法を急激に変化させるのではなく，導入時は，おやつ場面でヨーグルト1つ分だけ上記のプログラムを実施する，慣れてきたら食事のなかの1品だけピューレ状の食品を用意して，下顎のコントロールをしながら成人嚥下を促すなど，少しずつプログラムを導入する必要がある。また，対象児が強く拒否をする方法は決してプログラムを継続できないので，保護者と綿密に連絡を取り合いながら，対象児の受け入れられる方法を検討することが重要である。

○補足

発達相談と作業療法
作業療法士は，子どもの発達像の評価と発達課題である遊び・セルフケアに対する知識をもつ。また，保護者に対しても，さまざまな角度から生活に根ざした支援が可能である。そのため，発達相談を行うメンバーとして，作業療法士が参加するよう要請を受けることがある。特に，食べることの悩みは，保護者にとって大きな悩みことになることが多い。そのため，作業療法士は，発達の全体の中で摂食嚥下機能の評価を行い，具体的なアプローチを行う必要がある。
発達相談は，保健所での検診場面や，検診結果を受けた後，精査と保護者支援のために別途相談場面を設定して行われる。しばしば，「発達相談」や「子育て相談」などの名称で行われているものである。また，「子ども家庭支援センター」や児童館の一部でも，子育て支援の一貫として発達相談を行っている施設もある。そのほか，療育施設で継続的な作業療法アプローチを行うほかに，さまざまな発達相談にたずさわっている。また，保育園や幼稚園，児童館や学童クラブ，学校などの教育スタッフに対するコンサルテーション

も行っている。

発達相談を受ける子どもは，必ずしも障害が存在するとは限らない。また，障害の存在が疑われる場合でも，発達相談に訪れるのは専門医療機関を受診する前の段階であることがほとんどである。対象児は発達上の障害の有無がはっきりしていなかったり，確定診断を受けていないことが非常に多い。そのため，発達相談において作業療法士は，対象児の発達像を的確に評価し，発達上・生活上の問題の有無を把握し，保護者の主訴，家庭での状況などを確認し，対象児と対象児を取り巻くさまざまな要因について把握する必要がある。発達相談場面は，継続的な作業療法アプローチを行う場面とは異なり，そのとき1回限りの面接となることもある。そのため，時間的な制限のなかでも，対象児の発達像，保護者の主訴，家庭での状況などを確認し，対象児と対象児を取り巻くさまざまな要因について把握する。

相談終了後（もしくは同時進行で），保護者の意向を考慮しながら他の職種と協議を行い，今後の方針を決定していく。1回限りの相談で保護者の主訴が解決する場合には相談を終了する。数回の相談で解決が見込まれる場合には継続相談となるが，医療機関受診が必要な場合には保護者が受診しやすくなるよう，紹介状などのレポートを作成し持参してもらう。そのほか，子どもと保護者のニーズに応じて専門療育施設への紹介も行う。子どもに障害がないと判断された場合には，子どもの遊びを豊かにすることに有効であり，必要に応じてアドバイスをもらうことができる児童館や子育て支援センターなどの紹介を行うこともある。このことから，発達相談に従事する作業療法士は，地域の社会資源についても十分な情報をもつ必要がある。また，発達相談は，対象児の発達支援と同時に地域生活のサポートや保護者の子育て支援の側面が大きい。そのため，関連するさまざまな機関や対象児を取り巻く関連職種と十分な協議を行い，支援の方針決定をすることが重要である。あわせて，子育てに負担感を感じていたり，悩んでいる保護者の思いを受け止め，保護者の感情を受容しながら共感的に対応することが求められる。

近年，発達障害領域の作業療法においては，発達障害児が対象となることが非常に増えてきている現状がある。作業療法士は，発達障害児の感覚統合障害に注目して支援を行うことができる職種である。また，肢体不自由や知的障害，神経筋疾患など，幅の広い障害を対象とすることができる。専門療育施設を利用する前に発達相談で作業療法士が果たす役割は非常に大きい。保護者の育児不安を理解したうえで，十分な知識と技術をもって発達相談に従事することが強く望まれる。

治療的アプローチ：発達の各領域に対するアプローチ

引用文献
1) 田角　勝，向井美恵 編著：小児の摂食嚥下リハビリテーション，医歯薬出版，2006．
2) 金子芳洋，千野直一 監，才藤栄一 ほか 編：摂食・嚥下リハビリテーション，医歯薬出版，1998．
3) 厚生労働省：離乳・離乳の支援ガイド，2007．
4) 向井美恵 編著：食べる機能を促す食事—障害児のための栄養・調理・介助，医歯薬出版，1994．
5) 髙橋浩二 著，道　健一 ほか 編：頸部聴診法，摂食機能療法マニュアル，医歯薬出版，2002．
6) 大岡貴史 ほか：幼児期における箸の操作方法および捕捉機能の発達変化について，小児歯科学雑誌，44(5): 713-719, 2006．
7) 大岡貴史 ほか：幼児期における箸を用いた食べ方の発達過程：箸を持つ手指運動の変化についての縦断観察，小児保健研究，66(3): 435-441, 2007．

✓ チェックテスト

Q
①人にとって食べることの意味は何か（☞p.192）。 基礎
②摂食5期とは何か（☞p.192, 193）。 基礎
③捕食とは何か（☞p.195）。 基礎
④舌での押しつぶしとはどのようなことか（☞p.196）。 基礎
⑤咀嚼とは何か（☞p.196, 197）。 基礎
⑥自食に必要な条件は何か（☞p.197, 198）。 臨床
⑦摂食嚥下機能に対するアプローチで重要なことは何か（☞p.199）。 臨床
⑧作業療法士が摂食嚥下リハビリテーションに関わる必要性について述べよ（☞p.200）。 臨床
⑨発達相談場面でのポイントは何か（☞p.200, 201）。 臨床
⑩保護者への配慮として重要なポイントは何か（☞p.202）。 臨床

治療的アプローチ：発達の各領域に対するアプローチ

5 デュシェンヌ型筋ジストロフィー

田中栄一

> **Outline**
> - 筋ジストロフィーの作業療法は，残存機能を活かす用具の導入や，やり方の工夫などで，筋破壊を引き起こさない身体的負担が少ない作業活動支援が目標となる。
> - すべてのライフステージで，社会参加の促進・継続を目標に作業療法を行う。

1 筋ジストロフィーのいろいろなタイプ

筋ジストロフィーとは，筋線維の変性，壊死を主病変とし，進行性に筋力低下が起こる遺伝性の疾患である。遺伝的，臨床的な違いから種々の病型に分類されている（**表1**）。ここでは，筋ジストロフィーのなかでも最も頻度が高く，重篤な経過をたどるデュシェンヌ型筋ジストロフィー（Duchenne muscular dystrophy：DMD）の作業療法について紹介する。

補足

筋変性
筋組織が壊れやすく再生と崩壊を繰り返し，弾性のない脂肪組織や結合組織へと変性する。そのため，筋ジストロフィーでは，筋が萎縮し，関節可動域制限と筋力低下が起こる。

表1 筋ジストロフィーの主な病型

- 性染色体劣性遺伝
  デュシェンヌ型
  ベッカー型
  エメリー・ドレフュス型
- 常染色体優性遺伝
  顔面肩甲上腕型
  眼・咽頭型
- 常染色体劣性遺伝
  肢帯型
  遠位型
  先天性（福山型を含む）

試験対策 Point

福山型筋ジストロフィー：DMDのほか近年では，福山型筋ジストロフィーが取り上げられることがある。福山型は，常染色体劣性遺伝。デュシェンヌ型筋ジストロフィーの次に多い。10万人当たり2.9人の有病率である。重度の先天性筋ジストロフィーの病変に加え，てんかんなどの中枢神経症状，近視や白内障などの眼病変が共存する。

2 デュシェンヌ型筋ジストロフィー（DMD）

生涯にわたり筋肉の崩壊が起こっていく疾患で，能力喪失を繰り返し経験していく。連続性の能力喪失体験は，自尊感情を低下させ，自己効力感が低いために，新しい課題で自分が成功するイメージをもちにくく，将来への進路の不安をもちやすい。

このため，体調を維持し，各ライフステージにおいて，活動・参加が継続して行え，自分らしさが形づくられていくことが支援の目標となる。

3 デュシェンヌ型筋ジストロフィーの発症

X染色体劣性遺伝(伴性劣性遺伝)で，通常は男児に多く発症する(図1)。女性は保因者となり，男児に1/2の確率で発症する。筋ジストロフィーのなかでも頻度が高く，出生男児3,500人に1人の発生率である。兄弟で発症することも多い。

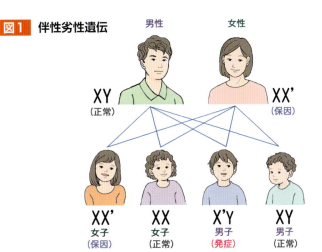

図1 伴性劣性遺伝

補足

遺伝カウンセリング
すでに第1子が発症している場合，第2子に向けて，着床前診断・出生前診断が行われている。また，女児では，婚姻前に保因者診断(異常な遺伝子をもっているかどうか)が行われることもある。

家族支援
親が抑うつに陥らない支援や，兄弟姉妹の心理的サポートも望まれる。母が女性ジストロフィノパチーの場合は，筋力低下のため，児のケア困難，理解困難，心筋症悪化に注意する。

試験対策 Point

- デュシェンヌ型筋ジストロフィー(DMD)は男児に多い。
- 遺伝の分類は，X染色体劣性遺伝(伴性劣性遺伝)。
- 兄弟で発症することも多い。

4 デュシェンヌ型筋ジストロフィーの診断

臨床症状，診察所見，経過，家族歴のほか，血液検査，筋電図検査，筋生検などを総合してなされる。病型は，遺伝子検査で確定診断可能である。血液検査では，CK，LDH，GOT，GPT，アルドラーゼなどの筋細胞由来の酵素が高値となる。特にデュシェンヌ型，ベッカー型，肢帯型，先天性筋ジストロフィーでは著しい高値を示す。

5 デュシェンヌ型筋ジストロフィーの臨床症状(図2)

2~5歳で，転倒のしやすさや，躓きやすさで，病院を受診してDMDと診断されることが多い。近位筋(体幹に近い筋肉：肩周辺，腰周辺)において優位に筋障害分布を示す。ふくらはぎが堅く肥大することがあるが，これは筋線維が脂肪組織に置換している状態で，仮性肥大とよばれる。歩行可能時期には，左右に大きく揺れながらの歩行(動揺性歩行)や，床→膝→大腿と手をついて支えながら立ち上がる動作がみられ，これは登攀性起立あるいはGowers徴候として知られる(図3)。小学校低学年で，階段昇降が困難となり，9~11歳ごろには，自力歩行が困難で，車椅子生活となる。車椅子時期では，脊柱変形や四肢の関節拘縮も強くなり，呼吸機能，心機能の低下も現れる。適切な治療が施されないと，20歳前後で呼吸不全，心不全などで死亡する。

試験対策 Point

歩行可能時期には，躓きやすさ・仮性肥大・動揺性歩行・登攀性起立(Gowers徴候)の特徴的な症状がみられる。

図2 能力喪失の変化

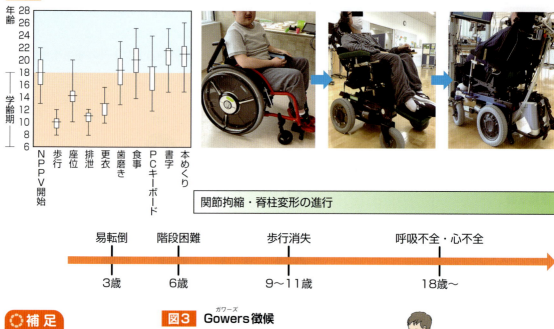

関節拘縮・脊柱変形の進行

易転倒 3歳 / 階段困難 6歳 / 歩行消失 9〜11歳 / 呼吸不全・心不全 18歳〜

補足

生命時間の延長
1964〜1984年までは，全国の国立療養所（現 国立病院機構）筋萎縮症病棟入院者には，長期人工呼吸器の選択肢はなく，50％生存率が20歳未満の生存期間であったのが，1990年以降のNPPVの導入で，現在は50％生存率が39.6歳に及ぶ大幅な生命時間の延長が可能になった[1]。

延命後の課題
イギリスのAbbottらは，在宅生活を続けるDMD患者らの生活調査をしたところ，高度医療による延命は珍しくなくなったが，進学や就職は行えておらず，家に閉じこもりがちであった。人工呼吸療法の導入で生活の豊かさが期待されているが，延命した時間を有効に活用できておらず社会サービスが欠如していると，課題を明らかにした[2]。

図3 Gowers徴候

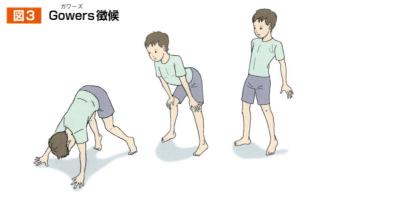

　現在は，非侵襲的陽圧換気療法（non-invasive positive pressure ventilation：NPPV），心不全治療など，全身管理の技術向上によって30歳代を超えるまでの延命が可能になった。大幅な生命時間の延長により，これまでに経験したことがない課題への対応が求められるようになっている。

　作業活動の困難さの経過では，更衣や排泄などの大きな上肢操作を伴う活動で，歩行消失後には，介助へ移行する。食事や歯磨き，書字やパソコンのキーボードなどの机上での作業活動では，20歳前後で，介助や支援機器を用いた代替方法に変更される。

6 デュシェンヌ型筋ジストロフィーの治療

　根治的治療法は確立されておらず，集学的マネジメント（図4）が求められる[3]。

診断　　：遺伝子診断，家族サポート
心臓　　：ACE阻害薬，βブロッカーなど
呼吸　　：人工呼吸器導入，カフアシストなど
整形外科：脊椎後方矯正固定術，腱手術
リハビリテーション：ストレッチ，ポジショニング，装具，シーティング，起立練習，支援技術，車椅子など

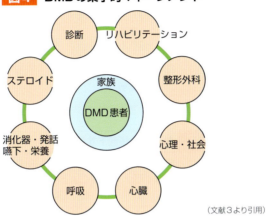

図4　DMDの集学的マネージメント

（文献3より引用）

アクティブラーニング ① 筋ジストロフィーは予後を予測して早期の治療開始が必要である。学齢期と成人期とでどのように治療が異なってくるか？ DMDの国際ガイドラインを参照して考えみよう。

7　デュシェンヌ型筋ジストロフィーの各機能障害の特徴

運動機能，呼吸機能，心機能，消化機能，認知的特性など，全身の各機能に障害が及ぶ。そこで，残存機能を有効に活用するために，各機能障害の状態把握が欠かせない。

■ 運動機能障害の特徴
● 筋力低下

近位筋優位に四肢体幹の筋力が低下していく（**表2**）。歩行消失時期では，肩屈曲筋である三角筋前部線維が徒手筋力検査（Manual muscle testing：MMT）で，机上から肘を離してバンザイの姿勢が保持できなくなる。

筋力測定はMMTで行われるが，局在的な筋力低下の分布のため，後期では，屈曲・内外転などの運動方向では正確に計測できない。このため，残存する筋の部位を確認しておく。残存筋を最大限に発揮した作業活動を行うためには，残存筋の評価が欠かせない。

試験対策 Point

デュシェンヌ型筋ジストロフィーの障害は，運動機能障害（拘縮・脊柱変形），呼吸不全，心不全，消化機能障害（栄養障害・便秘・咀嚼・嚥下）など，全身に及ぶ。知的障害，注意欠如・多動性障害（attention-deficit hyperactivity disorders：ADHD），自閉症スペクトラム障害（autism spectrum disorders：ASD）を伴うこともある。

表2	筋障害の進行過程			
部位	初期	中期	後期	
骨盤帯・体幹	大臀筋 中臀筋 大腿筋膜腸筋	腸腰筋 腰方形筋 傍脊柱筋	腹直筋 腹斜筋	
大腿	大腿二頭筋 股関節内転筋群 大腿四頭筋	半腱様筋 半膜様筋	縫工筋 薄筋	
下腿	腓腹筋 腓骨筋	前脛骨筋 ヒラメ筋	後脛骨筋	
上肢・上肢帯	僧帽筋 広背筋 肩関節内旋筋群	肩関節屈曲筋 肩関節外転筋 肩関節内転筋 上腕三頭筋	前腕筋群 手内筋	
頸部	頸屈筋		頸伸筋	

(文献4より引用)

> **補足** **ステロイドの投与は？**
> 糖質ステロイドは，運動機能獲得のピーク（2～8歳程度）以降にプレドニン®，デフラザコート®が米国で推奨される。歩行消失後も続行が推奨され，呼吸，嚥下，心機能に長期効果がある。

> **補足** **上肢で残存する筋は？**
> 変形・拘縮の有無に関係なく手指で残存しやすい筋は，短母指外転筋・短母指屈筋・母指対立筋・小指対立筋・虫様筋・第1背側骨間筋である。この動きをスイッチなどの支援機器と合わせて活動を広げる。

> **試験対策 Point**
> 近位筋から低下し，比較的遠位筋が残存しやすい。筋障害の部位は筋が短縮している。

> **試験対策 Point**
> デュシェンヌ型筋ジストロフィーの運動療法では過負荷に注意する。

> **補足** **痛み・しびれ**
> 関節拘縮・変形，体重減少により，凸部での圧迫痛がみられるようになる。褥瘡の要因にもなることから，早期の圧分散などの対応が求められる。
> 好発部位：坐骨結節部・大腿骨大転子，腓骨外果，肘頭，脊柱変形による胸郭と骨盤の接触部など。
> 坐骨結節部と大転子間での坐骨神経圧迫による足指までのしびれが観察される。

> **補足** **なぜ筋力が低下するのか**
> 私たちが筋力トレーニングをする場合，その仕組みは，筋組織の崩壊と再生の繰り返しにより筋線維の肥大や増量によって強化される。しかし，筋ジストロフィーの場合では，遺伝子の異常により筋細胞膜と筋線維（アクチンフィラメント）を結合するジストロフィンの欠損が原因となり，崩壊と再生の過程で壊れやすい細胞として再生されるため，より不安定な崩壊しやすい筋組織となる。そして，崩壊が再生を上回り，弾性のない結合組織や脂肪組織へと置換されるため，徐々に筋力は低下していくのである（一次性の筋力低下）。
> 長期臥床などで運動量が減少し廃用症候群による二次的な筋力低下がある。このため，筋ジストロフィーにおいて，積極的な筋力強化トレーニングは筋組織の崩壊を促すために禁忌である。廃用性の筋力低下をできるだけ避けるように臥床状態をつくりださない活動支援が大切となる。

● **拘縮・変形**

　筋線維の変性，結合組織や脂肪組織への置換に伴う筋伸張性の低下は，関節可動域制限の原因となる。また，筋力低下によるアンバランスな動作を習慣的に行うことによって，二次的な関節拘縮や抗重力位における姿勢保持能力の低下が生じ，それに伴い側彎変形が起こりやすい（図5）。
　脊柱変形は，座位バランスの低下，殿部の痛みや下肢のしびれ，胸郭の変形に伴う呼吸機能への影響があるため，早期からのマネジメントが欠かせない。脊柱変形へのマネジメントは，外科的治療法（脊椎後方矯正固定術）や保存療法（装具療法・ROMエクササイズ・歩行練習・起立練習・姿勢保持）が行われる。
　また，座位姿勢では，抗重力位での姿勢保持が困難になってくると，胸腰椎部での変形がみられるようになる。脊柱変形は，臥位・座位姿勢で評価する。

図5 脊柱変形

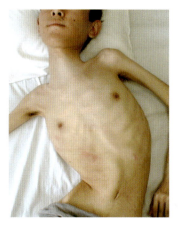
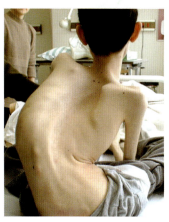

■ 進行度の分類
● 障害段階分類

障害段階分類は，体幹・下肢機能が進行的に障害されていく基本動作の過程を段階的に表した分類で，国内では，厚生省筋ジストロフィー研究班による分類（表3）が利用されている[5]。歩行消失時期や車椅子移行時期の

表3 厚生省筋ジストロフィー研究班による分類（新分類）

ステージ			ステージ	
ステージ I	階段昇降可能 a-手の介助なし b-手の膝おさえ		ステージ V	起立歩行は不能であるが，四つ這いは可能
ステージ II	階段昇降可能 a-片手手すり b-片手手すり膝手 c-両手手すり		ステージ VI	四つ這いも不可能であるが，ずり這いは可能
ステージ III	椅子からの起立可能		ステージ VII	ずり這いも不可能であるが，座位の保持は可能
ステージ IV	歩行可能 a-独歩で5m以上 b-1人では歩けないが物につかまれば歩ける（5m以上） 　1）歩行器 　2）手すり 　3）手びき		ステージ VIII	座位の保持も不能であり，常時臥床状態

（文献5より引用）

情報は，デュシェンヌ型筋ジストロフィー患者の自然経過を予測するうえで必要な情報である。

● 上肢運動機能障害度分類

上肢運動機能障害度分類はBrookeスケール，EKスケールが国際ガイドラインで紹介されている[6]。国内では，松家らの9段階法が利用されている（図6）[7]。

図6 上肢運動機能障害度分類（9段階法）

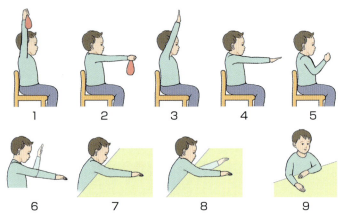

1. 500g以上の重量を利き手に持って前方へ直上挙上する。
2. 500g以上の重量を利き手に持って前方90°まで挙上する。
3. 重量なしで利き手を前方へ直上挙上する。
4. 重量なしで利き手を前方90°まで挙上する。
5. 重量なしで利き手を肘関節90°以上屈曲する。
6. 机上で肘伸展による手の水平前方への移動。
7. 机上で体幹の反動を利用し肘伸展による手の水平前方への移動。
8. 机上で体幹の反動を利用し肘伸展を行ったのち，手の運動で水平前方への移動。
9. 机上手の運動のみで水平前方への移動。

（文献7より引用）

試験対策Point

ステージⅠ〜Ⅳまで：歩行可能。
ステージⅡ：手すりがあると階段昇降が可能。
ステージⅢ：立ち上がりができる。
ステージⅣ：四つ這いでは翼状肩甲（よくじょうけんこう）が観察される。
ステージⅤ：ステージⅤから歩行ができない。四つ這いができる。
ステージⅥ：ずり這いが可能。
ステージⅦ：自力座位が可能
ステージと活動の組み合わせが多い。そのステージの機能障害と，活動対比のイメージをしておくこと。
例：機能障害度ステージⅣで，必要な運動療法は？ 必要な道具支援は？

■ 呼吸機能障害の特徴

デュシェンヌ型筋ジストロフィーでは呼吸筋が弱くなり，呼吸中枢，喉咽頭機能の異常により，自力換気や咳が不十分になる。これを慢性肺胞低換気という（表4）。そのため，風邪や誤嚥から肺炎や無気肺になりやすく，痰づまりや食物による窒息の危険がある。睡眠呼吸障害，胸腹部の呼

表4 慢性肺胞低換気症状

疲労	下腿浮腫
息苦しさ	イライラ感，不安
朝または持続性頭痛	尿意による睡眠時に頻回の覚醒
日中のうとうと状態と頻回の眠気	学習障害
息苦しさや動悸で睡眠時に覚醒	学業成績低下
嚥下困難	性欲低下
集中力低下	過度の体重減少
頻回の悪夢	筋肉痛
呼吸困難の悪夢	記憶障害
呼吸障害による心不全徴候や症状	上気道分泌物の制御困難
	肥満

（文献8より引用）

吸パターンの異常，微小無気肺を合併しやすい。深呼吸やあくびも弱くなるので，肺や胸郭の発達障害や変形拘縮を招く。

● 呼吸機能評価

呼吸機能検査として，肺活量，肺活量低下例では，最大強制吸気量（maximum insufflation capacity：MIC），咳のピークフロー（cough peak flow：CPF），酸素飽和度（SpO$_2$），覚醒時と睡眠時の経皮炭酸ガス分圧（PtcCO$_2$）を測定する（表5）。呼吸機能検査は，7歳以降に年1回と症状出現時に行う。

● 呼吸ケア（表6）

呼吸ケアでは，肺のコンプライアンス（弾性）の維持，異物などを排出する気道クリアランス，人工呼吸療法が行われる。詳細は「デュシェンヌ型筋ジストロフィーの呼吸リハビリテーション」のマニュアルを参照してほしい（http://www.carecuremd.jp/images/pdf/kokyu_reha.pdf）。

肺のコンプライアンス維持

肺・胸郭のコンプライアンスが低下すると拘束性肺障害になるため，そ

試験対策 Point

拘束性換気障害：肺や胸郭の弾性が失われたり，呼吸筋が弱いために起こる肺の換気障害（DMDなど）。

閉塞性換気障害：気道の閉塞障害のために起こる肺の換気障害（COPDなど）。胸郭の変形や脊柱側彎は，呼吸機能に影響を及ぼす。

気道クリアランス：誤嚥などによる気道内の異物は，咳によって排出される。咳の強さは，呼吸筋力，喉咽頭機能，胸郭の可動性に影響される。

表5 呼吸機能検査（年1回と適宜）

- 肺活量（vital capacity：VC）
- 咳のピークフロー〔cough peak flow（CPF）またはpeak cough flow（PCF）〕
- 最大強制呼気量（maximum insufflation capacity：MIC）
- 酸素飽和度（SpO$_2$）
- 経皮または呼気終末炭酸ガス分圧〔transcutaneous CO$_2$ tension（TcCO$_2$）またはend-tidal CO$_2$ tension（EtCO$_2$）〕

表6 呼吸のマネージメント

- 肺のコンプライアンス維持（深吸気）
- 舌咽呼吸（glossopharyngeal breathing：GPB）
- 肺拡張，気道クリアランス
- 徒手による咳介助と機械による咳介助（MI-E）
- 非侵襲的陽圧換気療法（NPPV）

の進行を最小限に抑えることも重要である。救急蘇生用バッグや人工呼吸器でエアスタック(息止め)をして深吸気を行う。

徒手や機械による咳介助

機械による咳介助(mechanical in-exsufflation：MI-E)は，陽圧で肺を膨らませた後に，急速に陰圧に転じることで，高い呼気流量を生じさせ，自力の咳を補強するか，咳の代用をする。呼気時に徒手による胸部圧迫を加えると，最大の介助咳となる。

12歳以上では，自力のCPFが270L/min以下の場合，徒手やMI-Eを習得しなければ，上気道炎や術後の排痰困難，誤嚥による気管内異物の排出困難の危険がある。

非侵襲的陽圧換気療法(NPPV)

急性期から慢性期まで，NPPVは人工呼吸の第一選択として活用されるようになってきた。NPPVによりガス交換の改善，生存期間の延長，感染症の減少，入院期間短縮，入院回数の減少が認められる。

■ 心機能障害の特徴

デュシェンヌ型筋ジストロフィーでは，運動機能障害と同様に，心機能にも障害が及ぶ。心筋の変性が進むと，心室の拡張により収縮力が低下し，血液循環が十分に行えなくなる。心機能の悪化(心筋症や不整脈など)は，症状が現れる前に心臓が影響を受けていることがあるので，早期発見と治療が大切である。心機能評価は7歳以降から年1回以上行う。

● 心機能評価

脳性ナトリウム利尿ペプチド(brain natriuretic peptide：BNP)またはN-terminal pro BNP(NT-proBNP)などの血液検査や，心エコーを行う。不整脈は10歳代から高率に合併するため，7歳以降では心電図を行う。

● 心臓のケア

- 薬物療法
  アンジオテンシン変換酵素(ACE)阻害薬・β遮断薬・利尿薬など
- 水分調整
- 人工呼吸療法
- 作業活動量の制限など

■ 消化機能障害の特徴

● 便秘

腸の蠕動運動の低下のために便秘になりやすい。緩下剤や食物繊維の多

い食事とする。数日排便が滞る場合には浣腸が行われる。

● 栄養障害

腸からの栄養吸収が弱いために、痩せが顕著になる。体重減少を防ぐために、高カロリーな補助食品が提供される。筋量が低下するため、筋肉に貯蔵される蛋白、カリウム、鉄が不足しやすい。カリウムは緩下剤や利尿剤により低下しやすい。

● 咀嚼・嚥下障害

咀嚼力の低下・飲み込みの悪さが、高い年齢において問題になってきた。病因として、頸椎の可動域の減少、頸椎の伸展位での拘縮のほか、咽頭・喉頭周囲筋の障害、呼吸機能の低下が挙げられる。

食事形態の変更や姿勢調整が行われる。また、人工呼吸器（NPPV）を装着しても、呼気で飲み込むなどの指導があれば、経口での食事摂取は可能である。

■ 心理社会的問題について

軽度から中等度の知的障害を伴うことがあり、注意欠如・多動性障害（ADHD）、自閉症スペクトラム障害、強迫神経症といった行動上の問題も指摘される。

問いかけに対するレスポンスが遅い、語用論が通用しない、短期記憶力の低下、物事の優先順位をつけるのが苦手、インプット・アウトプットが一対一対応、応用力に欠ける、文章読解の困難さ、自己の客観的理解の困難さ（視点の切り替えが困難）、感情の抑制困難や不安、思考の柔軟性と適応力の欠如など、コミュニケーション・ソーシャルスキルの困難さがみられる。こうした認知特性は、知的障害および行動障害のない患者においても指摘されている。

このような課題遂行能力の困難さは、自分の期待した行為と成果が結びつかない状況を繰り返し起こし、自尊感情・自己効力感に影響していく。また、学校卒業後の社会活動に参加できない場合も多く、ますます物事への無関心や動機づけの低下が生じ、不安を抱えやすくなる。こうした背景が、筋ジストロフィー患者の生きづらさとなっている。そのため、学校やコミュニティとの調整、早期から社会的交流の成功体験の機会を提供する。

> ● 補足
> **語用論が通用しない**
> 話し手の意図を会話から汲み取れず、文字通りの意味でとらえてしまう

> **アクティブラーニング ②** DMDにみられる認知特性が、どのように作業活動場面に影響するのか？ 具体的な場面を想定して考えてみよう。

治療的アプローチ：発達の各領域に対するアプローチ

7 デュシェンヌ型筋ジストロフィーの作業療法

■作業療法の目標
残存機能を有効に活用し二次障害を引き起こさないように，活動・参加を継続し，自分らしさの形成をサポートしていくことが筋ジストロフィーへの治療となる．

● 二次障害（変形・強い拘縮）を避ける作業活動への工夫（図5参照）
動作の過用・誤用は，より強い関節変形を引き起こし，介助の困難さや能動的な活動を制限する．このため，低負荷で，かつ最大限のパフォーマンスを引き出すように身体と環境要素とのバランスに留意して作業活動を工夫する．

● 支援機器の適切な導入で活動範囲を広げる
無理な動作で活動困難とならないように，必要にあわせて，車椅子・机の高さ，住環境・コミュニケーション・移動・移乗・身辺処理（食事・入浴・整容・更衣・排泄など）における支援機器の導入や，動作手順・介護者の配置を考え活動を維持していく．

● 心理的・認知的側面への支援
連続性の喪失体験による学習性無力感や自尊感情の低下を軽減するために，具体的な課題達成による成功体験の積み重ねで，興味を引き出し，好奇心を育てる支援が必要である．また，認知特性で生じる対人面の問題は，誤解が生じやすく患者の変化を生み出す制限となりやすい．個々の患者の特性にあわせた，わかりやすい合理的な配慮が必要となる（合理的配慮はp299参照）．

● 社会参加を促す作業活動提案
重度の運動機能障害のため，選択できる作業活動は限られているが，身辺処理・趣味や余暇活動だけでなく，他者との関わりあいが強い生産的な役割活動を得ることは，社会の一員として模索していきたいことである．
作業時間が長時間拘束される就労は，体力面に自信がない筋ジストロフィー患者には困難な活動となる．しかし，同じ課題を複数人で担当し作業時間をカバーしあい，軽度・中等度の知的障害をあわせもつ患者でも，長所をあわせて1つの仕事を行ったり，能力や体力面のワークシェアによって生産的な活動が可能になる．

■ 病態把握のための情報収集

● 一般情報（主なもの：カルテ・他部門情報から）

①合併症の有無

DMDに由来する呼吸不全・心不全などの合併症を確認する。

②いつ歩けなくなったのか？

躓きやすさや階段昇降困難，歩行消失時期などの移動能力のエピソードは，DMDの標準的な進行過程と比較することで，今後の機能障害の経過を推測する情報となる。

③ステロイドホルモンの投与の有無

ステロイドホルモン投与により，歩行消失時期の遅延や脊柱変形などの関節拘縮の緩和が期待される。

④介護制度利用状況

幼少期から継続した支援のため，家族のみで夜間・日中介護をしていることが多い。このため，レスパイトケア[*1]として，家族が休憩できる時間の確保が必要である。

⑤教育歴（通常学校？ 特別支援学校なのか？）

行動上の問題・学習障害を抱えていることが多いため，授業場面における課題遂行の様子や，特別な支援，授業への参加状況，工夫例があれば情報収集をしておく。

⑥嗜好・経験

⑦心理検査の情報

DMDの平均IQは80台前半である。知能検査の下位検査結果は，バラツキが大きく，得意・不得意の傾向を参考にできる（図8）。

> *1 レスパイトケア
> レスパイトとは，「休息」「息抜き」を意味する言葉である。レスパイトケアとは，家族が介護から解放されるように，対象者がショートステイやレスパイト入院，作業所通所を行い，介護者がリフレッシュできる機会をつくることをいう。

図8 知能検査の下位検査の例（WISC-R）

言語性検査（Verbal Tests）

		粗点	評価点(SS)
1	知　識	15	7
3	類　似	23	13
5	算　数	13	5
7	単　語	31	6
9	理　解	15	6
11	(数　唱)	(16)	(11)

言語性評価点合計　VSS（37）

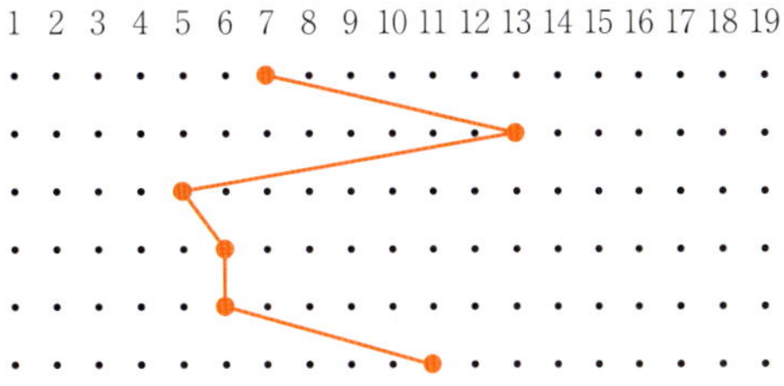

動作性検査（Performance Tests）

		粗点	評価点(SS)
2	絵画完成	23	9
4	絵画配列	32	9
6	積木模様	56	10
8	組合わせ	22	7
10	符　号	44	6
12	(迷　路)	(29)	(15)

動作性評価点合計　PSS（41）

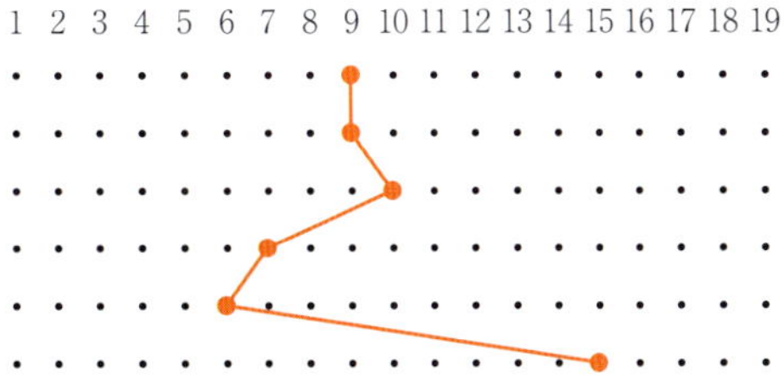

治療的アプローチ：発達の各領域に対するアプローチ

■ 全身のケアの状態を把握する

● 呼吸機能の状態

呼吸ケアのマネジメントのために，以下の情報を把握しておく。

- 呼吸機能評価(図9)：VC(肺活量)・CPF(咳の強さ)・MIC(最大強制吸気量)
- 観察：夜間の睡眠状態や日中の集中力，体重減少など，呼吸状態の悪化から予測される症状に留意。
- ムセの有無
- MI-E(機械による介助咳)：使用の有無
- 人工呼吸器装着状況：無・夜間・終日・日中一部
- リスク時の対応

> **補足**
> **経過が大切！**
> 過去の経過と比べて急激な数値の変化がみられる場合は病態変化のサイン。

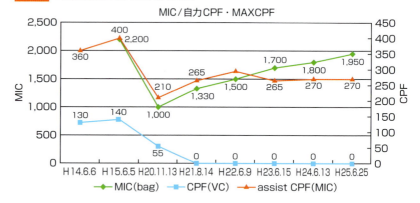

図9 呼吸機能評価の経時的変化

咳介助の対応：作業療法場面(食事・唾液など)では，ムセに留意し，誤嚥時の対応を確認しておく。自力咳困難(CPF：270L/min)な場合に，機械や徒手によって咳介助が必要。

人工呼吸器機器トラブル：バッテリーや人工呼吸器回路の脱落や異常停止などの機械的トラブルが生じる可能性がある。非常時対応として救急蘇生用バッグで換気補助を行う(図10)。

> **補足**
> 人工呼吸器装着者など，呼吸・心不全のリスクが高い患者への作業療法を行う他者のサポートが受けられない一人での治療環境は避ける。いち早く異常を察知し，複数で対応できる体制づくりが重大なインシデントを回避できる。

図10 救急蘇生用バッグでの換気補助

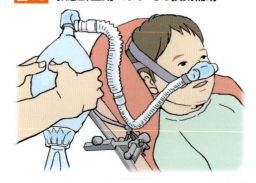

● 心機能の状態把握
　心保護的対応がとれるように，心機能や，作業活動の制限量を把握しておく。
- 心機能評価：心電図・心エコー・血液検査
- 服薬状況
- 水分調整
- 作業活動量を確認：作業中断・作業時間制限・作業活動量の制限　など
心機能悪化時には，作業活動の変更有無を確認する。

● 消化機能状態
　咀嚼・嚥下・低栄養・便秘など，体調変化に左右する以下の情報を把握しておく。
- 体重変化
- 食事摂取量・時間
- 食事形態
- 排泄回数(尿・便)
数日便が出ない場合は，浣腸の対応がとられる。

■ 作業療法評価
● ニーズの把握
　どんなことに興味や心配事があるのか？　関心事を確認する。自分に置き換えてのイメージが困難なため，想起しやすいように，細分化して尋ねるとよい。
【例】大学生活で困っていることは？
　　　授業のメモを取り方は？
　　　黒板の字をどうやって，ノートに写している？
　　　＊項目を絞ると，説明しやすい。

● 1日の作業活動の観察から(図11)
　個々の活動だけでなく，1日の流れのなかで各作業活動がどのような関連性をもっているのか整理する。
　これらの作業活動で，道具の不適切な使用・介護者の支援の有無，無理な代償動作によるものが過用や誤用となり，筋への負担となっていないかを評価する。停滞している作業活動(例えば，車椅子に乗りたがらない，学校へ行かないなど)の原因を探り，なるべく，患者の興味・関心を失わせることのないよう，活動を生み出す要素はないのかなどの検討を重ねていくことになる。

◎補足

イメージできるような設問が大切
知識や経験の有無にかぎらず，情報の整理が難しく戸惑う場面が多いため，情報抽出の支援が必要。

図11　1日の作業活動マップ

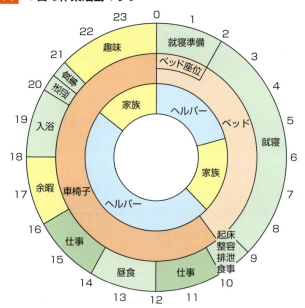

- 個々の活動と環境因子を整理
  - どんな活動が
  - どんな人と一緒に(介護者・コミュニティー)
  - どんな場所で(作業活動場面)
  - どんな姿勢で(作業姿勢：ベッド上・車椅子上)
  - どんな道具を用いて
- 作業活動を要素ごとに分類する
  - 身辺処理(移動・食事・整容など)
  - 趣味余暇(読書、油絵活動など)
  - 生産的活動(仕事・学生など)

●社会参加の場面を確認

学校や，職場，家庭など，どこで・だれと・どんな役割があるのか，社会的要素について確認する。利用者と関わりのある人たちとの関わりを把握する。教師・家族・上司・クラスメイトなど

●作業活動の分析

残された運動機能を巧みに利用した代償的な動作が随所にみられる。なぜそのような動きなのか，現状を把握し，改善点がないかを検討する(図12)。

図12　歯磨き動作の工夫

頭部回旋の動きと，上肢を非利き手で補助しながらの歯磨き動作

疲労度が高い場合には，電動歯ブラシへ変更することも検討する。

作業療法参加型臨床実習に向けて

筋ジストロフィー患者の作業療法をすすめるうえで，事前に健常者で筋ジストロフィーの模擬患者を想定し，特徴的な代償動作の評価を学んでおく。模擬患者は，肩周囲筋がMMT2の手が挙げられない程度と，机上のリーチ範囲が制限される肩・肘関節周囲筋MMT2程度の障害の2タイプを想定する。指導者は，基本的なリーチ動作を必要とする作業活動における代償動作を実演し，環境要素の変更で動作が変化することを説明する。その後，実習生は模擬患者役と評価者役を体験できるとよい。各作業工程における代償動作を観察し，代償動作と障害程度がどのように関連しているか，どのような方法や道具を用いると動作が改善されるのかを指導者に伝える。

■各適応行動を促す環境調整

●作業活動を引き出す姿勢への介入ポイント

姿勢不良による拘縮・変形をつくらないために早期の支援が必要である。適切な姿勢保持は，痛みやしびれの予防・改善，効率のよい上肢活動

に影響する。

　歩行消失後も，ずり這いで床生活になりやすい。このため，股関節・膝関節周囲筋（特にハムストリング）の筋短縮の予防から，椅子生活への環境シフトを進めていく（図13）。

車椅子の座り方に留意

　体幹筋力が低下してくると，車椅子の背やアームレスト，机に寄りかかり姿勢保持を行う様子が観察される。アームレストなどに傾斜した姿勢では，活動時に片側の筋だけにアンバランスな負担がかかり，脊柱変形の要因となる。このため，シーティングにより，頭部・胸部・骨盤部の重みを支持することが大切となる（図14）。

図13 床生活から椅子生活への移行

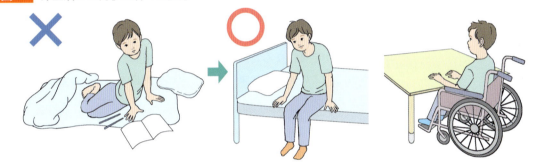

図14 体幹筋力が低下した時期の座位姿勢

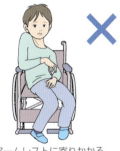

アームレストに寄りかかる

背によりかかる

机に寄りかかる

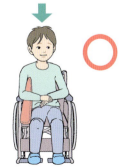

胸腰椎側部にクッションを置いて上体の重さを免荷

上体の重さを背に寄りかかるように胸腰椎部と骨盤上部に支持部をおいて体が起きてくるように調整

上体の重さを胸郭下部と骨盤下部に支持部をおいてバランスを調整

治療的アプローチ：発達の各領域に対するアプローチ

車椅子の導入の考え方

　車椅子の導入は，「何メートルに何秒かかったか」という身体機能低下の状態ではなく，学校場面での教室移動や作業活動場面での不都合が生じてきた時点で検討される。車椅子への移行が遅いと，動揺性歩行を助長し，股関節周囲筋の短縮や胸腰椎部の前彎変形を強める。筋ジストロフィー患者にとって車椅子は単なる移動手段ではなく，コミュニケーションの広がりや身体の一部である。

車椅子の選択

　手動車椅子の導入も考えられるが，生活環境や患者のニーズを配慮して，簡易電動車椅子の選択肢も考慮する。手動車椅子から電動車椅子への移行は，体幹の代償動作が強くならないうちに行われる。

● **座位保持が不良な時期の姿勢保持のポイント**

頭部の保持（図15）

　座位保持が不良になると，頭部の重さと後頸筋でバランスをとる姿勢が観察される。この姿勢は，頭部の前彎変形を助長させ，気道変形や飲み込みの悪さの要因となるため，早い時期にヘッドレストに寄りかかる姿勢へ変更する。

視線に合わせた環境設定（図16）

　頭部の位置が変更されると，視線が変わるため，テレビやパソコンのモ

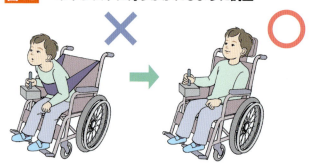

図15　ヘッドレストに寄りかかれるように調整

図16　パソコンのモニターをアームスタンドに固定

ニターの位置をアームスタンドなどを用いて調整する。

活動範囲の拡大

日中の活動時間で人工呼吸器が必要になる場合，車椅子に人工呼吸器を搭載し活動範囲の拡大を図る（図17）。

姿勢変換機構の導入

ティルト・リクライニングなどの姿勢変換機構は，身体を休める目的以外に目線の高さを変えるのに有効である（図18）。

痛み・しびれへの対応（図19）

痩せや，脊柱変形が進むと，凸部での圧迫痛がみられる。シーティングや，低反発マットでの除圧，クッションなどで周囲を高くし，凸部を圧迫しない対応をとる。圧迫痛部分が改善しないと，褥瘡に移行する。

移乗介助にみる特徴（図20）

学童期では体重も軽く，人手による移乗介助を行えるが，年齢とともに体重が増すと介護者の負担が大きくなる。そこで，介助方法の見直しやリ

図17 車椅子に人工呼吸器（NPPV）を搭載

図18 ティルト仕様の電動車椅子

図19 臥位姿勢での痛み防止のためのポジショニング

図20 移乗介助例

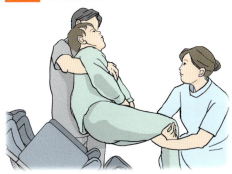

フトの導入など機器利用を検討する．人的介助では，複数による介助で行う．

● 上肢操作の特徴と介入のポイント

歩行消失時期には，体幹に近い肩周囲筋などの筋力低下で，上肢挙上（バンザイの姿勢）が困難となる．このため，体幹を大きく動かし非利き手で補高するなど，上肢のリーチ範囲を代償する動作がみられる（図21）．これらの代償的な動作は，脊柱変形や四肢の関節拘縮・変形の要因になることから，誤用・過用を避け，残存する運動機能を低負荷で効率よく上肢操作が引き出せる環境設定を行う．

図21　上肢を挙上する代償的な動作

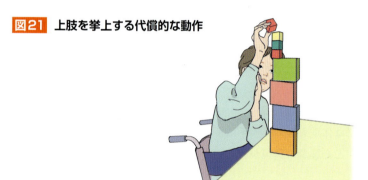

アクティブラーニング ③　肩周囲筋の筋力低下で，上肢挙上が難しい場合に影響する作業活動は何か？

上肢操作を引き出す環境設定のポイント

上肢の支持と動きを引き出すために，アームサポートを利用して支点をつくる（図22）．

上肢操作の活動は，食事・更衣といった身辺処理以外にも，遊び・仕事・芸術活動と多岐にわたる．上腕・前腕の重さを支える支持部や，動きを引き出すテコの支点をつくり，手関節・手内在筋が働きやすくなる．この支持・支点部はアームサポートとよばれ，車椅子時期から呼吸器装着時期までの高い年齢において，最も大切な環境支援の1つになる．

図22　アームサポートの例

アームサポートに利用されるのは，非利き手や，机の縁，クッション，アームスリングなどである。

小さい範囲で操作しやすいように，小型化，棒の利用，道具の位置調整（図23）などの工夫を行う。

【例】
- 手の届きやすい範囲に物品の位置を調整。
- 小さい範囲で操作できるように機器を小型化する。
- 棒の利用で，小さい範囲で操作できる。

図23 リーチ範囲の工夫例

a　棒の利用

b　小型キーボード

弱い力で操作しやすいように，重さ・抵抗感を変更する（図24）。

【例】
- 軽い力で操作できるように抵抗感が軽いボタンに変更。
- 軽いスプーンに変更。

図24 抵抗感の工夫例

a　作動圧の軽い電源スイッチに変更

b　軽いスプーンに変更

● 食事動作への介入

食事動作はADLのなかでも，比較的長く自立する活動である。低栄養状態を回避するために，早めの環境調整が必要である。食事の自力摂取が可能な時期では，テーブルの高さや食具の工夫など，疲労度の少ない動作への介入を行う。20歳代前半には，自力摂取が困難となり介助が必要となる。

食事場面でみられる代償動作（図25）

食事動作では，リーチ範囲を代償する以下の動作が観察される．いずれも，機能障害の進行にあわせた運動負荷の少ない方法へと変更する．

- 食器に顔を近づける：頸部支持性低下に伴う頸部の前彎変形に注意する．
- 非利き手で補高（アームサポート要素）：非利き手の手関節が背屈位で拘縮しやすいので注意する．
- 机の高さを利用し，前腕部と机の縁でテコの支点をつくる．

食物をすくう，机上面の上肢操作を補う工夫

▶回転テーブルの利用（図26）．
▶前腕回内位の動作が制限されているときは，食器の高さが浅いものがよい．

食物を口まで運ぶ，上肢操作を補う工夫

残存機能にあわせて机の高さの調整を行う．机を高くしすぎると机上面での動きが制限される（図27）．スプーンや箸の柄を長くしたり，持ち方を工夫する（図28）．

> **試験対策 Point**
> 機能障害度分類ステージⅦでも食事摂取は可能である．テーブルの縁をテコの支点としている．

図25 食事摂取動作でみられる代償動作

a　顔を近づける

b　非利き手で補高

肘が下がると手部の高さが変わる
c　机の縁でテコの支点

図26　回転テーブル利用での食事動作

図27　机の高さを調整

図28　スプーンの柄が長いものを利用

機器を利用した食事摂取

　食事介助の移行時期まで前述による代償動作による自力摂取が可能である。そのため，食事場面では，上肢把持用装具は使われない。ただし，脊椎後方矯正固定術をした場合には，図25のような代償動作ができないので，BFO(balanced forearm orthosis)・PSB(portable spring balancer)などの上肢把持用装具が必須となる。

● **上肢把持用装具の導入**(図29)

　BFOなどの上肢把持用装具を食事動作に用いる場合には，肩の動きが三角筋前部もしくは外旋筋群でMMT 2以上が必要となる。用具を利用しない自力摂取困難な時期では，肩の動きがすでに消失している。

図29　BFOの利用

Case Study

デュシェンヌ型筋ジストロフィーの22歳の男性。上肢運動機能障害度分類レベル9，厚生省筋萎縮症研究班の機能障害度分類ステージは8。食事動作で，口まで到達しやすいように机の高さを調整，軽いスプーンを使い，アームサポートを用いて食べやすさへのアプローチを行っている。最近，食事時間が増え，1回の摂取量が減少してきた。患者本人は，「まだ大丈夫」と自力摂取へのこだわりが強い。

Question 1
どのような治療プログラムが考えられるか？
　　　　　　　　　　　　　　　　　　☞ 解答 p.279

人工呼吸器を装着しての食事(図30)

　誤嚥を心配して，NPPVでの食事摂取を拒む対象者がいるが，簡単な食事ですますことで体重減少を起こしやすい。低栄養を避けるために，人工呼吸器装着での食事摂取を早めに準備する。NPPVでの食事導入は，誤嚥時に徒手や機械による咳介助(MI-E)で気道内の異物を排出できる体制と一緒に進める。

図30 NPPV装着しての食事介助

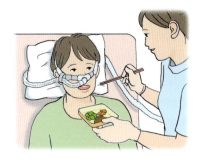

● 排泄動作への介入

座位姿勢での排泄の工夫

前方に寄りかかる台を設置すると，座位バランスの手助けや排便時に腹圧をかける姿勢がとれる（図31）。車椅子上で尿器を使って排尿をする場合に，逆流防止用に座面を一部カットする方法がある（図32）。

衣服の工夫

ジャージやトレーナーなど袖口の広いものやゴムなど伸びる素材の衣服が利用される。また，ズボンをチャックやスナップボタンに変更し，尿器をさしやすいように工夫する。

臥位姿勢での排泄動作の工夫（図33）

座位バランスが不良な場合，安定した臥位姿勢でゴム便器などを用いた排泄活動へと調整する。排泄を促すために，食物繊維の多いものや，十分

図31 トイレでのアームサポート設置例

図32 車椅子の尿器のカット

図33 臥位姿勢での排泄動作

な水分摂取，緩下剤を利用し，軟便になるようにコントロールされる。

● 入浴

洗体・洗髪，浴槽への移乗動作は，歩行消失のころに介助へと移行する。24時間，人工呼吸器を利用する場合では，リスクが高い理由で入浴の介助支援が行われないことがあるが，在宅・施設利用者問わず，呼吸換気補助の対応で入浴は可能である。

入浴介助場面で気をつけるポイント

移乗介助時には，浴室内が滑りやすいので，転倒に注意する。座位保持が困難な場合，頸部の支持が困難な対象者では，バスマットを敷き臥位姿勢で介助される（図34）。入浴は，体力を消耗しやすいので，入浴後の安静やNPPV装着など，活動にあわせて体調を整えていく視点が必要となる。

人工呼吸器での入浴

浴室内への呼吸器の持ち込みは避け，換気補助に，救急蘇生用バッグなどを用いる（図35）。洗顔は，鼻にあてたマスクを外し，石鹸をつけて洗い流す。鼻根部は皮脂などで汚れやすいので，清潔に保つ。

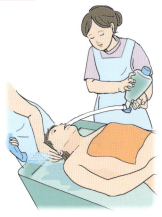

図34　洗体介助の例

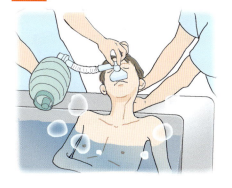

図35　救急蘇生用バッグでの入浴

> **補足**
>
> **大学入試**
> 書字の変わりにパソコンを用いる機会が多くなったが，資格試験では，手書きでの書字が基本となっている。大学入試では，パソコンの持ち込みは漢字変換機能が使える理由で，ほかの受験者との不公平が生まれるからと許可していない大学もある。今後，筋ジストロフィー患者の社会参加の機会が増えるためにも見直しが必要である。

● 書字

動きの範囲が狭いため，紙を動かしながら文字を書く代償的な動作がみられる。そのため，机の表面は滑りやすい素材がよい。書字道具では，鉛筆やマジックペンが好まれる。高校まで書字が可能な場合でも，25歳までには書字能力を喪失してしまう。この場合，パソコンの入力機能による代償やデジタルカメラ・ボイスレコーダーによってメモをとることが可能である。

● パソコンの導入

　パソコンの利用は，上肢活動が困難な対象者に対して，書字やパソコンでの教科書閲覧といった学習活動を支援し，インターネットを利用した情報収集や，絵画，音楽活動などの社会参加や就労の可能性を広げるツールとなる。

文字入力の工夫（図36）

　文字入力で必要となるキーボードは，中学生ごろから高校生にかけて，リーチ範囲の制限から操作が困難となる。そのため，棒を使ったり，パソコンに標準で付属しているソフトキーボードなどのユーザ補助機能が代用できる。最近では，視線入力デバイスや音声認識による文字入力も選択肢として用いられる。

マウス操作の工夫（図37）

　標準的なマウス以外にも，さまざまなポインティングデバイスがあり，どれも移動範囲が狭くてすむ。また，マウスやキーボードの利用が困難な場合は，1個のスイッチでも入力が可能な特殊マウスや，上肢障害者用補助ソフトを利用する。

図36　文字入力の工夫

a　棒を使った工夫

b　スクリーンキーボードの利用

図37　ポインティングデバイスの例

a　トラックボール

b　トラックパッド

c　小型マウス

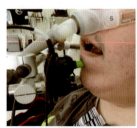
d　ジョイスティックマウス

上肢障害者用アプリケーションソフトの利用（図38）

画面の文字盤上でスキャンして文字を選択する。

モニター画面設置の工夫（図39）

画面が見やすいように，アームに固定する。モニターの位置は，顔の正面にくるように画面の高さを調整する。

試験対策Point

パソコンの利用は，運動機能障害が重度化しても，継続して利用できる作業活動である。

図38 スキャン走査による文字選択例

	あ	か	さ	た	な	は	ま	や	ら	わ
	い	き	し	ち	に	ひ	み		り		
	う	く	す	つ	ぬ	ふ	む	ゆ	る	を
	え	け	せ	て	ね	へ	め		れ	
	お	こ	そ	と	の	ほ	も		よ	ろ	ん

画面の文字盤を行と列と順にスキャンして文字を選択する。スキャンには，自動走査（オートスキャン方式）と手動走査（ステップスキャン方式）がある。

図39 モニターアームの利用

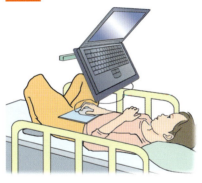
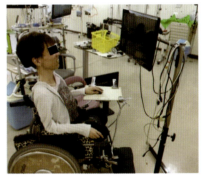

図40 スマートフォンの利用

補足

スマートフォン，タブレットの利用

パソコン活動と同じくアームに固定して利用する。マウスを接続できるので画面と操作部位を離して楽な姿勢で作業できるように配慮する（図40）。

ゲームデバイスの利用

ゲーム機器メーカーのコントローラが使えない場合，ジョイスティックやスイッチを接続して利用できるコントローラが販売されている（図41）。最近では視線入力デバイスを用いる方法もあり，eスポーツ場面での活用が広がっている。

治療的アプローチ：発達の各領域に対するアプローチ

図41 ゲームデバイスの工夫例

Case Study

デュシェンヌ型筋ジストロフィーの高校2年生の男性から，スマートフォンが使いたいと要望があった。機能レベルは上肢機能障害度段階分類レベル9，厚生省筋萎縮症研究班の機能障害度分類によるステージは8である。

Question 2

スマートフォンを操作するうえで問題となる身体動作と行為の関連を具体的に述べよ。例：○○ができないので，スマートフォンの△ができない。

☞ 解答 p.279

Question 3

また，この問題をどのように解決するか？ 現実的に提供可能な方法で具体的に述べよ。例：スマートフォンの△の問題を，▽を利用することで，◇ができるようになる。

☞ 解答 p.279

スイッチを適合する

　残存する手指機能や表情筋を使ったスイッチ操作で，テレビなどの電化製品やパソコンの操作が可能である。スイッチには，軽く押せるもの・タッチセンサや音，呼気に反応する特殊スイッチがある（**図42**）。スイッチの適合は，対象者が語るしづらさに配慮しつつ，操作性・安全性・介護者の設置負担を考慮して進められる。

図42 スイッチの適合例

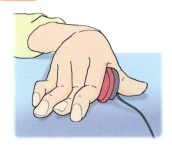
a　スペックスイッチ

b　ポイントタッチスイッチ

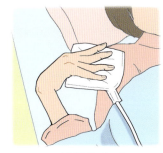
c　PPSスイッチ

> **アクティブラーニング ④** 最近では，一般製品を利用して作業活動を改善できることが多くなった。身の回りの用具で，どのようなDMDの能力障害を補うことができるか考えてみよう。

● 学校場面での活動支援

歩行困難な時期になると，周囲の友達との違いや，病気に対する不安を抱えやすい。また，機能障害の進行から参加制約が生じやすく，登校拒否に至るケースもある。学校場面は，集団生活のなかで自分らしさを育む大切な時間であるため，孤立感を抱かせないように可能な限りクラスメイトと一緒の課題に参加できる調整が望ましい。

通学・教室移動場面での配慮

歩行できる時期であっても移動に時間がかかるようであれば，早い時期に歩行と車椅子の併用を考慮する。

学びやすさの工夫

どんな課題にも参加できる工夫が大切である。
- 黒板の板書：手書きで板書する生徒や，パソコンを利用する生徒もいる（図43）。
- 手を使った課題への参加：アームサポートの工夫で残存機能を活かして手の動きを利用した美術課題への参加も可能となる（図44）。

図43 パソコンを利用してノートをとる

図44 油絵課題の工夫例

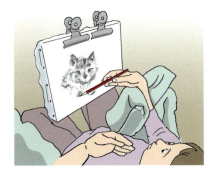

治療的アプローチ：発達の各領域に対するアプローチ

- 楽器演奏：スマートフォンのキーボードアプリを利用して演奏に参加。頸部の屈曲ができず手元が見えないので，手元をビデオカメラで映し大きな画面に表示している（図45）。
- スポーツ（図46）：小学校入学時より体育は見学や点数係などが多い。筋ジストロフィー患者が多く集まる特別支援学校では，道具やルールを統一し，誰もが参加できる作業活動に配慮されている。

図45 スマートフォンアプリでの楽器演奏

図46 車椅子で行えるスポーツ

a　カーリング　　　　b　車椅子サッカー

> アクティブラーニング ⑤ 教科書がめくりづらいとの訴えがあった。現実的に提供可能な方法でどのような工夫があるか？ 図解して考えてみよう。

● わかりやすさへの工夫

　筋ジストロフィー患者の多くが，行動上の問題と学習障害を高い頻度で抱えている。生徒のわかりやすさに焦点をあてた関わりが必須である。

消極的？ 人見知り？

　「質問してもすぐには返答できない」，「友達の輪のなかに入って行けずに戸惑っている」など，消極的で，シャイな性格のように感じられる。しかし，興味や意欲はあるが，「わかるけどできない」などと，解決できずに諦めやすい。このため，早めに困難さに気づき，課題を解決する方法を一

緒に探す関わりが大切となる。例えば，輪に入って行けずにぐるぐる廻っている場合，誘ってみることで解決することもある（図47）。

夏休みの思い出の感想文
　いっぱい思い出はあるが，選べずにわからない。そんなときは，一つ一つ聞き取り情報整理を手伝うことで解決することがある（図48）。

将来に向けて（図49）
　学校卒業後の次のステージに向けて，早い時期から学校関係者と支援者と本人が集まり，将来の進路をイメージする機会が大切となる。早い時期に自分の得意なものを見つけられ，他者に関心を向ける機会をつくることが重要である。

図47　輪に入りたいが，どこにいてよいかわからない

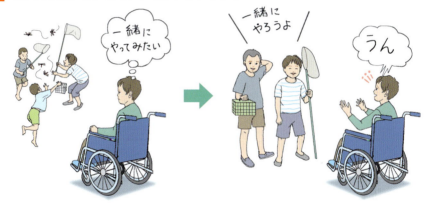

図48　いっぱい思い出がありすぎて選べない

図49　早い時期から将来について語ろう

■**学校卒業後の社会参加へのサポート**
　20歳代前半は，終日人工呼吸器への移行や，上肢機能障害の重度化が進行し，食事・書字・ページめくりなど，それまでできていた机上の作業活動が困難となっていく。継続した社会参加の機会が阻害されやすく，自分を活かせる参加場面が見つけられず，自分が大切な存在であると感じられにくく，自分への期待も減り，ますます孤立化の傾向が強くなっている。

● 大学生活を継続していくために
体調にあわせた授業時間調整

　身体の疲れやすさから，午前・午後に及ぶ長い時間での授業出席が難しくなり，無理をしてしまい体調を崩す例もたびたび生じている。そこで，在宅でのインターネットを利用した聴講や，通信教育など単位を振り返られる制度整備など，体調に合わせ，授業への参加方法を検討していく。

学びやすさへの支援体制

　大学在学中に，上肢機能障害が進行するため，書字やパソコン操作，姿勢不良など多くの活動で困難さが顕在化しやすい。継続して活動が行える支援体制（誰が・どこで）の整備が必要である。

● 就労活動を継続していくために
働き方の工夫

　就労場面でも長時間の就業が困難で，本来であれば年齢を重ねるにつれ，習熟していくはずの作業効率が，機能障害の重度化で果たせなくなり，離職に至ることも多い。そこで，短時間，もしくは単発な毎日ではない働き方や，納期にあわせて，複数人で課題をシェアする方法も有効で，働き方の工夫で就労の機会を広げられる。

Case Study

デュシェンヌ型筋ジストロフィー患者の18歳の男性。知能検査（WISC-Ⅲ）言語性IQ：88　動作性IQ：99。学校在学中は，「優先順位が苦手，断片的な知識量は多いが，系統的な理解に至らない。できないと感じると，先延ばしにしていることが多い」と評価されている。特別支援学校高等部を卒業後，テレワークで仕事を開始する。仕事へは，積極的で高い自己評価があったが，課題に対して，ミスが目立つようになり，期日までの課題の達成が難しくなると，「できない」という発言が目立ち，先延ばしにすることが多くなってきた。

Question 4

どのような治療プログラムが考えられるか？

☞ 解答 p.279

デュシェンヌ型筋ジストロフィー患者の30歳の男性。24時間の人工呼吸管理。ADLは全介助。終日ベッドで臥床。テレビを見て過ごすことが多い。
作業療法士が，「何か困ったことありますか？」，「やってみたいことは？」と訪ねても，「いい。大丈夫」との返答である。

Question 5

このような状況の患者に対して，作業療法はどのように展開するべきであるか。考えてみよう。

☞ 解答 p.279

【参考文献】

1) Ishikawa Y, et al：Duchenne muscular dystrophy：Survival by cardio-respiratory interventions. Neuromuscular Disorders, 21：47-51, 2011.
2) Abbott D, et al：Transition to adulthood for young men with Duchenne Muscular dystrophy：Neuromuscular Disorders, 22, 2012.
3) Bushby K, et al：For the DMD Care Considerations Working Group. Diagnosis and management of Duchenne muscular dystrophy, part 2：implementation of multi-disciplinary care. The Lancet Neurology, 9：177-189, 2009.
4) Liu M, et al：Muscle damage progression in Duchenne muscular dystrophy evaluated by a new quantitative computed tomography method. Arch Phys Med Rehabil, 74：507-514, 1993.
5) 松家　豊，ほか：プロジェクトⅢ-B　臨床病態の解析「運動機能」. 昭和57年度厚生省神経疾患研究委託費　筋ジストロフィー症の疫学，臨床および治療に関する研究報告書, p44-49, 1983.
6) Bushby K, et al：Diagnosis and management of Duchenne muscular dystrophy, part 1：diagnosis, and pharmacological and psychosocial management：The Lancet Neurology, 9：77-93, 2010.
7) 松家　豊，ほか：筋ジストロフィー症の上肢機能障害の評価に関する研究. 厚生省神経疾患研究委託費研究報告書筋ジストロフィー症の疫学，臨床および治療に関する研究－昭和57年度, p116-121, 1983.
8) Bach JR：Guide to the evaluation and management of neuromuscular disease. Hanley & Belfus, 1999.

✔チェックテスト

Q

①筋ジストロフィーは，なぜ筋力低下や関節拘縮が起こるのか病態を説明せよ（☞p.206, 210）。 **基礎**

②DMDの医学的治療の概要を説明せよ（☞p.208, 209）。 **基礎**

③DMD患者は，上肢の近位筋の筋力低下がすすむと特徴的な代償動作がみられるようになる。頭の上に手を持ってくる動作の場合，両上肢と頭部・体幹はどのように動くか（☞p.224）。 **臨床**

④筋ジストロフィーでみられる代償動作ではどのような点に留意して作業療法を行うべきか説明せよ（☞p.216）。 **臨床**

⑤DMD患者の認知特性では，口頭指示で複数の指示が適切に受け取れずに失敗することがある。改善するにはどのような対応が必要か（☞p.216, 234）。 **臨床**

⑥運動機能障害が進行すると，それまでと同じやり方では活動が困難になってくる。この移行期の特徴を説明し，どのように支援をすすめていくか説明せよ（☞p.220～224）。 **臨床**

⑦車椅子上で痛みやしびれがあり頻回な姿勢調整を希望される。どのような評価と支援が必要か（☞p.223）。 **臨床**

⑧ゴロゴロと痰が絡む音が聞かれ，軽い咳が続くような場合，どのような対応をとるか（☞p.214, 218）。 **臨床**

⑨DMD患者のリーチ範囲の制限が著しい場合に，授業場面の活動支援で導入される用具にはどのような方法があるか（☞p.233）。 **臨床**

⑩IT機器の支援について，パソコンのキーボードやマウスといった標準入力デバイスが利用できない患者には，どのような方法があるか（☞p.230）。 **臨床**

⑪高校・大学など，学校卒業後の作業療法においては，どのような活動の獲得を目標とするか（☞p.236）。 **臨床**

治療的アプローチ：発達の各領域に対するアプローチ

治療的アプローチ：発達の各領域に対するアプローチ

6 各種対象疾患に対する作業療法アプローチ
二分脊椎

田山智子

> **Outline**
> - 「二分脊椎」は，発生過程における脊椎・脊髄の形成不全により，運動障害，知覚障害，膀胱直腸障害を生じる疾患である．その他，上肢機能低下や認知機能低下を起こす場合もある．
> - 作業療法では，さまざまな障害・機能低下の可能性を考慮し，総合的な評価・治療・援助が必要である．

1 二分脊椎とは

　二分脊椎（spina bifida）は，発生過程における脊椎・脊髄の形成不全により生じる疾患であり，脊椎・脊髄の形成不全は腰椎（髄）・仙椎（髄）レベルに起こりやすい．

■脊椎・脊髄の発生過程

　神経系発生において，外胚葉から形成された神経板の両側が接近して神経溝および神経管が形成され，神経管が脳・脊髄の原基となる．神経管の形成は脳と脊髄が連結する部位から始まり，頭部・尾部方向へと神経溝が閉鎖していく（このため腰髄・仙髄の部位の神経管は形成が遅れる）．一方，脊椎の発生においては，神経管が形成される時期ごろより神経管の周囲に椎骨（脊椎骨）の原基となる椎板が中胚葉から形成される（図1）．椎板は神経管に接近した位置にあり，その発生過程は神経管の発生経過に影響を受ける．

■二分脊椎の分類と臨床像（図2）

　二分脊椎においては椎骨の椎弓に癒合不全がみられる．二分脊椎はその椎弓欠損部から腫瘤が膨隆する顕在性二分脊椎と，腫瘤がみられない潜在性二分脊椎に分類される．

　顕在性二分脊椎は髄膜瘤（図2b）と脊髄髄膜瘤（図2c）に分類される．髄膜瘤は髄膜組織のみが腫瘤を形成し，神経組織は脊柱管内にとどまり腫瘤を形成しない．脊髄髄膜瘤は，髄膜組織・神経組織の両方が脊柱管から脱出し腫瘤を形成する．なお，脊髄髄膜瘤においては，皮膚や硬膜（髄膜の最外側）に覆われず，脊髄・神経根が露出する場合が多く，これを「脊髄披裂」あるいは「開放性脊髄髄膜瘤」とよぶ．顕在性二分脊椎は，神経症状（下肢の運動・知覚障害，膀胱直腸障害）を呈するが，髄膜瘤は神経学的には正常と考えられており，神経症状は脊髄髄膜瘤に比べ少ない．

　潜在性二分脊椎（図2d）は，椎弓の癒合不全の部位に脂肪腫，皮膚のく

図1 脊椎・脊髄の発生過程

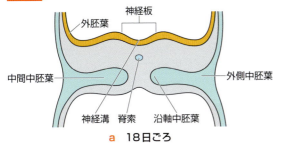

a 18日ごろ

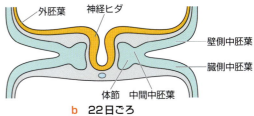

b 22日ごろ

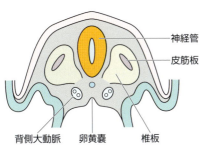

c 24日ごろ

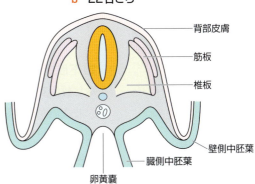

d 26日ごろ

発生過程における胚子の体節の形成と分化を示す(横断面)．椎板から間葉細胞が脊索に向かって移動し，そこで密集して椎骨のひな型を形成する．

(文献1より改変引用)

図2 二分脊椎の分類と臨床像

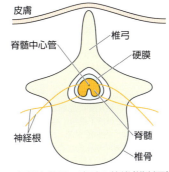

a 正常な脊椎・脊髄の状態(横断面)

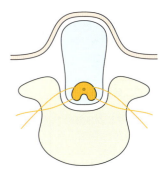

b 髄膜瘤

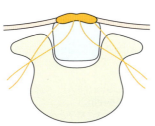

c 脊髄髄膜瘤(脊髄披裂の例)

d 潜在性二分脊椎

二分脊椎のココはおさえよう!!
① 分類〔潜在性二分脊椎，顕在性二分脊椎(髄膜瘤，脊髄髄膜瘤)〕と神経症状の有無
② 合併症(キアリ奇形，水頭症など)
③ Sharrard(シャラード)の分類および移動動作との関係(Hoffer(ホッファー)の分類も確認しておこう)
④ 下肢機能の運動・知覚障害以外の障害(膀胱直腸障害，上肢機能低下，認知機能低下など)

治療的アプローチ：発達の各領域に対するアプローチ

239

ぼみ，発毛などを認めるが腫瘤はみられず，神経症状は少ない。

合併症にはキアリ奇形[*1]，水頭症[*2]，脊髄空洞症[*3]，脊髄係留症候群[*4]，側彎などがある。発生率は日本において1万人の出生当たり5人前後とされる。世界的には減少傾向にある。

*1 キアリ奇形
小脳や脳幹の一部が大孔から下降し，脊柱管内に入り込む先天奇形。出生後の早期から喘鳴，無呼吸発作，嚥下障害などを生じることがある。

*2 水頭症
脳室内に過剰の脳脊髄液が貯留した状態。二分脊椎においてはキアリ奇形などの原因によって脳脊髄液の循環が円滑に行われず，水頭症を合併しやすい。脳室腹腔短絡術（ventriculo-peritoneal shunt：V-Pシャント）などにより脳脊髄液を体外に排出しコントロールすることができる。

*3 脊髄空洞症
脊髄中心管が局部的に拡大し，そこに脳脊髄液が局部的に溜まり脊髄を内側から圧迫する病態。

*4 脊髄係留症候群
肥厚した終糸（脊髄の末尾にある）や脂肪腫の存在などにより，児の成長とともに脊髄が引き伸ばされて下肢の運動・知覚障害，膀胱直腸障害が生じる病態。

2 二分脊椎の評価

評価する各項目について，なぜ評価するか，何をみるか，どのような検査を行うかに分け，以下に述べる。

■下肢機能

なぜ評価するか：移動・移乗・下衣の更衣および座位保持にどのように下肢機能が用いられるかをみるため。

何をみるか：どの関節運動ができるか。拘縮・変形はないか。

どのような検査を行うか：筋力検査（MMT，年齢が低くMMTの実施が難しい場合はActive ROMを測定し筋力の指標とする），関節可動域測定，Sharrardの分類[*5]による股関節の機能の分類，Hofferによる歩行レベルの分類[*6]。

補足
葉酸で二分脊椎が予防できるか

葉酸はビタミンB群の1つで，緑黄色野菜，果物，レバーなどに多く含まれるが，妊娠1カ月前から妊娠3カ月までの間に葉酸のサプリメントを内服（0.4mg/日）すると二分脊椎の予防に効用があるといわれている。

*5 Sharrardの分類および移動動作との関連

Sharrardは股関節の機能に着目し，6群の分類を行った。以下，その分類と股関節以外の関節運動や移動動作との関連を述べる。

第Ⅰ群（胸髄レベル）：股関節周囲筋がすべて麻痺（骨盤帯付長下肢装具＋杖で歩行可能だが，車椅子移動が実用的）

第Ⅱ群（第1，2腰髄レベル）：股関節屈曲・内転力は中等度，外転・伸展はできない。膝関節伸展力は弱い（長下肢装具＋杖歩行が目標となるが，車椅子移動と長下肢装具＋杖歩行併用が実用的）

第Ⅲ群（第3，4腰髄レベル）：股関節屈曲・内転力は強力になり，外転筋が作用し始める。膝関節伸展力は強くなる。足関節背屈筋が作用し始める（長下肢装具または短下肢装具＋杖歩行が可能。年長になると車椅子併用の場合もある）

第Ⅳ群（第5腰髄レベル）：股関節屈曲・内転力は強力，外転力は中等度。伸展筋が作用し始める。膝関節屈曲・足関節底屈筋が作用し始める（短下肢装具または靴型装具で歩行可能。年長になると車椅子併用の場合もある）

第Ⅴ群（第1，2仙髄レベル）：股関節は伸展力が弱い以外ほぼ正常（靴型装具または装具なしで歩行）

第Ⅵ群（第3仙髄レベル）：股関節は正常（健常児と変わりなく歩行）

*6 Hofferの分類

Community Ambulator（CA）：日常生活の大部分において，室内および屋外の歩行が可能。杖か装具，あるいは両者を必要とすることもある。自分の生活圏を離れて遠方へ出るときのみ車椅子を使う。

Household Ambulator（HA）：室内においてのみ歩行可能。装具を必要とする。椅子やベッドへの出入りができる。屋外での活動のほか，家庭や学校内の活動においても車椅子を使用することがある。

Non-functional Ambulator（NFA）：家庭，学校，病院でのトレーニングのときのみ歩行可能。そのほかは車椅子を使用。

Non Ambulator（NA）：ときに椅子とベッドの間を移動できるが，車椅子を必要とする。

> **補足**
>
> **Sharrardの分類第Ⅰ群の移動動作について**
> 第Ⅰ群では股関節周囲筋がすべて麻痺しているので車椅子移動が実用的である。しかし，両長下肢装具を骨盤帯で連結した骨盤帯付長下肢装具(hip knee ankle foot orthosis：HKAFO)と両側杖を用いた歩行練習を行う場合もあり，骨折の軽減(荷重負荷により廃用性骨萎縮を予防)や移乗動作能力向上につながるとされる。
> HKAFOによる歩行において，従来は大振り歩行・小振り歩行の両側下肢での同時歩行が用いられていたが，reciprocating gait orthosis(RGO)などの交互歩行用装具の開発によりエネルギー消費が少なく，持久性の高い交互歩行が可能となった。

　股関節・膝関節・足関節の主な関節運動と主動作筋・神経支配およびSharrardの分類との関係は**表1**に示すとおりである(なお，**表1**は文献2による神経支配の記述に基づいて作成したが，一般的に大腰筋・腸骨筋の神経支配はTh12～L3・L4とされることが多いことを考慮されたい)。

表1 股関節・膝関節・足関節の主な関節運動と主動作筋・神経支配およびSharrardの分類との関係

■：各主動作筋の神経支配の範囲

関節運動		主動作筋	神経支配								
			Th	L1	L2	L3	L4	L5	S1	S2	S3
股	屈曲	大腰筋			■	■	■				
		腸骨筋			■	■	■				
	伸展	大殿筋						■	■	■	
		ハムストリングス						■	■	■	
	外転	中殿筋					■	■	■		
		小殿筋					■	■	■		
	内転	大内転筋			■	■	■				
		短・長内転筋			■	■	■				
膝	屈曲	ハムストリングス						■	■	■	
	伸展	大腿四頭筋			■	■	■				
足	背屈	前脛骨筋					■	■			
	底屈	長・短腓骨筋						■	■		
		下腿三頭筋						■	■	■	
足指	MP・IP伸展	長指伸筋					■	■	■		
	MP屈曲	虫様筋						■	■	■	■
	IP屈曲	長指屈筋						■	■	■	■
Sharrardの分類			Ⅰ群		Ⅱ群		Ⅲ群	Ⅳ群	Ⅴ群		Ⅵ群

(文献2より改変引用)

■ 体幹機能

なぜ評価するか：体幹機能の低下により座位・立位が安定しない場合がある(特に，障害部位が胸髄・腰髄高位レベルで「高位レベル」とよばれる子どもは注意が必要)。また，体幹が安定しないと上肢機能が低下し，ADLに支障が生じる場合がある。側彎が生じる場合もある。

何をみるか：座位・立位保持にどのように体幹機能が用いられるか。側彎の有無。

治療的アプローチ：発達の各領域に対するアプローチ

> **補足**
> **側彎を予防しよう！**
> 二分脊椎における側彎は，椎体自体の奇形を伴う先天性と，体幹筋の筋作用の不均衡による成長性のものがある。側彎は障害部位が高位であるほど発生率が高く，年齢とともに進行する。側彎が進行すると，安定した直立姿勢を妨げ，座位および立位バランスが低下し日常生活全般に支障がでるほか，変形により更衣動作が困難になる場合がある。側彎の予防は，容姿を保つという意味以上に日常生活を送るうえで重要である。
> ADLの視点からも側彎を予防する視点をもとう！

どのような検査を行うか：MMT，バランス検査(座位・立位)。

■ 上肢機能

なぜ評価するか：二分脊椎の成因から考えると運動障害は下肢においてだけと考えられがちであるが，上肢機能の低下がみられ，手指の微細運動が困難であったり不器用な子どもも多い。ADLが困難となったり，できていても時間がかかり集団生活についていくことが難しい場合がある。

何をみるか：上肢機能全般，利き手の確認。上肢機能は運動障害を中心に，知覚障害や認知機能の低下も併せて総合的に評価する。

どのような検査を行うか：筋力検査(MMT，握力，ピンチ力)，関節可動域測定，上肢機能検査(リーチ，把持・リリース，手指微細運動，物の操作)。

■ 知覚機能

なぜ評価するか：知覚障害によりADL上の支障〔褥瘡，低温やけど，排泄動作の困難さ(「4 セルフケアの援助」p.246を参照)〕が生じる可能性がある。

何をみるか：知覚障害の有無(特に表在覚)とADLへの影響。

どのような検査を行うか：感覚検査(記録にはデルマトームを用いる)。ADL上の支障の有無の聴取。

■ 認知機能

> **補足**
> **二分脊椎児における知能の特徴**
> 二分脊椎児の80～90%に水頭症が合併し，知的発達の遅れがみられることが多い。特に，視覚認知の低下や，言語性知能に比べ動作性知能が低い傾向が指摘されている。学習面では文章は読めるが意味が理解できない，算数で図形問題が難しい，絵を描くのが苦手など，視覚的イメージが育ちにくい傾向がある。日常生活ではおしゃべりであるが行動が伴わない，場の状況が把握しにくく他者との交流がうまくできない場合もある。

なぜ評価するか：認知機能(特に視覚認知)の低下により，国語(読む・書く)，算数(計算・図形問題)などが難しい場合がある。また，社会性の未熟さに結びつく可能性もある(後述「社会性」p.246を参照)。

何をみるか：認知機能の低下とADL・学習動作および社会性との関連。

どのような検査を行うか：ADL・学習動作の観察。フロスティッグ視知覚発達検査，WISC知能検査，日本版ミラー幼児発達スクリーニング検査(JMAP)。

■ ADL

● 何をみるか

- 移動動作：家庭の外では車椅子や杖歩行を行っていても，家庭では四つ這いやずり這いをしている子どもも多い。環境による移動方法を確認しておく。
- 移乗動作：水平方向，垂直方向の移乗動作はADLを円滑に行うために重要である。車椅子生活においては，水平方向の移乗動作は必須ではあるが，垂直方向の移乗動作も大切である。というのは，二分脊椎児のな

*7 CIC
清潔間欠（自己）導尿〔clean intermittent (self) catheterization：CIC〕のこと。尿を排出しきれず残尿がある子どもに対し，手指や尿道口を消毒したのち尿道から膀胱にカテーテルを挿入し，尿を完全に排出する方法。一般的には1日に5〜6回実施する。現在は実施回数を重要視し消毒については厳密に行う必要はないとされる。カテーテル（図3），消毒綿などが必要である。

*8 洗腸
腸に微温湯を直接注入し，便とともに排出する方法。洗腸には，腹壁から結腸に洗腸路を造設し，そこから微温湯を注入する「順行性洗腸法」と，肛門から直接微温湯を注入する「逆行性洗腸法」がある。

かには，家庭では床上で四つ這い移動やずり這い移動を行う子どもが多くみられ，車椅子や便器への移乗などで垂直方向の移乗が必要となるからである。また，床上で下衣の更衣や清潔間欠（自己）導尿〔clean intermittent (self) catheterization：CIC*7〕動作を行う子どももおり，その場合は車椅子の乗り降りの際に垂直方向への移乗が必要となる。

- 食事動作：食器の操作において上肢機能上の問題がないかをみる。障害部位が胸髄・腰髄高位レベルである子ども（以下，高位レベル児）には体幹機能の低下があるため，座位の評価も必要である。
- 更衣動作：下肢運動機能の低下がある場合，下衣の更衣はどのように行っているかをみる。上肢機能も低下している場合があるため，リーチや巧緻動作（ボタンかけなど）の状態も評価する必要がある。高位レベル児は座位での体幹機能も評価する。
- 排泄動作：便器への移乗，下衣の上げ下ろし（おむつ・パッド使用の場合は自分で着脱できるか），排尿に必要な器具の操作（CICなど），排便に必要な器具の操作（洗腸*8など）ができるか。排尿や排便を行う時間間隔を把握し排泄動作を実施できるか。

図4に「逆行性洗腸法」による洗腸器具の用い方を示す。

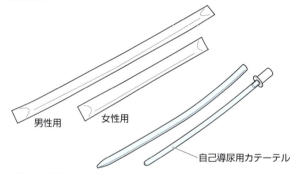

図3 CICに用いられるカテーテル

右下は一般的な自己導尿用カテーテル（イソジン液を満たした容器にカテーテルを入れて携帯する）。左上はディスポーザブルタイプ（紙袋に包装されている）。長いほうが男性用，短いほうが女性用）。

図4 洗腸器具の使い方

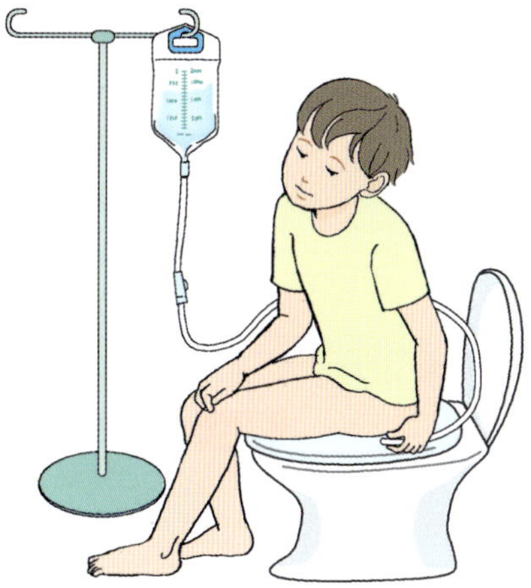

■ 学校生活
● 何をみるか
以下の内容について聴取する。

①学校および教育の形態：普通校か特別支援学校か。普通校の場合，普通学級か特別支援学級か。通級制度*9の利用の有無。学校の規模，学年の規模，所属するクラスの生徒数。
②学校生活：通学方法，校内の移動方法，排泄動作の方法（トイレの構造，CICの器具・失禁した場合の着替えの置き場所）。

*9 通級制度
特別支援教育における制度の1つで，普通学級に在籍し，通常は普通学級の授業を受けながら一部特別な支援が必要な教育内容について特別支援学級などで授業を受けること。

③学習内容：得意な教科・苦手な教科，作業スピード（授業の準備，課題遂行）．
④その他：交友関係

■ **社会性**

なぜ評価するか：話の内容と行動が伴わなかったり，場の状況が把握できず交友関係がとりにくい場合がある．また，作業スピードが遅く他の子に追いつかないため，仲間はずれになる場合もある．

何をみるか：交友関係の様子．作業スピードにおいて集団生活についていけるか．

3 二分脊椎のアプローチ

■ **運動発達の促進**

下肢の運動障害により，運動発達が遅れる傾向がある．腹臥位・背臥位・座位・立位などのさまざまな肢位において全体的な運動発達を促し，姿勢変換もできるように働きかける．

■ **体幹機能**

体幹機能の低下に対し座位・立位での体幹の抗重力活動を高める．特に高位レベル児については子どもの機能に合った椅子・机の高さを評価し，家庭，学校においても同じような設定を心がけるように助言する（図5, 6）．体格や身体機能に適した車椅子の処方も重要である．側彎は座位・立位バランスを崩すだけでなく，ADL（移乗・更衣・排泄動作など）に支障を生じさせるため，できるだけ予防するよう体幹機能の向上・維持，適

図5 机と椅子の高さを調整する

図6 体幹機能を高める

した椅子・車椅子の選択をする必要がある。

■ 上肢機能

高位レベル児については，体幹機能を高めるとともに上肢機能を向上させる練習（リーチ・把持・リリース，物の操作）を行う必要がある（図7, 8）。高位レベル児以外においても，手指微細運動や背部へのリーチが未熟であることがあるので上肢機能を向上させる練習を行い，学習動作（書字，はさみなどの道具の使用）や排泄動作（CICの際のカテーテル操作，後始末動作・洗腸動作の際の後方へのリーチ）につなげていく。

二分脊椎の子どものなかには身体図式が未熟で，上肢に限らず身体の使い方が不器用なことがある。身体図式を高めることも，的確な動作を行ううえで重要である（図9）。

■ 認知機能

視覚認知機能の低下については，形の識別や構成的な課題などの視覚課題を実施する（図10）。手と目の協応が必要な活動は効果がある。しか

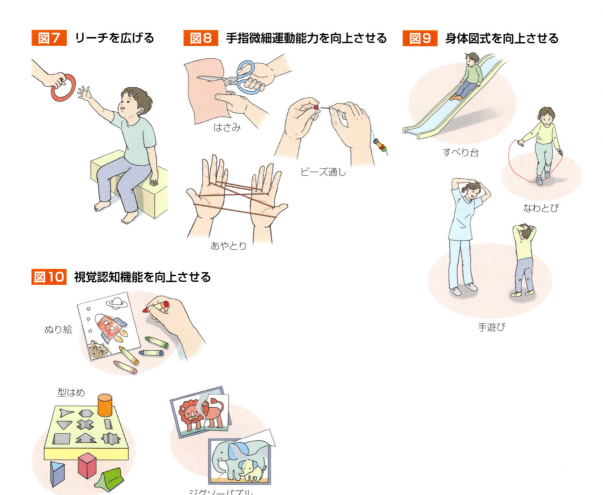

図7 リーチを広げる
図8 手指微細運動能力を向上させる　はさみ　ビーズ通し　あやとり
図9 身体図式を向上させる　すべり台　なわとび　手遊び
図10 視覚認知機能を向上させる　ぬり絵　型はめ　ジグソーパズル

し，対象児の問題点は千差万別であり，注意障害がみられたり，聴覚認知の遅れがある子も存在する．課題の選択については，フロスティッグ視知覚発達検査，WISC 知能検査，JMAP などの検査結果や課題の遂行状況を評価して，対象児の問題点と目標に合った課題を選択する必要がある．

■学校生活・社会性

学校側との情報交換を実施し，通学，校内の移動，排泄動作(トイレの構造，CIC の器具・失禁した場合の着替えの置き場所)に対する環境の調整を行う．また，苦手な教科，作業スピード(授業の準備，課題遂行)の遅れ，交友関係に対する対応について，作業療法士としての助言を行う．

■余暇活動

二分脊椎の子どもは肥満になりやすいので，スポーツを取り入れることが望ましい．学校を卒業すると，社会に出る機会が少なくなりがちであるので，興味のある趣味活動に取り組み，他者との交流をもつことは生き甲斐のある生活のためにも大切である．

4 セルフケアの援助

■食事

巧緻(こうち)動作が困難な子どもに対しては，上肢機能を向上させる練習と並行して実際に食器を使用する動作を練習する．高位レベル児は座位の安定性，上肢機能の向上を求める．座位が安定しない児には椅子の調整を行う．

■更衣

上衣は座位で行う場合は座位の安定性を高める必要がある．衣服も大きめのものが着やすい．衣服の形状を理解しやすいように示す．下衣は下肢の運動機能に合わせた着脱の方法を指導する．ボタン着脱などにおいて巧緻動作が困難な場合は，上肢機能を向上させる練習と並行して実際の場面の動作練習を行う．

> **Question 1**
> Sharrard 第Ⅱ群の子どもはどのようなズボンの着脱をするだろう？ 下肢の運動を想像しながら考えてみよう．
> ☞ 解答 p.280

■ 排泄
● 二分脊椎児の排泄機能の特徴

尿については神経因性膀胱*10となり，蓄尿・排尿が困難となる。蓄尿が困難になると失禁につながる。便については便秘になりやすく，便が溜まると便失禁も生じやすい。

*10 神経因性膀胱

膀胱は，骨盤神経（副交感神経）と下腹神経（交感神経）により二重支配される。
骨盤神経は，尿が貯留することにより生じる膀胱壁の伸展などの感覚情報を脊髄排尿中枢（S2〜S4）に伝え，膀胱の排尿筋を収縮させ，「排尿」に関与する。
下腹神経は，排尿筋の収縮を感知し，排尿筋収縮の抑制などを行い，「蓄尿」に関与する。
また，外尿道括約筋は陰部神経（体性神経）により支配され，随意的な排尿コントロールに関わる。
なお，脊髄排尿中枢は，脳幹・大脳皮質の上位排尿中枢により，抑制を受ける。
これらの神経系に障害を受けることで，蓄尿・排尿が難しくなる状態を「神経因性膀胱」とよぶ（図11）。

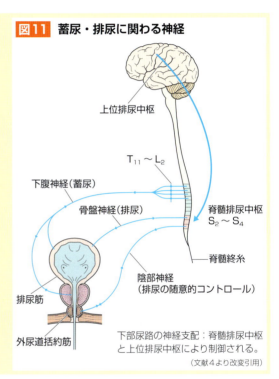

図11 蓄尿・排尿に関わる神経

下部尿路の神経支配：脊髄排尿中枢と上位排尿中枢により制御される。

（文献4より改変引用）

● 排泄管理の重要性
①排尿管理は生命維持に関わる：排尿が困難になると残尿や膀胱尿管逆流などを生じ，感染症や腎機能の低下につながり，生命維持をおびやかすため，排泄管理は重要である。
②失禁は社会生活上の困りごとにつながる：排尿・排便のコントロールが意図的に行われず，失禁することにより社会生活に支障を生じる。

● 排泄動作全般で留意すること
①失禁がある子どもにはおむつ・パッドの使用が必要である。
②下衣，パンツまたはおむつ・パッドの着脱も評価し，自立へと働きかける。
③便器の上での座位の安定性が必要となる不安定な子どもについては手すりなどの体幹を支持する環境が必要となる。

④天然ゴム素材はラテックスアレルギーを引き起こしやすい。摘便などで手袋を用いる場合はほかの素材のものを用いる。

⑤排泄動作の指導は看護師が中心に実施する施設が多い。作業療法士は看護師と連携をとりながら援助を実施すると効果的である。

● 排尿動作への援助

　排尿には，手圧排尿，腹圧排尿，CICの方法がある。一般的には，排尿時に膀胱内圧を高めず残尿を生じないCICが用いられている。CICについては，カテーテルの操作を行うための上肢機能・座位機能の向上，および，動作練習を行う（女児は尿道口が視覚的に確認しにくい位置にあるため，留意が必要）。さらに，実際の場面における動作や環境の確認と助言も重要である。

● 排便動作への援助

　排便には繊維の多い食物の摂取，服薬のほかに，摘便，坐薬，浣腸，洗腸の方法があるが，洗腸は横行結腸以下の宿便も除去することができ失禁予防に効果がある。洗腸に対しては，下記の点について援助を行う。

洗腸（逆行性洗腸法の場合）

①肛門の位置を探し，コーン（水の出口部分）の挿入：肛門周辺の知覚障害により肛門の位置を探しにくいことと，後方へのリーチが難しいことから，コーンの挿入が困難である児が多い。後方へのリーチの方法，手指の触覚や上肢の固有感覚を用いて肛門を探す方法を助言する。

②後方へのリーチに伴い座位が不安定にある場合は，手すりなどで体幹を支持する環境を設定する。

③バッグの取り扱い：バッグに入れる微温湯の運搬や水をバッグにこぼさず入れ，壁に掛ける方法を工夫する（微温湯をペットボトルに入れて運搬する，壁に掛ける位置を手の届く位置にするなど）。

④一連の手順の理解：一連の手順の理解が難しい場合は，図を用いたりしながら理解を促す。

> **補足**
> **プールが困る**
> 二分脊椎児は便失禁が心配でプールに入ることを敬遠しがちである。対策としては洗腸でしっかり排便を行ったり，アナルプラグを用い肛門を塞ぐ方法がある。アナルプラグとは，肛門に直接挿入して便失禁を防ぐ肛門用装具である（図12）。

図12　アナルプラグ

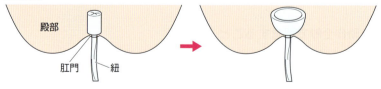

プラグを肛門に挿入すると体温と水によってプラグが膨らみ肛門を塞ぐ。

> **補足**
>
> **高位レベル児には作業療法士が関わるべし！**
> - 二分脊椎児は，さまざまな障害を併せもち総合的に援助していく必要のある疾患である。
> - 特に高位レベル児については，体幹機能・上肢機能および座位機能，認知機能，ADL・学習動作などについて多面的に評価し総合的に援助する必要性が高く，作業療法士はもっと関わっていくべきであると筆者は考えている。
> - 臨床で出会ったら，ぜひ作業療法を推奨しよう！

Case Study

高位レベル児に対する作業療法の一経験

第2腰髄レベルの脊髄髄膜瘤で水頭症を合併するA君（男児）。4歳で作業療法を開始し，当初は体幹機能や上肢機能および座位機能の低下，視覚認知発達の遅れがみられ，ADLにおいて食事は自立，更衣は協力動作ができる程度であった。作業療法では児の機能に合わせた机や椅子の高さを評価し，座位練習を行うとともにさまざまな活動を行い，上肢機能・視覚認知機能の向上を求めた。ADL拡大に向け，更衣動作や車椅子・椅子間での移乗の練習も行った。その結果，小学校3年生（普通校の特別支援学級に在籍）の時点では体幹機能・上肢機能・下肢機能および座位機能の向上や視覚認知の発達がみられ，ADLにおいて更衣はほぼ自立となり，環境を設定すれば車椅子・椅子間での移乗もできるようになった。次の目標はCIC自立というところで，親元を離れリハビリテーション施設に短期入所し，現在はCIC動作の練習に取り組んでいるところだそうである。

おしゃべりで社交性のあるA君，「友達といっしょに遊ぶ」と言って自宅からリハビリテーション施設へ持ち出すおもちゃがどんどん増え，自分の後から施設に入所してくるお子さんの面倒見もよいとのこと。仲間と一緒に楽しく自立への道がひらけそうな予感がしている。

5 適応行動を促すための環境調整

以下に述べる環境調整が必要である。

①下肢・体幹機能の低下を補う物理的環境の調整
- 車椅子・座位保持装置の形状の選択。
- 椅子・机の高さの選択。
- 建築物の構造：トイレ（下衣の着脱のための長椅子の設置），浴室などの改修。昇降機，エレベーターの設置。

②行動範囲を広げるための物理的環境や人的環境の調整
- 外出の際，車椅子で利用できる施設かどうかの確認。
- 二分脊椎者自身による自動車運転免許取得。
- 送迎のための交通手段と送迎してくれる人（家族・ヘルパーなど）の選択。

③身体障害者手帳取得による福祉制度の利用
- 装具・車椅子・座位保持装置作成のための補助制度，など。

6 関連施設との連携

■就学前

保育園・幼稚園，または通園施設での集団生活における身の回り動作の遂行方法や遊び方について，各施設の職員と情報交換を行う。身の回り動作は対象児自身が可能なものは時間がかかっても，できるだけ自分で行わせる。介助が必要なものは，介助の方法について助言する。遊び方については，二分脊椎の身体機能や認知機能の特徴を説明し，日頃の活動のなかで問題が生じていないかを観察していただく。身体機能については下肢機能の障害だけでなく，上肢機能にも障害がみられる可能性を説明する。

■ 就学後

　校舎内の移動動作や排泄動作，および学習動作について学校の職員と情報交換を行う。特に学校において，認知機能の低下により学習内容についていけない場合や，動作が遅いために他の生徒と同じスピードについていけない場合があるので，考慮が必要な点について作業療法士として助言する。

■ 卒業後

　小・中・高等学校を卒業した後の生活の過ごし方は障害の程度によりさまざまであり，大学進学や一般就職する人もいれば，学校卒業後は自宅で何もせず過ごす人もいる。支援が必要な人は，更生施設を利用して日常生活上の技能を習得したり，職業訓練校に通い仕事に必要な技能を習得したり，ハローワークなどで仕事の斡旋や職業訓練の斡旋を受けたりして，自分の能力を活かした生活をつくり出すことが望まれる。助言を行うためには，作業療法士も社会資源についての情報収集が必要である。学校を卒業し社会に出る機会が少なくなりがちな人に対しては，障害者センターや地域のサークルなど障害者同士の集まりや地域の集まりへの参加を促すという方法もある。「日本二分脊椎症協会」などの関連団体への参加も有用である。

■ 医学的管理

　二分脊椎は長期的に継続的な医学的管理が必要な疾患である。かかりつけの病院（脳神経外科・泌尿器科・外科・整形外科）を確認し，情報交換を行う必要がある。

> **補足**
>
> **二分脊椎に対するチーム医療の重要性と作業療法士の立ち位置**
> - 二分脊椎は，脊髄形成不全による運動障害・知覚障害・膀胱直腸障害に加え，キアリ奇形による脳幹機能障害，水頭症による知能低下や認知機能低下を併発する場合もあり，全身においてさまざまな症状が併発することから，脳神経外科・整形外科・泌尿器科・外科などさまざまな診療科の医師や看護師，リハビリテーション関連職種などの多職種間で評価・治療目標を共有したチーム医療が必要となる疾患である。
> - チーム医療のなかで作業療法士は家庭や学校，職場などさまざまな生活場面における生活上の困難さを，運動機能・認知機能および環境要因から「総合的に」評価し，対象者がよりよく生活できるように生活技能の向上や環境設定などを通じて「具体的に」支援する立ち位置にあると筆者は考える。作業療法士が得意とする「総合的な視点」と「具体的な支援」を二分脊椎への支援にもっと活用してもらう必要がある。

【参考文献】
1) Keith L. Moore 著, 星野一正 訳: イラスト人体発生学, 医学書院, 1990.
2) Helen J. Hislop, et al. 著, 津山直一ほか 訳: 新・徒手筋力検査法 原著第8版, 協同医書出版社, 2008.
3) 伊丹康人, ほか編: 二分脊椎症とその周辺疾患(整形外科MOOK No.49), 金原出版, 1987.
4) 山田博是 編: 二分脊椎の臨床, 医学書院, 1985.
5) 伊藤利之, ほか編: こどものリハビリテーション医学 第2版, 医学書院, 2008.
6) 日本義肢装具学会 監, 飛松好子ほか 編: 装具学 第4版, 医歯薬出版, 2013.
7) 西須 孝, ほか著: 二分脊椎. 小児内科, 41: 1034-1038, 2009.
8) 椎名篤子, ほか著: 二分脊椎(症)の手引き―出生から自立まで―, 日本二分脊椎症協会, 2004.
9) 田山智子, ほか著: 二分脊椎外来における作業療法士の役割. 作業療法ジャーナル, 46(8): 1121-1125, 2012.

チェックテスト

Q
① 二分脊椎は脊椎・脊髄のどのレベルに生じやすいか(☞p.238)。 基礎
② 髄膜瘤と脊髄髄膜瘤ではどのような点が共通し, どのような点が異なるか(☞p.238)。 基礎
③ 脊髄髄膜瘤で生じる主な神経症状を3つ挙げよ(☞p.238)。 基礎
④ 脊髄係留症候群とは何か(☞p.240)。 基礎
⑤ 二分脊椎で生じやすい脳の障害を2つ挙げよ(☞p.240)。 基礎
⑥ キアリ奇形によりどのような症状が出現する可能性があるか(☞p.240)。 基礎
⑦ 水頭症はどのような方法で管理できるか(☞p.240)。 基礎
⑧ Sharrardの分類について説明せよ(☞p.240)。 臨床
⑨ 二分脊椎児の上肢機能においてどのようなことが問題になるか(☞p.242)。 臨床
⑩ 二分脊椎児における知能の傾向について説明せよ(☞p.242)。 臨床
⑪ 清潔間欠(自己)導尿(CIC)はなぜ必要なのか(☞p.247)。 臨床
⑫ 排便障害への対応方法を5つあげよ(☞p.248)。 臨床
⑬ 膀胱直腸障害は社会生活でどのような困りごとを生じるか(☞p.247)。 臨床
⑭ 二分脊椎児の排泄動作に対し, 作業療法士はどのような援助ができるか(☞p.247, 248)。 臨床
⑮ 二分脊椎児に対しどのような評価を行う必要があるか(☞p.240～244)。 臨床

治療的アプローチ：発達の各領域に対するアプローチ

7 各種対象疾患に対する作業療法アプローチ
分娩麻痺

田山智子

> **Outline**
> - 「分娩麻痺」は，分娩時に生じる，腕神経叢麻痺（多くは一側性）である。
> - 作業療法では，主に両手動作を通して患側上肢の機能向上とADLへの使用を促すが，乳児期は正常運動発達を基盤とした上肢機能の発達も考慮する必要がある。

1 分娩麻痺とは

分娩時において，腕神経叢（図1）が牽引され損傷を受けることにより生じる腕神経叢麻痺である。頭位分娩において巨大児のように頭囲より肩幅が大きくなるなどで肩が産道から出にくい場合や，骨盤位分娩において頭部が産道から抜きにくい場合に，頭や肩を牽引して腕神経叢を引っ張ることにより生じる（図2）。麻痺は上肢に起こり，その多くは一側性である。

合併症には骨折（鎖骨骨折，上腕骨骨折），筋性斜頸，横隔神経麻痺，Horner徴候*1などがある。発生率は1,000人の出生当たり0.4～2.6人程度とされる。産科技術の発達により減少傾向にある。

*1 Horner（ホルネル）徴候
交感神経の障害で起こる，一側の眼瞼下垂，縮瞳，眼球陥凹の徴候。

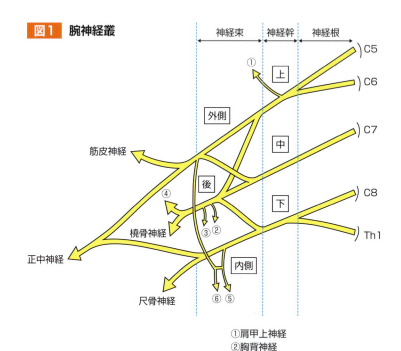

図1 腕神経叢

① 肩甲上神経
② 胸背神経
③ 肩甲下神経
④ 腋窩神経
⑤⑥ 内側・外側胸筋神経

252

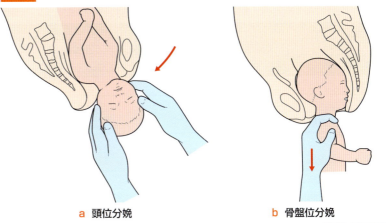

図2 分娩時の腕神経叢損傷機序

a 頭位分娩　　b 骨盤位分娩

(文献1より改変引用)

> **補足　分娩時胎位(頭位・骨盤位)と分娩麻痺の関連**
>
> ①出生体重：頭位分娩では出生体重が4,000g以上の巨大児において分娩麻痺が多く発生するが，骨盤位分娩では出生体重にかかわらず発生する。
> ②腕神経叢損傷の範囲・程度：頭位分娩では腕神経叢の上位(C5，C6)に損傷を受けることが多く，上位型が60％程度であるが，損傷が広範囲にわたる全型も比較的多い。骨盤位分娩では上位のみに強く損傷を受けることが多く，上位型が90％程度である。ちなみに，頭位分娩における上位型は比較的良好な予後を呈するのに対し，骨盤位分娩における上位型は予後が不良であることが多い。
> ③一側性麻痺と両側性麻痺：基本的には一側の腕神経叢が牽引および損傷を受けることにより一側性麻痺が発生するが，骨盤位分娩では両側の肩を下方に牽引するVeit・Smellie法(ファイト・スメリー)などの分娩介助により両側性麻痺が発生する場合がある。

■ 臨床像

● 運動障害

　腕神経叢の損傷部位により麻痺する筋が異なる〔腕神経叢の神経根・神経幹・神経束のどのレベルの損傷かによっても麻痺する筋は異なる(図1)〕。

　麻痺分類として，上位型C5・C6(C7)，下位型(C7)C8・Th1，全型C5～C8・Th1に分類される。上位型は「Erb型(エルブ)」，下位型は「Klumpke型(クルンプケ)」ともよばれる。上肢の主な関節運動と主動作筋・神経支配および麻痺分類との関係は**表1**に示すとおりである。また，過誤神経支配[*2]により複数の神経支配が生じ，単独の関節運動が困難となる場合がある。麻痺により拮抗筋どうしの筋作用が不均衡になり，一定の肢位に固定されることがある。上位型では，肩内旋・伸展，肘伸展，前腕回内，手掌屈の肢位(waiter's tip position)(図3)を，下位型では肘屈曲，前腕回外，手背屈の肢位をとりやすいことが知られている。また，拘縮，脱臼〔橈骨頭脱臼(図4)，腕尺関節脱臼〕も生じやすい。

　麻痺は一過性伝導障害(neurapraxia)程度の損傷が回復する生後3～6カ月ごろまでは正確な麻痺型・予後の予測は困難である。自然回復は1歳6カ月ごろまでとされている。

> [*2] 過誤神経支配(かごしんけいしはい)
> 神経が一度損傷し，その後再生する過程において，本来の支配筋以外の筋に神経線維が迷入し再支配することを「過誤神経支配」とよび，健常ではみられないような複数筋の同時収縮が起こる。

表1　上肢の主動作筋・神経支配および麻痺分類との関係

■：各主動作筋の神経支配の範囲　　■：上位型で損傷される神経支配レベル　　■：下位型で損傷される神経支配レベル

関節運動		主動作筋	麻痺分類 神経支配	全型 上位型 C5	C6	C7	下位型 C8	Th1
肩	屈曲	三角筋（前部）	腋窩神経	■	■			
	伸展	三角筋（後部）	腋窩神経	■	■			
		広背筋	胸背神経			■	■	
	外転	三角筋（中部）	腋窩神経	■	■			
		棘上筋	肩甲上神経	■	■			
	内転	大胸筋	内側・外側胸筋神経	■	■	■	■	■
		広背筋	胸背神経			■	■	
	外旋	棘下筋	肩甲上神経	■	■			
		小円筋	腋窩神経	■	■			
	内旋	肩甲下筋	肩甲下神経	■	■			
		大円筋	肩甲下神経	■	■			
		大胸筋	内側・外側胸筋神経	■	■	■	■	■
		広背筋	胸背神経			■	■	
肘	屈曲	上腕二頭筋	筋皮神経	■	■			
		上腕筋	筋皮神経	■	■			
	伸展	上腕三頭筋	橈骨神経			■	■	
前腕	回外	回外筋	橈骨神経		■	■		
	回内	円回内筋	正中神経		■	■		
		方形回内筋	正中神経				■	■
手	背屈	長橈側手根伸筋	橈骨神経		■	■		
		短橈側手根伸筋	橈骨神経			■	■	
		尺側手根伸筋	橈骨神経			■	■	
	掌屈	橈側手根屈筋	正中神経			■	■	
		尺側手根屈筋	尺骨神経				■	■
手指	伸展		橈骨神経			■	■	
	屈曲		正中・尺骨神経				■	■

（神経支配については文献2を参考に作成）

図3　waiter's tip position

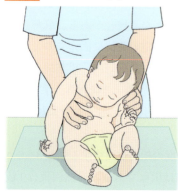

図4　橈骨頭脱臼

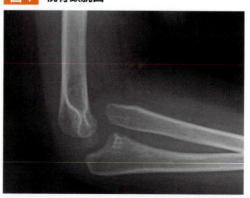

2歳女児，右分娩麻痺

● その他
①知覚障害：損傷神経の知覚支配域における痛覚・触覚の低下により，日常生活において，火傷・外傷を引き起こすことがある。
②自律神経障害：損傷神経支配域の末梢血管運動の障害，発汗障害を生じることがある。

> **補足　成人の腕神経叢麻痺とどこが違う？**
> ①「正常運動発達」を考慮した評価・治療が必要である（特に乳児期）。
> ②上肢の機能評価が難しい（運動障害について損傷部位，過誤神経支配の有無，正常運動発達などから総合的に評価する必要がある。被検児の協力がないと正確な検査が実施しにくい）。
> ③成長に伴いADLの発達も促していく。
> ④手術が年齢により選択される。

2　分娩麻痺の評価

■評価のポイント

腕神経叢麻痺による運動障害から，①上肢の筋力低下，拘縮・変形および上肢機能の低下が生じる。②上肢機能の低下により日常生活活動（activities of daily living：ADL）・学習動作などが困難となる。また，③筋力低下や不使用により上肢の発育が阻害される。そして，④感覚障害が上肢機能の低下や日常生活における支障（火傷，外傷）につながる場合がある。

■評価の方法

● 関節可動域

他動的関節可動域（passive range of motion：passive ROM）を測定する。

● 筋力

徒手筋力検査（Manual muscle testing：MMT）を実施する。年齢が低くMMTの実施が難しい場合はActive ROMを測定し筋力の指標とする。手指の運動がみられる場合は握力，ピンチ力も測定する。

● 模倣動作，リーチ動作

可能な関節運動模倣動作や身体各部へのリーチにより可能な関節運動とリーチ範囲を評価する。模倣動作は「ばんざい」「ひこうき」「ちょうだい」「いない，いない，ばあ」（図5），身体各部位へのリーチは「頭頂部」「口」「耳」「後頭部」「腰背部」（図6）などをみる。

図5 模倣動作

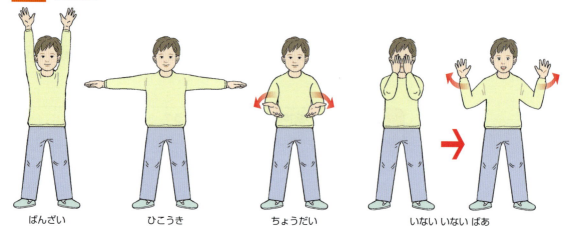

ばんざい　　ひこうき　　ちょうだい　　いない いない ばあ

図6 身体各部位へのリーチ

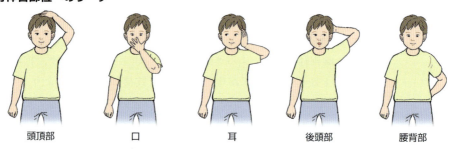

頭頂部　　口　　耳　　後頭部　　腰背部

試験対策 Point

分娩麻痺のココはおさえよう!!

- 分娩麻痺とは，分娩時に生じる腕神経叢麻痺（一側性麻痺が多い）。
- 麻痺は，①上位型C5・C6（C7），②下位型（C7）C8・Th1，③全型C5〜C8・Th1に分類される。
- 上位型麻痺はwaiter's tip position（肩内旋・伸展，肘伸展，前腕回内，手掌屈の肢位）をとりやすい。

Case Study

Question 1

以下，それぞれの模倣動作と身体各部へのリーチはどのような関節運動が評価できるか？
- 模倣動作：「ばんざい」「ひこうき」「ちょうだい」「いない，いない，ばあ」
- 身体各部へのリーチ：「頭頂部」「口」「耳」「後頭部」「腰背部」

☞ 解答 p.280

補足　肩関節の外旋・内旋運動の評価は大切！

上位型では，筋作用の不均衡により，肩関節の外旋筋が働きにくく内旋拘縮が生じやすくなり，上肢機能に大きな影響を与える。肩関節屈曲・外転運動のみならず，肩関節内・外旋運動の評価は大切である。肩関節内・外旋の関節可動域や主動作筋の筋力および関節運動の評価を必ず行おう！

● 手指の微細運動

「棒」「立方体」「小球」などの物の把持・つまみとリリースを行わせ，把持・リリースの可否をみるとともに，母指の対立運動や指節間（MP・PIP・DIP）の分離した屈曲・伸展運動の有無も観察する（図7）。「小球」のつまみでは，側腹つまみ・指腹つまみ・指尖つまみの有無も確認しておく。また，母指と他指の対立，順次屈曲，順次伸展，きつね指の動作を行

図7 手指の微細運動

棒

Ⅱ～Ⅴ指と母指の対立

立方体

順次屈曲

小球

きつね指

わせ，各手指間の分離運動をみる（図7）。

● 形態

上肢長・上腕長・前腕長，上腕周径・前腕周径を定期的に計測し左右差を比較し発育状態を評価する。

● 知覚

感覚検査を実施する。成人のように目隠しをして正確に反応をみることは難しいが，ほかのことに気をそらせて痛覚・触覚を与え，反応の左右差で感覚障害を評価する。また，材質の異なる素材を手で触れさせて，知覚の違いがわかるかを評価する。

● 自律神経

損傷神経支配域の末梢血管運動，発汗障害を引き起こし，腫脹，皮膚温・皮膚色調の異常などが生じる場合がある。家族からの情報収集や観察で確認しておく。

● ADL

ADL全般についてADLの発達を評価する。特に両手動作が必要な活動である食事動作（食器の把持・押さえ），更衣動作（ズボンを上げる，ボタンかけ），整容動作（手を洗う，顔を洗う）などは動作の可否（できるADL）だけではなく，実際に実施しているか否か（しているADL）を確認する。そのほか，日常生活全般で困難な点がないかを把握しておく。

● 学習動作

保育園・幼稚園・学校の集団活動において，学習上困難な動作がないかを確認する。特に両手動作が必要な活動（書字や読書の際のノート・本の押さえ，はさみ・ものさしの使用，体育における縄跳び・鉄棒・跳び箱・マット運動，音楽における楽器演奏，など）について可能であるか，可能であればどのように実施しているかを評価する。

3 分娩麻痺のアプローチ

■ 乳児期

この時期は機能を向上させる練習を重点的に実施する（神経の自然回復は1歳6カ月ごろまでとされている）。麻痺による拘縮・変形を防ぐためROMエクササイズを行い，保護者にも家庭での実施を促す。ROMエクササイズについて，図8に基本的な方法を示すが，他動運動を行う関節可動域の範囲は対象児の筋の伸長の状態を観察し，適切な範囲を考慮して実

> **補足**
> **過剰なROMエクササイズの弊害に気をつけよう！**
> 分娩麻痺では筋作用の不均衡により拘縮が生じやすいため，早期からのROMエクササイズは必須である。しかし，橈骨頭脱臼，腕尺関節脱臼は肩内旋拘縮に対する他動的外旋エクササイズが原因とも考えられているなど，過剰なROMエクササイズには弊害がある場合がある。ROMエクササイズは筋作用の不均衡の状態を正しく評価したうえで実施する必要がある。

施する。

　ROMエクササイズと並行して，機能向上を目的に自動運動の促進を図る。自動運動の促進は，背臥位(はいがい)において興味あるものを示し，物へのリーチや把持を引き出す。腹臥位(ふくがい)では，上肢の支持性を高める。上肢の支持性が十分でない場合は，腋窩(えきか)にタオルやローラーを置くとよい(図9)。

　正常運動発達を基に背臥位・腹臥位における運動発達を促し，寝返りなど姿勢変換能力を高めたり，両手動作で身体両側の協調運動を求めたりすることにより身体図式を促し，体の使い方を向上させることにつながる。

　スプリント(「4 適応行動を促すための環境調整」p.260を参照)の使用も有効な場合があるが，乳幼児はスプリントの着用を拒否することが多いので使用方法の工夫(夜間装着のみにするなど)が必要である。

図8　ROMエクササイズ

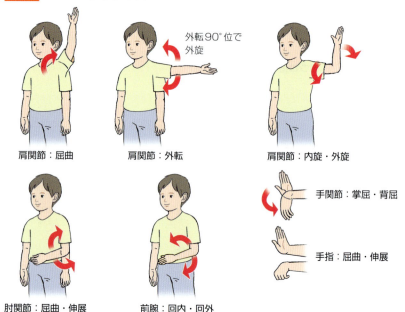

肩関節内旋・外旋のROMエクササイズは、肩関節外転90°位が困難な場合には無理のない角度で行う。

図9　背臥位・腹臥位における運動促進

■ 幼児期

この時期は機能を向上させる練習と並行してADLの獲得および患側上肢の使用に重点を置く。

上肢機能については，過誤神経支配による運動パターンの修正を加味しながら，可能な限り機能を高めADLにつなげていく。機能を向上させる練習においては，両手動作を用いる遊び（ボール投げ，三輪車，折り紙，ビーズ通しなど）（図10）を中心に，対象児の機能に合わせた活動を選択する。

ADLでは，健側上肢でほとんどの動作ができてしまうので，患側上肢の使用がおろそかになる。食事動作（食器の把持・押さえ），更衣動作（ズボンを上げる，ボタンかけ），整容動作（手を洗う，顔を洗う）などの両手動作（図11）のなかで患側上肢の使用を促す。

図10 両手動作を用いる遊び

図11 ADLのなかで患側上肢の使用を促す

> ○補足　患側上肢を用いないとどうなる？
>
> 18歳以上の分娩麻痺者に対する，あるアンケート調査（文献9）などによると，分娩麻痺児の予後について以下の問題点が挙げられている。
> ①美容上の問題：上肢長・周径の左右差，肩甲骨や肩幅の左右非対称，患側上肢の拘縮・変形を生じ美容上の問題につながる。
> ②ADLの不自由さ：一側上肢の障害の場合，健側のみでADLがほとんど可能であるが，両手動作が必要な洗面，整髪，入浴などは不自由な場合がある。
> ③仕事・学業での不自由さ：仕事・学業で両手動作を要求されることが多く，人前での姿勢に気を使う。
> やはり，ADLにおける患側上肢の使用や機能を維持するための維持的トレーニングはできるだけ継続していく必要があるようだ。

■ 学童期

この時期では，機能維持や学校における学習動作に対する援助に重点を置く。

機能維持のため，家庭における維持的トレーニング（ROMエクササイズ・筋力トレーニングなど）の定着化や，ADLにおける患側上肢使用の意識づけの定着化を図る。過誤神経支配による運動パターンの修正も意識させる。

また，学校において学習動作で困難なことを確認し，動作の工夫や自助

> **補足**
>
> **分娩麻痺に対する術式**
> ①神経修復術：神経移植術（腓腹神経を用いる），神経移行術（肋間神経，副神経を用いる）がある。
> ②機能再建術：筋腱移行術〔【例】肘の屈曲群の麻痺に対し，前腕屈筋群の起始部を上腕骨に移行し肘屈筋として作用させる（Steindler 法）〕，腱切離術〔【例】肩関節外旋筋群の麻痺に対し，内旋筋の腱切離を行う），骨切り術〔【例】肩関節内旋拘縮に対し上腕骨を一度切り，その部分で上腕骨を肩関節外旋方向に回旋しプレート固定をする）がある。
> ・実施時期として，神経修復術は神経再生が活発な早期（乳児期）の実施が望ましいとされる。機能再建術は術後のトレーニングが可能な4～6歳以降がよいとされる。

具の紹介を行う。教科では体育（縄跳び・鉄棒・跳び箱・マット運動），音楽（楽器の演奏）に困難がみられることが多い。小学校では音楽の授業にリコーダー演奏を導入することが多いが，演奏の希望があれば，改良リコーダーを紹介する。

> **補足　改良リコーダーの種類**
>
> 改良リコーダーには，片手リコーダー，改造リコーダーがあり，下記のとおり市販されている。これらのリコーダーは，上肢機能の評価と演奏の練習が必ず必要である。適用できない場合もあるので注意しよう！（価格は，2021年1月現在）
> ①片手リコーダー：「YAMAHA片手リコーダー（ヤマハ株式会社）」がある。片手で5本の手指すべてを用い演奏する。オクターブホール（一番上の孔）以外の孔にはキーがついており，孔は通常開いているが，キーを押さえると閉じる構造になっている。価格は，ソプラノ28,000円（税抜），アルト43,000円（税抜）。
> ②改造リコーダー：「アウロス改造リコーダー（トヤマ楽器製造株式会社）」がある。リコーダーの中部管が孔の位置に合わせ，6つの短い管に分割されており，管は回転し，孔を指の位置に合わせることができる。ソプラノは8孔型であるが，付属のゴム栓を利用することにより，6つまたは7つの孔を操作できれば演奏可能である。アルトは7孔型であるが，6つまたは5つの孔を操作できれば演奏可能である（ただし5つの孔の操作は片手では不可）。価格は，ソプラノ2,000円（税抜），アルト3,000円（税抜）。

■ **手術前後の評価・術後のトレーニング**

医師と連携して，手術前後の評価・術後のトレーニングに作業療法士として関わることは対象児の機能向上につながる。

4　適応行動を促すための環境調整（物理的環境と人的環境の調整）

■ **物理的環境**

①スプリント：cock-up splint や short opponens splint（短対立スプリント）（図12）が適応となる。前者は手背屈筋麻痺により手掌屈を呈する上位型に対し用いられ，後者は母指の対立運動が不十分な下位型に対し主に用いられる。

②自助具：改良リコーダー，縄跳びの柄の工夫（太い柄，長い柄など，対象児の機能にあわせて選択），物を固定する自助具などを利用する。また，重いものを運搬する際の道具の工夫も必要となる。

図12　スプリント

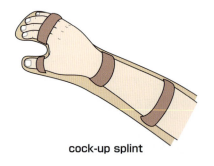
cock-up splint

short opponens splint

■ **人的環境**

　両手では持ちきれない物の移動には運搬機器を用いるとよいが，どうしても難しい場合は他者に援助を求める。

補足　市販のリコーダーを改造する方法

手の機能障害が軽度の子どもは，市販のリコーダーを改造し使用することができる。この方法は他のクラスメートと同じ笛を用いることができ，安価であることが特徴である。

改造する際は，「音程を決定するのは吹き口から孔（トーンホール）までの距離と孔の大きさである」という原理を利用し，吹き口からの距離と孔の大きさを変えずに新しく孔をドリルであけ，旧来の孔をボンドで埋めることで，比較的簡単に作成することができる。孔は第0孔〜第7孔までの8つの孔がある（図13）が，指の押さえ方により7つの孔でも演奏可能である（下の「Case Study」参照）。

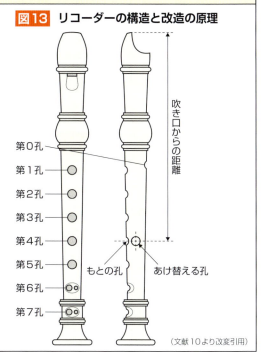

図13　リコーダーの構造と改造の原理

（文献10より改変引用）

Case Study

改造リコーダーを作成してみて

右全型麻痺でⅠ・Ⅱ指以外はほとんど分離運動がみられないA君（男児）。小学校3年生のときに改造リコーダーを作成した。リコーダーの演奏には右手はⅠ・Ⅱ指のみ用いることとし，第2孔を埋め，第3孔を裏側に位置替えした7孔型リコーダー（図14）を用い，左右用いる手を交替して右手Ⅰ・Ⅱ指と左手の全指で孔の開閉する演奏方法をとった。

後日，本人に感想を聞いたところ「前よりも不便だったのがましになった。いつも教室ではじっこにいて吹けないやつをやっていて，改造してできるようになったのは良かった」との返事。小さな援助ではあったが，作業療法士として役に立てた思いがした。

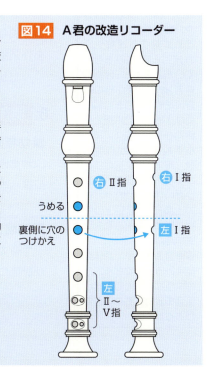

図14　A君の改造リコーダー

> **Case Study**
>
> **縄跳びの柄**
> 左全型麻痺のBさん（女児）。小学校1年生のときに縄跳びの授業があり，縄跳びが跳べなくて困っていた。Bさんは前腕回外が難しく縄を広く広げられない。
>
> **Question 2**
>
> 縄跳びの持ち手にどのような工夫ができるか，考えてみよう。
>
> ☞ 解答 p.280
>
> その後，Bさんは普通の持ち手でも縄跳びができるようになったのだが，作業療法士は活動のきっかけづくりにも自助具を活用することが大事だということを学んだ。

5 社会生活に対する援助

■障害受容について

分娩麻痺児は健側上肢により片手動作ができるため，日常生活に支障があまり生じない疾患であるものの，本人・親には障害に対する悩みがある。作業療法士は単に対象児の身体機能をみるだけでなく，対象児および親の心理面を把握し，生活の援助にあたる必要がある。

■趣味や仕事をもち社会参加することへの支援

分娩麻痺児に対し，作業療法士が青年期以降まで継続フォローを実施する機会は少ないかもしれない。しかし，青年期以降，スポーツ・趣味活動に参加する人は多く，仕事についてもさまざまな分野に進んでいるというアンケート結果もある。分娩麻痺児・者が障害をもちながらも前向きに社会参加していくために，対象者のニードに合わせた「具体的な」活動の仕方を作業療法士は示していくことができるだろう。

6 関連施設との連携

■幼稚園・保育園・学校との連携

幼稚園・保育園・学校の教員と情報交換を行い，対象児の現状の理解と配慮への協力を得る。

■病院との連携

手術を実施する場合，手術担当医と術前評価・術後のトレーニングおよび評価について情報交換を行い，対象児の最大限の機能回復を図る。

補足

分娩麻痺児・者は障害をどのように受けとめているか？

18歳以上の分娩麻痺者とその親に対する，あるアンケート調査（文献14）によると，親と子どもでは悩みの時期と内容に違いがあり，親は出産直後から小・中学校にかけて悩むことが多く，小学校に入学するまでは「健常児との比較」，入学後は「授業での課題遂行」や「周囲（教師など）の子どもに対する理解や協力」について悩みをもっていた。子ども（分娩麻痺者）は生下時からの障害のためか障害を自然に受け止め肯定的に捉える傾向が高かったものの，小学校高学年から中学校，青年前期に悩むことが多く，「不自由，動作が遅い（機能障害）」「左右の上肢長差（形態上の問題）」について悩みをもっていた。
作業療法士は単に身体機能をみるだけでなく，このような心理面も把握し生活の援助にあたる必要があるだろう。

参考文献

1) 平澤泰介 編：肩・上肢・肘（新 図説臨床整形外科講座 第5巻），メジカルビュー社，1994．
2) Helen J. Hislop, et al. 著，津山直一ほか 訳：新・徒手筋力検査法 原著第8版，協同医書出版社，2008．
3) 伊丹康人，ほか 編：腕神経叢麻痺の診断と治療（整形外科MOOK No.51），金原出版，1987．
4) 伊藤利之，ほか 編：こどものリハビリテーション医学 第2版，医学書院，2008．
5) 福田恵美子 編：発達過程作業療法学，医学書院，2006．
6) 半澤直美，ほか：分娩麻痺．Journal of Clinical Rehabilitation, 5: 738-741, 1996.
7) 金原洋治：分娩時神経障害 腕神経そう麻痺．NICU，第6巻春季増刊（通巻65号）: 205-209，1993．
8) 川端秀彦：分娩麻痺．小児科診療，9号: 1335-1339, 2006．
9) 吉見契子，ほか：分娩麻痺児の予後―青年期におけるADL能力の調査―．作業療法，19: 454-462, 2000．
10) 東京都補装具研究所 編：手に障害をもつ子どものためのリコーダー 第3版，東京都補装具研究所，1997．
11) 川端秀彦，ほか：分娩麻痺の神経修復術の成績．整・災外，46: 1369-1376, 2003．
12) 西須 孝，ほか：上位型分娩麻痺児に対して鏡視下肩甲下筋腱切離術を試みた2症例．肩関節，32: 449-452, 2008．
13) 稲垣友里，ほか：分娩麻痺の作業療法．大阪府立母子医療センター雑誌，17: 76-81, 2001．
14) 吉見契子，ほか：分娩麻痺児における障害の受け止め方―青年期の調査―．作業療法，20: 213-223, 2001．

✓ チェックテスト

Q
①どうして分娩時に腕神経叢が損傷されるのか（☞p.252）． 基礎
②分娩麻痺の麻痺分類を3型挙げよ（☞p.253）． 基礎
③上位型において上肢はどのような構えをとりやすく，その構えは何とよばれるか（☞p.253）． 基礎
④麻痺の自然回復が期待できる時期は生後どのくらいか（☞p.253）． 基礎
⑤過誤神経支配とは何か（☞p.253）． 基礎
⑥運動障害によってどのような二次的障害が起こるか（☞p.253）． 基礎
⑦手術の術式をいくつか挙げよ（☞p.260）． 基礎
⑧スプリントはどのような型が用いられるか（☞p.260）． 臨床
⑨評価・治療・援助の面で成人の腕神経叢麻痺とどのような点が違うか（☞p.255～259）． 基礎
⑩運動機能について，どのような項目を検査する必要があるか（☞p.255～257）． 基礎
⑪分娩麻痺児の評価に知能検査は必要か 基礎
⑫ADL援助ではどのようなことに留意する必要があるか（☞p.259）． 基礎
⑬学習動作ではどのようなことが困難になるか（☞p.259）． 基礎
⑭対象児にとって，いつごろ，どのようなことが悩みになるか（☞p.262）． 基礎
⑮親にとって，いつごろ，どのようなことが悩みになるか（☞p.262）． 基礎

治療的アプローチ：発達の各領域に対するアプローチ

8 薬の基礎知識

野部裕美

Outline
- 薬の作用や基本事項について知る。
- 薬は人体に対し，使い方により「薬」にも「毒」にもなることを知る。
- 中枢疾患系の病態・症状について知る。
- 薬物治療における薬の作用を知る。

1 薬とは

　生体内における内部環境は，常に一定の生理的な状態を保つ作用，ホメオスタシス(恒常性)機能が備わっている。外部環境が変化しても，生体内の環境が保たれていれば，細胞や組織は正常に機能を果たすことができ，病気が引き起こされることを防ぐことができる。このことから，ホメオスタシスの破綻は，正常な生理機能を行うことが困難となり，病気を引き起こすこととなってしまう。

　このときに用いるのが，「薬」であり，薬の作用により，生体内の生理活性物質の作用を助けたり，酵素やホルモンなどの生体内物質の産生・分泌を助けたりすることができる。このように，薬物は，生体内のホメオスタシスの破綻を元に戻し，細胞や組織が正常に機能できるように働きかける作用がある。これにより病気からの回復を促進することとなる。

2 薬の作用

　治療において，薬は疾患により生じる正常な状態とは異なる状態を改善するために用いられる。薬の多くは，生理活性物質の作用を増強したり減弱させたりすることで治療効果を発揮していく。この治療目的に合った作用を主作用といい，治療にとって不都合な作用を有害作用，または副作用という。

　薬がきちんと作用するためには，適切な用量(血中濃度)が重要となる。薬の用量が少なければ作用はまったく現れず，反対に用量が過剰になると副作用が現われてくる。さらに用量を増やしていくと，致死量となることがあるので，気をつけなくてはならない。例えば，アスピリンは用いる量の違いで，いくつかの作用を有することが知られている。低用量では，血小板凝集抑制作用(75～150mg/日)を示し，用量を増やしていくと解熱，鎮痛作用(1.5g/日)を示すようになり，さらに高濃度になると，炎症を抑

制する作用(1〜4.5g/日)となる。この高用量を用いたときには，消化性潰瘍や出血傾向となることがある。これが副作用に相当する。また，薬は臨床用量を超えると，中毒量となり腎機能や肝機能に障害が出てくる可能性が高まる。さらに，投与量が多くなると致死量となり，意識障害や脱水などを引き起こすこととなる。

さらに，薬の作用では，併用薬についても考慮しなくてはいけない。薬を複数種類服用していると，それらがお互いの薬に影響をし合うことがあるため，薬物相互作用についても考える必要がある。例えば，利尿薬と強心薬は，低カリウム血症が生じるとジギタリス中毒(徐脈や房室ブロック，悪心・嘔吐，頭痛，めまいなど)を起こしやすくなる。また，食べ物との飲み合わせについても，薬の作用を増強するものや減弱させる食品・飲料がある。例えば，納豆などのようにビタミンK[*1]を豊富に含む食品と抗凝固薬であるワルファリン[*2]の組み合わせでは，ワルファリンの作用がビタミンKにより作用が弱まってしまう(図1)。このため，薬剤師からの指導をきちんと守る必要があり，これらの場合は，必ず服薬指導がある。

> ※1,2 ビタミンKとワルファリン
> ビタミンKは，肝臓において血液凝固因子(プロトロンビンなど)を活性型に生合成するときに必要な因子である。経口薬であるワルファリンは，肝臓でビタミンKの作用を阻害し，血液凝固因子の生合成を抑制することで，抗凝固作用をもたらす。

図1 注意すべき薬剤と食品の組み合わせ

抗凝固薬(ワルファリン)
＋
納豆や青汁
(ビタミンK)

抗菌薬
(テトラサイクリンなど)
＋
牛乳・ヨーグルト
(カルシウム)

抗結核薬(イソニアジド)
＋
マグロ(ヒスチジン)
チーズ(チラミン)

> **アクティブラーニング ①** 子どもで注意すべき飲み合わせを調べてみよう(こちらのホームページなど参照「子どもにくすりをのませるコツ｜くすりの適正使用協議会 (rad-ar.or.jp)」https://www.rad-ar.or.jp/use/child/index.html)。

3 薬物の投与経路

薬の投与経路には，経口投与として内服薬，非経口投与として注射，経皮，外用薬などがある。これら投与経路の違いにより，有効血中濃度の変動が異なる(図2)。

■ 経口薬

経口投与による内服薬には，錠剤，散剤，カプセル剤，水剤，徐放剤などがあり，これらの薬剤は通常，腸管から吸収され，門脈を経て肝臓に達し，その後心臓を経由して体循環により全身，各臓器・組織に移行する。

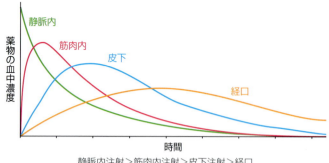

図2 投与経路と血中濃度の関係

静脈内注射＞筋肉内注射＞皮下注射＞経口

　経口薬の特徴として，作用するまでに時間がかかる，肝臓で一部代謝（肝初回通過効果）される可能性がある，嚥下状態を考慮する必要があるなどが挙げられる（**表1**）。

　また，経口投与では食事の影響を考える。薬は，食前の空腹時に服用すると体内吸収率が上昇し，胃粘膜への刺激が増強され胃腸障害を引き起こしやすくなる。そのため，一般的には食後に服用する薬が多いが，消化管運動改善薬や漢方薬は食前に服用する薬となる。

　経路をまとめると，小腸で吸収 → 肝門脈血管に移行 → 肝臓 → 静脈 → 心臓 → 肺循環 → 心臓 → 体循環 → 全身作用，となる。

■ 非経口薬

　非経口投与による注射薬には静脈内，皮下，筋肉内，脊髄腔内などがある。これら注射薬や舌下錠，坐剤，貼付剤は，それぞれ直接体循環に入ったり，口腔粘膜，直腸や皮膚から吸収された薬は肝臓に入らず，体循環に入ったりするため，作用は速やかに行われる（**表1**）。また，肝臓を通過せず全身に作用するため，代謝されやすい薬剤は，舌下錠や坐薬が用いられる。

表1 薬剤の投与法とその特徴

投与法	薬物の例	特徴
直腸内	坐薬	内服が難しい小児，消化器症状の強い薬物の場合に用いる。吸収された薬物の大部分は門脈系に入らないので，肝臓で分解されずに体循環に入る
舌下	ニトログリセリン	胃や腸で不活化されたり，肝臓で代謝されやすい薬物に向いている
経皮	抗狭心症薬	皮膚を通して吸収され，薬効を発揮する。吸収が緩やかで，肝初回通過効果を免れる。持続的に血中濃度を維持したい場合に適する
吸入	気管支喘息治療薬	気体，揮発性の薬の投与によい。吸収は速い
外用	軟膏	局所作用を期待して用いる

（文献3より引用）

> **アクティブラーニング②** 子どもが飲みやすい剤型とした経口薬の工夫について調べてみよう。下記ホームページも参照(「飲みやすさの工夫｜製剤工夫｜東和薬品 医療関係者向けサイト(towayakuhin.co.jp)」https://med.towayakuhin.co.jp/medical/product_drinkingease.html)。

4 小児における薬物療法と体内分布

年齢による服用量について，単純に子どもは大人の薬の量を半分にすればよいわけではない。小児の薬物投与量は，体表面積に基づいて決めるのがよいとされているが，年齢や体重により計算して算出する方法や，いくつかの簡便な換算表が提示されている(表2)。用量に関しては，安全域を考慮する必要性や，慢性疾患では長期にわたる服用のため，正常な発育や成長に影響しないように配慮する必要がある。

小児は発達過程であり，薬物の吸収が年齢によって異なり，特に胃液のpHや胃内貯留時間が異なることがある。特に，乳児では薬物の吸収が悪いときと良いときがあり，ばらつきが生じる。これは，組織や臓器，器官が発達途中であり，代謝も激しいことから，その時々で薬物の作用が一定でないことから生じる。可能であれば，血漿薬物濃度を測定し，用量を調節するのがよいが，乳児においては難しいことが多い。

表2 小児の薬物投与量の換算

von Hamackの小児薬用量比						
年齢(歳)	1/4	1/2	1	3	7$\frac{1}{2}$	12	成人
成人量に対する比	1/6	1/5	1/4	1/3	1/2	2/3	1

Augsbergerの式
小児用量＝成人量×$\dfrac{小児年齢 \times 4 + 20}{100}$

中山の日本人小児薬用量比							
年齢(歳)	1/4	1/2	1	3	6	10	11	12	成人
成人量に対する比	1/6	1/5	1/4	1/3	1/2	2/3	3/4	4/5	1

(文献3より引用)

> **＊3 血漿タンパク質**
> 血漿タンパク質とは，血漿中のアルブミンやグロブリンのことで，薬剤はこれらのタンパク質と結合することで全身を巡る。この結合型薬剤は，細胞膜を通過せず薬理作用は示さないが，結合していない遊離型薬剤は，血液中から組織に移行して薬理作用を示す。

> **＊4 ビリルビン**
> ビリルビンは，赤血球の破壊によりヘモグロビンが分解され，さらに肝臓で代謝された代謝産物である。肝臓では抱合型ビリルビンとなり，最終的に大便中や尿中に排泄される。肝臓で代謝が行われないと，血液中のビリルビン濃度が高くなり，皮膚や粘膜，眼球結膜に沈着し，黄染する。

■ 薬の分布

薬の分布に関しては，新生児では血漿タンパク質[＊3]の濃度が低く，血漿タンパク質と結合しない遊離型の薬が高濃度に存在することとなり，薬の作用が強力に現れることがある。新生児は血中ビリルビン[＊4]の濃度が高いが，このビリルビンは血漿タンパク質と結合しているため，安定した状態となっている。しかし，抗菌薬であるサルファ剤を服用すると，サルファ剤は血漿タンパク質と結合する能力が高く，ビリルビンが結合してい

> **＊5 核黄疸**
> 新生児では肝臓機能が未発達なため，薬物を代謝する酵素活性が低く，ビリルビンの代謝を十分に行うことができない。そのため，ビリルビンが脳に移行し，脳に沈着することで毒性が生じる。これを新生児核黄疸という。

た血漿タンパク質が放出され，サルファ剤が血漿タンパク質と結合することとなる。そのため，遊離型ビリルビン濃度が増加し，血液脳関門を通過し，脳に沈着して核黄疸＊5を発症することがある。

■ 薬の代謝

薬の代謝は，肝臓において第Ⅰ相反応と第Ⅱ相反応により行われる。第Ⅰ相反応は，脂溶性の高い薬物が水溶性になるように変換する反応で，加水分解反応や還元反応，チトクロームP-450による酸化反応である。第Ⅱ相反応は，第Ⅰ相反応後や水溶性の薬物が硫酸抱合やグルクロン酸抱合などの反応を行うことで，水溶性がさらに高まり，尿中や胆汁中に排泄されやすくなる。薬がいつまでも体に留まらないように，作用後は速やかに排泄される必要がある。小児の薬物代謝においては，肝臓の発達が十分でないため，薬物代謝能が低く酵素活性が未熟な状態である。薬物代謝酵素であるチトクロームP-450（CYP）＊6にはさまざまなタイプがあり，年齢によってもこの酵素の発現量が異なっている。薬物の約80％を代謝するCYP酵素は，薬物代謝において重要な働きをする。しかし，新生児はこのCYP活性が成人の約20％であり，薬物代謝が不十分である。そのため，抗菌薬であるクロラムフェニコールを服用すると，この薬の代謝が十分行われず，血中濃度が高くなり，末梢循環不全（グレイ症候群）を生じることがある。場合によっては，死に至ることもある（表3）。

小児の薬の排泄機能においては，成人と比較して腎臓の機能も未発達なため，排泄速度が遅い。新生児の抗菌薬であるペニシリンの尿中への排泄率は，成人の約1/5である。

> **＊6 チトクロームP-450（CYP）**
> CYPは，薬物代謝酵素の一つでさまざまなタイプがある。酵素活性は，基質特異性が異なったり，性別，年齢などによっても異なったりするため，酵素の働きに個人差が生じる。このことから，人によって，薬効や副作用の発現が異なる。

表3　小児の薬物療法における留意点

①小児期の性ホルモン投与：第一次・二次性徴に対する影響を十分考慮する必要がある
②副腎皮質ステロイド：身長増加の抑制，性成熟の遅延
③テトラサイクリン系薬：骨発育の抑制，乳歯の黄変，エナメル質の形成阻害
④クロラムフェニコール：グレイ症候群（薬物使用後2〜7日後に皮膚が灰白色になりチアノーゼを示して末梢循環不全で死亡する）
⑤解熱・鎮痛薬：アスピリンの投与でライ症候群の発生の可能性
⑥筋肉内投与：筋拘縮症の危険性

（文献3より改変引用）

5 てんかんとその治療薬

てんかんとは，大脳のニューロン（中枢神経）の過剰な活動電位の発生により，生じてくる身体の反復性発作（てんかん発作）を特徴とする脳疾患である。てんかんの主症状は，発作的な痙攣（けいれん），意識障害，自律神経症状などが挙げられる。てんかんの治療薬は，多種多様であり，てんかんの発作型に応じて用いられる。てんかん発作の詳細な発生機序は不明であるが，脳

の局所（てんかん焦点）に過剰な電気的興奮が起こり，脳の隣接領域へ伝搬して痙攣などが引き起こされると考えられている。

てんかんは，出現部位と病因により突発性てんかんと，症候性てんかんに分けることができる。また，てんかん発作が大脳の一部から始まる局在関連性てんかんと，発作の始まりに両側大脳半球が関与する全般てんかんに分けることができる。これらの発作型により，第一選択薬が異なるので，抗てんかん薬を選択する場合には，発作型を明確に診断する必要があるとされている（表4）。

表4　てんかんの分類とその薬剤

分類		第一選択薬	第二選択薬
部分発作 一側性大脳半球の限局的部位の興奮による発作	単純部分発作 意識消失を伴わない	カルバマゼピン	フェニトイン バルプロ酸 ゾニサミド
	複雑部分発作 意識消失を伴う		
	二次性全般化 部分発作から強直間代発作に発展		
全般発作 大脳の両側半球の興奮による全身性の発作で意識消失を伴う	強直間代発作（大発作） もっとも多いてんかん発作。意識消失とともに強直性痙攣（後弓反張）が生じ，律動的な骨格筋の痙攣に移行	バルプロ酸	カルバマゼピン フェノバルビタール フェニトイン プリミドン
	欠神発作（小発作） 短時間の意識消失発作と動作の停止，痙攣は伴わない		エトスクシミド
	ミオクロニー発作 両側四肢筋肉の不随意収縮		クロナゼパム
	脱力発作 意識消失と脱力により倒れてしまう失立発作		エトスクシミド
	てんかん発作重積 てんかん発作が持続的に反復し，意識回復がない重篤状態	ジアゼパム	ホスフェニトイン

（文献3より引用）

Point 試験対策
てんかんの分類とどのような発作がそれぞれで起こるか，押さえておこう。

アクティブラーニング ③ てんかん発作の分類と特徴をまとめてみよう。下記ホームページも参照（「てんかんについて｜公益社団法人 日本てんかん協会（jea-net.jp）」https://www.jea-net.jp/epilepsy）。

■ 発作となる引き金

ニューロンの興奮は，ナトリウムイオンやカルシウムイオンなどのプラスイオンが，膜チャネルを介して細胞内に流入して引き起こされる。一方，塩化物イオンなどのマイナスイオンが細胞内に流入することにより，興奮は抑制される。このことから，抗てんかん薬の作用機序は，膜の電位

*7 電位依存性ナトリウムチャネル

神経の軸索や細胞膜には，特定のイオンを通すチャネルやポンプなどの膜輸送系がある。神経が興奮するとチャネルが活性化され，Na^+を通すナトリウムチャネルが開口すると，細胞外から細胞内にNa^+が移動する。これにより活動電位が発生し，神経が興奮した状態となる。

*8 ガンマアミノ酪酸（gamma-aminobutylic acid：GABA）

ガンマアミノ酪酸は，GABA受容体に結合することで作用を引き起こす。GABA受容体には，$GABA_B$受容体と$GABA_B$受容体のサブタイプがあり，$GABA_A$受容体はCl^-チャネルが内蔵された複合型受容体である。ガンマアミノ酪酸が受容体に結合すると，Cl^-チャネルが開口し細胞膜は過分極状態となり，活動電位の発生が抑制される。

*9 催奇性

特に妊娠初期に妊婦が薬を服用した際に，その薬が臍帯を介して，胎児に影響を及ぼすことで，胎児が障害を受け，身体上に構造奇形（先天性奇形）をもって生まれてきたとき，この薬物に催奇性があるという。催奇性の発生機序は不明である。

依存性ナトリウムチャネル*7を抑制する薬，膜の電位依存性カルシウムチャネルを抑制する薬，ガンマアミノ酪酸（gamma-aminobutylic acid：GABA）*8を介する抑制性神経伝達物質の作用を増強する薬などが挙げられる。近年，新規抗てんかん薬の開発が進み，新たな作用機序を有する薬が見出されてきている。これらは，副作用が少なく薬物相互作用を受けにくい薬であるという特徴がある。

■ 副作用と服用方法

抗てんかん薬において共通して認められる副作用には，眠気，企画振戦，失調歩行，眼振，複視，反射亢進，自発性の低下などがある。また，催奇性*9や過剰投与による呼吸抑制にも注意が必要である。

抗てんかん薬による治療は，数年の長期間を要することがあるため，症状が落ち着いても自己判断で減量や中止をしないよう注意する必要がある。発作消失期間が2年以上続き，脳波が正常化してくれば治療は終了してもよいと判断されるが，症状の改善がみられても数カ月かけて減量していく。薬物治療により，70～80％の患者で寛解するので，予後は必ずしも悪くない。小児の発作の再発率は約30％であり，成人と比較して再発率は低いのも特徴である。特に，突発性部分てんかん，小児欠神てんかんは，ほとんど再発しないとされている。しかし，若年ミオクロニーてんかんは再発の可能性が高いので，この点は気をつける必要がある。

6 統合失調症とその薬剤

統合失調症は，ドパミン神経の機能異常により，うつ病はモノアミン神経の機能異常により発症するとされている。特徴として，思春期から青年期に発症し，発症しやすい性質（虚弱）や心理社会的な因子の相互作用により発症するといわれている。回復するが，再発しやすく，一般的に慢性化する。症状として，陽性症状には幻覚，妄想，顕著な思考障害，奇異な行動などがあり，陰性症状には，感情鈍麻，会話の貧困，意欲欠如，自閉などがある。明確な発生機序は不明であるが，ドパミン神経が過剰に興奮すると陽性症状が現われ，ドパミン神経の機能が低下すると陰性症状が現われてくる。

■ 薬物治療

抗精神病薬が用いられる。ドパミンD_2受容体遮断薬やセロトニン受容体遮断薬，また，このドパミンD_2受容体遮断薬とセロトニン受容体遮断薬の作用を併せもつ薬がある。さらに近年，ドパミン受容体，セロトニン受容体，ヒスタミン受容体，アセチルコリン受容体などさまざまな受容体に対して親和性がある多元受容体標的化抗精神病薬（multi-acting receptor-targeted antipsychotics：MARTA)が効果が高いといわれている。

■ **副作用**

運動機能を調節している黒質線条体系のドパミン神経が過剰に抑制されると，振戦，筋硬直，アカシジア（落ち着いて座っていられない），ジスキネジア（口をもぐもぐするなど）といった不随意運動が生じる。また，代謝異常（高血糖，高脂血症）や体重増加などが認められる。高プロラクチン血症，過鎮静が起こりやすくなる。

参考文献
1) 内山靖 ほか：リハベーシック薬理学・臨床薬理学．医歯薬出版，2020．
2) 本間光信 ほか：PT・OTのための治療薬ガイドブック．メジカルビュー社，2017．
3) 野村隆英 ほか：シンプル薬理学．南江堂，2020．
4) 中村秀文 ほか：調剤と情報，vol.20，2014．
5) 浦部昌夫 ほか 編：今日の治療薬．南江堂，2020．
6) 医療情報科学研究所：薬がみえる．メディックメディア，2020．
7) 日本医療薬学会：医療現場における薬物相互作用へのかかわり方ガイド．日本医療薬学会，2019．
8) 中嶋敏勝，ほか：疾病の成り立ちと回復の促進 薬理学．医歯薬出版，2014．
9) 安原 一，ほか：わかりやすい薬理学．NOUVELLE HIROKAWA，2020．
10) 町谷安紀：イラストで理解するかみくだき薬理学．南山堂，2020．
11) 石井邦雄：パートナー薬理学．南江堂，2019．
12) 石井邦雄：はじめの一歩のイラスト薬理学．羊土社，2013．

✓ チェックテスト

Q
①薬の主作用と副作用とはどのような作用のことか（☞p.264）。 基礎
②肝臓の機能にはどのような作用があるか（☞p.266，268）。 基礎
③薬物の作用が現れやすい投与法は何か（☞p.266）。 基礎
④座薬製剤の特徴と適応症は何か（☞p.266）。 臨床
⑤小児における投与量で考慮する点は何か（☞p.267）。 臨床
⑥薬の分布に関与する物質は何か（☞p.267）。 基礎
⑦アスピリンにはどのような作用があるか（☞p.264）。 臨床
⑧抗凝固薬を服用しているときに避けたほうがよい食品にはどのようなものがあるか（☞p.265）。 臨床
⑨欠神発作とはどのようなものか（☞p.269）。 臨床
⑩てんかん薬で特に注意すべき副作用は何か（☞p.270）。 臨床

治療的アプローチ：発達の各領域に対するアプローチ

治療的アプローチ：発達の各領域に対するアプローチ

9 医療的ケア児とその家族

西方浩一

> **Outline**
> - 医療的ケア児とは，医療的ケアを継続的に必要な子どもを指す．
> - 作業療法士は，医療的ケア児と家族の課題を理解し，地域資源の活用，社会的支援を構築することが重要となる

1 はじめに

医療的ケア児は予てから作業療法の対象ではあったが，その数は年々増加し，平成29年にはおよそ1.9万人と報告[1]されており（図1），今後も年々増加することが予想される．ここでは医療的ケア児の概要とその家族の状況を示し，作業療法士に求められる視点について記す．

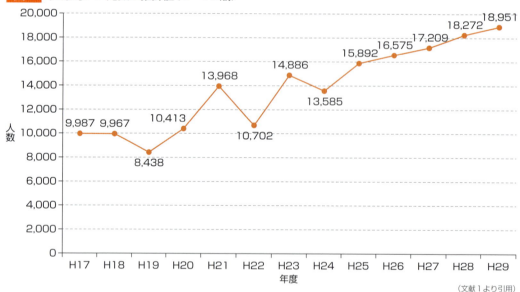

図1 医療的ケア児数の推計値（0～19歳）

（文献1より引用）

2 医療的ケア児

医療的ケア児は，医療的ケアを継続的に必要な子どもを指す．厚生労働省は，「医学の進歩を背景として，NICU等に長期入院した後，引き続き人工呼吸器や胃ろう等を使用し，たんの吸引や経管栄養などの医療的ケアが日常的に必要な障害児のこと」と定義している[1]．

医療的ケアは，気管切開部の管理，人工呼吸器の管理，吸引，在宅酸素療法，胃瘻・腸瘻・胃管からの経管栄養，中心静脈栄養など[1]多岐にわた

る。医療的ケア児の状態は，肢体不自由児，重症心身障害児，知的・肢体に障害がない場合など，運動，知的発達の状況もさまざまである。つまり歩行可能な医療的ケア児から寝返りなども難しい児まで千差万別である。以下に医療的ケア児の概念を図2に示した。

図2 医療的ケア児の概念整理

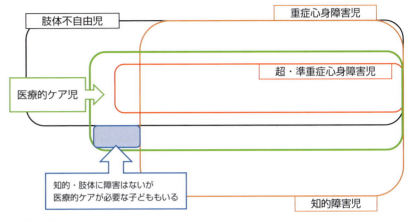

[医療的ケア]
人工呼吸器，気管切開，吸引，経管栄養（経鼻，胃瘻，腸瘻），酸素療法，導尿，IVHなど

(文献1より引用)

3 医療的ケア児と家族が抱える課題

医療的ケア児者とその家族の生活実態調査報告書[2]によれば，医療的ケア児とその家族は，当たり前のことが当たり前のこととして行えない状況にあることが示された。医療的ケア児は年齢相応の楽しみや療育を受ける機会が少ないこと，家族は就労，社会参加，家族みんなでの外出，きょうだい児（病児ではない兄弟姉妹）と触れ合う時間，家族自身の睡眠や病院に行くことなどの制約を受けていることが明らかになっている。母親は常に子どもの医療的管理を行うことが必要となり，慢性的な睡眠不足を余儀なくされ，就労は，退職や就業時間を変更しなければならない。また，父親は就労後や休日も介護に携わり睡眠を削る。きょうだい児は医療的ケア児のケアに両親が専念するため，学校行事に参加してもらえないことや，甘えたくてもすぐに甘えられる状況にない。医療的ケア児の家族は，これらの状況がいつまで続くかわからない不安を抱え，日々緊張しながら生活している。緊急時の子どもの預け先もなく，登校や施設・事業所を利用するときも家族の付き添いが必要になる。支援に関することで，何度も行政窓口や事業所に足を運ぶことも必要であることが挙げられている。つまり，医療的ケア児とその家族は，当たり前の日々の作業に支障をきたしている現状にあることが理解できる。

この報告書[2]では，調査結果を踏まえ，「医療的ケアがあっても安心し

て暮らしたい～支えあう社会システムの構築を～」という提言を示した。提言には，国や自治体に対する提言として「医療的ケア児者」の定義設定，手法の検討，行政窓口対応の工夫，必要な情報の提供・共有，「医療的ケア児者」の個別の状況に対応できる専門職の配置，育成，自治体職員や専門職の認識，理解の促進，サービスに関する提言には，サービス資源の充実，緊急時に受け入れ可能なサービスの充実，「医療的ケア」があることによる「付き添い」負担の軽減，家族，きょうだい児らの状況に応じた預かり資源の充実，「ひとり親家庭」への支援体制の構築，情報の共有，サービス以外に関する提言として，ソーシャルサポートの拡充と孤立予防支援，社会，地域の理解の浸透，支えあう仕組みの構築が挙げられた。

4 作業療法士に求められる視点

■ 医療的ケア児を含む家族を理解すること

　作業療法士は医療的ケア児の発達，健康だけでなく家族の状況も理解する必要がある。医療的ケア児を含む家族が日々の作業に困難を抱えている可能性があることを理解し，親の作業，親子で行う作業，きょうだいを含む家族で行う作業がどのように行われているのか，また，どのような困難な状況にあるのか理解することが必要である。

■ 地域の資源を理解すること

　作業療法士は，厚生労働省，都道府県，地域におけるサービス，支援体制などの情報を敏感に察知し，家族へ情報提供することが望まれる。医療的ケア児とその家族が受けられるサービスはいまだ不足していることや地域差も指摘されていることから，これらの情報収集にも力を入れる必要がある。さらに公的なサービスだけでなく，家族会など身近に相談できる場の情報なども有効である。厚生労働省では「医療的ケア児等とその家族に対する支援施策」[3]や「医療的ケア児とその家族への支援制度について」[4]など情報を提供している。平成31年には，医療的ケア児等総合支援事業の実施[5]も施行された(図3)。障害児支援事業や放課後デイサービス事業は，医療的ケア児の受け入れが可能なところと，そうでないところがある。作業療法士はこれらの情報を基に対象となる医療的ケア児と家族が住む地域では，実際どのようなサービスが活用できるのか把握することが有益である。

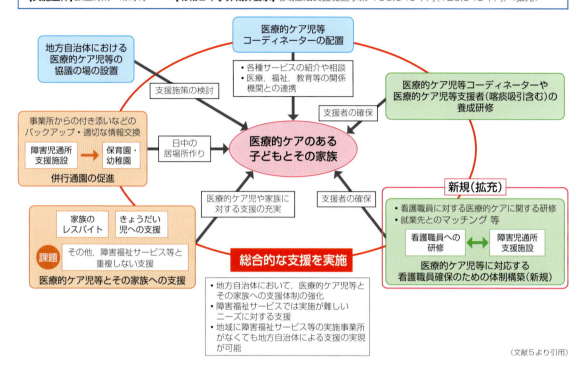

図3 医療的ケア児等総合支援事業（地域生活支援促進事業）

（文献5より引用）

■つながりをつくる

　医療的ケア児とその家族は，日々の生活の困難さだけでなく孤立感を抱くことが大きな課題である．ソーシャルサポートの拡充のためには情報収集も必要であるが，それだけではなく，家族同士が関わる機会も重要になる．家族会等の当事者家族同士のピアサポートが最も適しており，効果的役割を担うと推察され，医療的ケア児者の家族が語らう場への参加支援が必要[2]と指摘されている．作業療法士は，診療報酬や事業を越えた活動も作業ととらえて，家族会の運営や関係づくりにも関わることが可能であると考える．

■家族会活動例

　ここでは筆者が運営に携わっている医療的ケア児の家族会のmamacareを紹介する．

　医療的ケア児の母親たちがスタッフとなり運営している家族会の活動目的は，医療的ケア児をもつ家族のつながりをつくること，医療的ケアの方法，病院，学校とのやりとりなど生活に関わることの情報交換，医療的ケア児ならびにそのきょうだいへの遊び場の提供，そして，短い時間であっ

ても母親たちが医療的ケア児から離れ自分の時間を過ごす機会を得ることとしている．活動はおおむね年4回のイベントを開催している．参加人数は親子合わせて毎回20名前後である．

開催場所は，スタッフの居住地域である大学や地域公民館を借用し実施している．また，ボランティアとして，医療的ケアに欠かせない看護師，大学の教員及び学生が参加している．

イベントは「芝生の上でお日さまと外の空気を楽しむ」，「ミキサー食の調理実習」，「障害年金と子どもたちの将来を考える講座」，「ハンドマッサージやお抹茶」，「年度末のパーティー」（おとなとともに子もミキサー食を食べ，注入し，味わう喜びを感じてもらうための摂食嚥下食カフェ）などが恒例となっている．詳細はホームページをご覧いただきたい[6]．

医療的ケア児は学校でも保護者の付添を求められる場合が多く，完全な母子分離の機会が非常に少ないのが現状である．医療従事者や学生たちがボランティアとして参加し子どもたちと遊ぶことで，親たちも安心して子どもから離れ，情報交換やリフレッシュするという貴重な時間を過ごすことができる．また，スタッフである先輩親たちが，新たに参加した親たちに日常のケアの方法を伝えるといった，必要な情報を必要な人へ届けている．

本活動は，日々，医療的ケア児とともに暮らす家族に希望と勇気をもたらすものであると考える．参加する家族は，短い時間であっても，医療的ケア児との生活経験をもつ先輩家族との関わりが生まれることで，今から何を行えばよいのか，どうすればよいかのアイディアをもらうことが可能となる．本活動は，公的な医療や福祉では手の届かないサポートを地域住民が主体的となり実施している．

作業療法士である筆者は，個別作業療法を医療的ケア児に実施しているのではなく，会の運営の支援者として関わっている．医療的ケア児とその家族が必要なつながりをつくること，家族同士が安心して情報交換できる場をつくること，医療的ケア児やきょうだい児が地域で仲間や異世代の人と遊ぶことという作業を支援していると考える．作業療法士は個別の関わりのみならず，地域で主体的に生きる医療的ケア児とその家族を社会的にも支援できる力をもつと考える．

文献

1) 厚生労働省社会・援護局 障害保健福祉部障害福祉課 障害児・発達障害者支援室：医療的ケア児に関する施策について．2019 https://www.mhlw.go.jp/content/10905000/000553177.pdf，2021年2月19日閲覧
2) 厚生労働省，令和元年度障害者総合福祉推進事業：医療的ケア児者とその家族の生活実態調査報告書．三菱UFJリサーチ＆コンサルティング，2020 https://www.murc.jp/report/rc/policy_rearch/public_report/koukai_200520/，2021年2月19日閲覧
3) 厚生労働省：医療的ケア児等とその家族に対する支援施策．https://www.mhlw.go.jp/stf/seisakunitsuite/bunya/hukushi_kaigo/shougaishahukushi/service/index_00004.html，2021年2月19日閲覧
4) 厚生労働省文部科学省平成30年度 医療的ケア児の地域支援体制構築 に係る担当者合同会議：医療的ケア児とその家族への支援制度について．2018．https://www.mhlw.go.jp/content/12200000/000365180.pdf，2021年2月19日閲覧
5) 厚生労働省：医療的ケア児等総合支援事業の実施について．https://www.mhlw.go.jp/content/000496824.pdf
https://www.cao.go.jp/bunken-suishin/kaigi/doc/teianbukai99shiryou3_3.pdf，2021年2月19日閲覧
6) 特定非営利活動法人mamacareホームページ：https://www.mamacare.org，2021年2月19日閲覧

✓チェックテスト

Q ①厚生労働省における医療的ケア児の定義はどのようなものか（☞p.272）。 **基礎**
②作業療法士として，医療的ケア児を理解する際に必要な視点は何か（☞p.274）。 **臨床**

Case Study Answer

1 感覚統合機能に対するアプローチ

Question 1

「作業療法士が来たことに気づいていない」,「療法士がこわい」,「恥ずかしがり屋」,「声が聞こえない」,「日本語がわからない」,「挨拶の仕方を知らない」,「今,挨拶として返事をするタイミングであると気づかない」などである。

Question 2

おそらく,アイデアが提供される朝の会などでは,行為を組み立て活動に参加することができたが,自由遊びというアイデアを自分で産出する状況では,行為を組み立てることができず感覚遊びになってしまったのではないかと理解した。

Question 3

①まずは両手対称の活動から取り組む。両側は固定され静的。
②次に,両手を中央で合わせて使用する活動。両側は固定され静的。
③その次に,左右を別々に使用しながら協調する活動。輪投げをする動作を伴い動的。

Question 4

①,②ともに,聴覚よりも視覚で情報を得ることが得意な子どもであったために,それにあったアプローチを行ったことがポイントである。

ここにあるように,本人に学習を促すのであれば,その子どもが一番使える,一番頼りにしている感覚の種類を活用すべきである。もし,得意ではない情報処理の能力向上を目指すのであれば,別の機会に場面を設定するほうがよい。ある程度どのような状況でもいえることであるが,1つの場面でねらいとすることは1つにするほうがよい。エレベーター使用に関する行動学習がメインであれば,行動学習のみ。むしろ情報処理の能力向上を目指すのであれば,エレベーターに関する学習は別の機会にする,ということである。"二兎とを追う者は一兎をも得ず"である。

Question 5

例えば,机の上に左から右へ,着替えを順番に並べておく(図1)。時間の流れを目に見える形にする方法である。

Question 6

特に着替えのときには,ズボンを履くために片足立ちになったり,シャツを着る瞬間に周囲が見えなくなるときがあるなど,余計に姿勢をとることが難しくなるタイミングがある。そのようなときには,あえて立ってやらずに,椅子に座って行うことを勧めることもある。もしくは,図2のように,フラフープなどを使って動ける範囲を制限し,その中で着替えをしてもらうようにする。巧技台のフタなど,少し高い台を用意し,その上で活動してもらうことも,同じねらいである。フラフープよりも,より明確な環境になる。

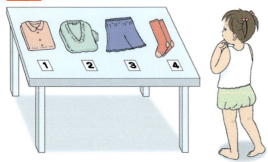

図1 着替えの方法

図2 フープの中で着替え

Case Study Answer

4 摂食嚥下障害に対する作業療法

Question 1

1. 成人嚥下機能の評価
   ピューレ状食品をセラピストが適切な量を捕食可能な位置に運んだ状態での，捕食および嚥下パターンを評価する。
2. 介助での舌での押しつぶしが必要な食品（離乳食中期相当）を食べた際の，舌での押しつぶしが出現するかどうかを評価する。
3. 自食時の捕食の状態，食具が挿入される位置，一口量の調節の状態の評価
4. 介助下での前歯での咬断の可否の評価

Question 2

目標設定

short term goal（約3カ月）：成人嚥下にて嚥下ができる。

long term goal（約6カ月）：離乳食中期の食品を安定して舌での押しつぶしができる。

5 デュシェンヌ型筋ジストロフィー

Question 1

食事動作での環境調整を見直すにも限界がある。その場合は，食事時間の延長や，摂取量，体重の変化を総合的に考慮し，早めに食事介助への移行が望ましい。自力摂取への思いに配慮し，自分で食べた場合と介助で食べた場合で，食べやすさの違いを比較してもらいながら，朝食や夕食など，疲労しやすい時間帯で部分介助を導入しつつ，摂取量を維持し，無理なく食べられる方法へと移行する。

Question 2

目線の高さまでスマートフォン画面を挙げられないので，画面が見えない。上肢筋力が低下するので，スマートフォン本体が持てない，タッチ操作，スワイプ動作ができないなどが生じる。

Question 3

スマートフォンを持てない問題は，アームスタンドや，机を高くするなどして，目線の高さにもってくる。スマートフォン操作のアクセシビリティーは，スイッチコントロールと，マウス操作が可能になっている。また，スタイラスペンで操作できる。最近だと，音声認識も可能である。

Question 4

特有な認知特性のため，仕事を段取りよく進めるのが困難なため，任された仕事に失敗することが多いと予測される。このため，課題が明確で，助言が求められる，わかりやすさへの支援体制を整える。具体的には，抽象的な課題を避け，作業課題を細分化して提示して，具体例を提示するようにする。また，視覚的指示で作業を振り返られるような支援が有効であると考えられる。

Question 5

なぜ，そのような返答になるのかと考えてみてはどうだろうか。まずは，一日を通してどのような過ごし方をしているのかと考え，朝起きてから，夜寝るまでの事柄を聞いてみるといろいろなことがわかってくる。テレビを見ているが，チャンネル操作はどうしているのだろうか，看護師を呼ぶときはどうしているのだろうかなどと，一緒に確認していくことで，困っていることや，それをやめてしまった理由などさまざまなことがわかってくる。作業療法では，このような事柄を拾い上げ，ニーズを掘り起こす作業を行っていく。

治療的アプローチ：発達の各領域に対するアプローチ

Case Study Answer

6 二分脊椎

Question 1

Sharrard第Ⅱ群は股関節屈曲・内転と膝関節伸展がみられる。着るときは，長座位において上肢で下肢にズボンの裾を通した後，背臥位で股関節屈曲・膝関節伸展しズボンを股までたぐり寄せる。その後，腹臥位になりウェスト部分を腰まで引き上げる。脱ぐときは左右交互に側臥位になり上肢でウェスト部を膝まで降ろし，腹臥位になり股関節を屈伸してズボンを蹴って脱ぐ（図3）。

図3　Sharrard第Ⅱ群の児のズボンの着脱例

a　着衣

b　脱衣

7 分娩麻痺

Question 1

おおむね下記のように考えることができる。

- 「ばんざい」：肩屈曲・肘伸展，「ひこうき」：肩外転・肘伸展，「ちょうだい」：肘屈曲・前腕回外，「いない，いない，ばあ」：肘屈曲・前腕回内と回外。
- 「頭頂部」：肩外転と外旋・肘屈曲・前腕回内外中間位，「口」：肩外転と外旋・肘屈曲・前腕回外，「耳」：肩外転と外旋・肘屈曲・前腕回内外中間位，「後頭部」：肩外転と外旋・肘屈曲・前腕回内，「腰背部」：肩伸展と内旋・肘屈曲・前腕回外。
- このように，具体的な動作の中で関節運動を観察できるので，年齢の低い児の評価に用いやすい。反面，多数の関節の複合動作であるので関節運動の種類や運動の範囲を詳細には評価しにくいデメリットもある。

Question 2

縄のビニール製の持ち手をライターの火で「くの字」型に変形し，持ち手の持ち方が前腕回内外中間位であっても縄が外に開くようにしたところ，縄跳びができるようになった（図4）。

図4　縄跳びの柄の工夫

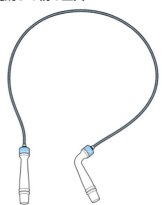

4章

家族，地域を含めた支援

家族，地域を含めた支援

1 子どもの虐待の作業療法

三浦香織

Outline
- 子どもの虐待の機序，要因，発生件数などを理解する。
- 子どもの虐待に対して予防，早期発見，介入，支援する。
- 子どもの虐待に対して体と心，社会を含めた視点に立った作業療法を行う。

1 子どもの虐待とは

子どもの虐待（児童虐待：child abuse）は，基本的な子どもの権利が保障されないことである。子どもの権利とは，食物を与えられ，清潔であり，自由に遊べて，安全であり，安心でき，尊重され理解され，子どもが子どもであることを認められることである。表1のように子どもの虐待は児童虐待防止法[*1]（以下，防止法）で4つに分類されている。実際にはどれか1つだけでなく，いくつか同時に起こっていることが多い。例えば身体的虐待とネグレクトなどである。

> [*1] 児童虐待防止法
>
> 「児童虐待の防止等に関する法律」（通称 児童虐待防止法）は2000年11月に施行された。1947年に施行された「児童福祉法」ですでに子ども虐待に関して通告の義務，立ち入り調査，一時保護，家庭裁判所への申し立てが盛り込まれているが，有効に行使されないなか1990年代に子ども虐待が社会問題化してきたことを受け成立した。この立法により，児童虐待の定義が初めて定められ，表1の4種類とされた。2020年4月施行の改正法では，親権者による体罰を禁止した。たとえしつけのためでも，体に何らかの苦痛や不快感を引き起こす行為は体罰とされる。例えば，注意したが言うことを聞かないので頬をたたく，いたずらしたので長時間正座させる，友達を殴ってけがをさせたので同じように殴る，といったことも含まれている。また，冗談でも「お前なんか，生まれてこなければよかった」などと言うことは，子どもの心を傷つけ権利を侵害するとされている。

表1 子どもの虐待の定義と分類（児童虐待防止法より）

- 保護者（親に限定されない）が児童（18歳未満）に対して次の行為をすること
① **身体的虐待**：児童の身体に外傷が生じ，または生じるおそれのある暴行を加える。
　例：打撲・あざ，頭部損傷，骨折，熱傷，窒息，毒物
② **性的虐待**：児童にわいせつな行為をする・わいせつな行為をさせる。
　例：自らの性器や性交を見せつける，性交
③ **ネグレクト（育児放棄，監護放棄）**：保護者としての監督，保護，育成を怠る。
　例：屋内や車内へ放置する，食事を与えない，衣服を不潔なままにする，幼稚園や学校に通わせない，病気でも受診させない，保護者以外の同居人による虐待をとめない
④ **心理的虐待**：児童に暴言・拒絶的な対応をし，心理的外傷を与える。
　例：言葉による暴力，無視や拒否，自尊心を踏みにじる，配偶者暴力（DV）を目撃させる

2 なぜ虐待は起こるのか

子どもの虐待の原因は，例えば「脳性麻痺の原因は周産期のPVLや出生後の脳炎」などのように，因果関係がはっきりしているものではない。多くの虐待の実際（全国児童相談所の虐待相談統計，以下，児相統計）から，いくつかの**虐待の要因**がわかっている（**表2**）。環境因子がとても大きいことがわかるだろう。

それでも**虐待の本質**とは？ という疑問が残る。あなたは何かいやなことがあってイライラしたとき，つい関係のない人や物にあたってしまうことはないだろうか。人は**ストレス**がたまると，そのはけ口として，力のない，より弱い存在に**攻撃性**を向ける，という性質を多かれ少なかれもっている。

それからもう一つ。**虐待はエスカレートしやすい**。身体的虐待を例に考えてみよう。初めは**しつけ**の一環で軽く叩くと，子どもは言うことを聞いていた。しかし，繰り返すうちに子どもは慣れてしまい，同じ叩き方では効果がなくなる。もっと強く叩く。子どもは恐怖で固まってしまうようになる。よけいイライラして「かわいくない子」と感じる。叩くことをやめたいのにやめられない。

多くの虐待死事件で，**虐待者**（abuser）である親が「子どもが言うことをきかなくて」というのは，決して単なる言い訳ではないのである。特殊な人物による別次元の出来事ではなく，まずは，状況によっては**誰にでも起こりうる**ととらえてもらいたい。そして，防止法で定められるまでもなく，初めから**しつけは叩かないで行うのが虐待予防の原則**，ということを知っておいてほしい。

> **補足**
> **子どもの虐待は増え続けている**
> ・児相統計では，令和1（2019）年度，193,780件と，子どもの虐待は増え続けている。30年以上前，筆者が働いていた障害児入所施設には，何人もの被虐待児（abused child）が生活していた。当時から保護目的の入所がされていたが，近年ますますその役割は重要になっている。なお，障害児が虐待を受ける割合は健常児の4～10倍という。

表2 子どもの虐待の要因

①**虐待者の心身の状態**：精神病，パーソナリティ障害など
②**生活上のストレス**：不安定な就労，夫婦間不和，1人親家庭など
③**心理的・社会的な孤立**
④**親にとって意に沿わない子ども**：望まぬ妊娠，育てにくい子など
⑤**虐待者の成育歴**：1人親家庭，虐待された体験など

3 子どもの虐待をどのように発見するか

子どもと保護者にいざ出会ったときに、虐待かもしれない！と気づくために、チェックポイントを活用してほしい。**表3**はその1例である。

表3 集団生活（保育園、学校など）のなかで子どもの虐待を発見するためのチェックリスト

子ども	保護者
・不自然な傷がよくみられ、親の説明が不自然 ・身長や体重の増加が悪い ・身体、衣服が非常に不潔 ・おびえた泣き方 ・癇癪（かんしゃく）が激しい ・表情や反応が乏しく、元気がない ・身体接触を異常にいやがる ・いつもおどおどしていて、何気なく手をあげても身構（みがま）える ・ささいなことで他児を執拗（しつよう）に攻撃したり、小動物をいじめたりする ・基本的生活習慣が身についていない ・食物への執着（しゅうちゃく）が強い ・大人を試したり、独占しようとし、まとわりついて離れない ・家に帰りたがらない ・理由のはっきりしない遅刻や欠席が多い ・いじめられっ放しで、自己主張ができない ・自分より年下の子と遊ぶことが多く、ときに威圧（いあつ）的 ・授業に集中できず落ち着きがない ・極端な性への関心や拒否感	・職員、教員との面談を拒む ・無断で欠席させることが多い ・長期病欠にもかかわらず、医療機関を受診させない ・予防接種や健診を受けさせない ・子どもとの関わりが乏しかったり、冷たい ・乳幼児期から甘やかすのはよくないと強調する ・子どもに能力以上のことを無理やり教え込もうとする ・自分の思い通りにならないとすぐに体罰を加える ・被害者意識が強かったり、イライラしている ・地域のなかで孤立している ・夫婦仲が悪い ・不安定である

4 虐待を受けている（おそれのある）子どもを発見したときには

まず、一市民として、「これは虐待かもしれない」と思った段階で、地域の子ども家庭支援センターや保健所、警察などに「こういう子どもがいます」と知らせる**通告義務**がある（防止法）。虐待かどうか確信をもてなくても、迷っているうちに悲惨な結果をまねくことがないよう、とにかく通告すること！　虐待者から通告者を保護するため、匿名性が守られている。さらに作業療法士は、**子どもの福祉に職務上関係のある者として虐待を発見しやすい立場にあることを自覚し、虐待の早期発見に努めなければならない**（防止法）。作業療法士は、職務上知りえた個人の秘密を守らなければならない（**守秘義務**（しゅひぎむ））が、**虐待の通告義務のほうが優先される**（防止法）。

そこでぜひ肝に銘じておいてほしいのが、**虐待を否認**[*2]しないこと。あれ？と思ったら、必ず身近にいる同僚や上司に相談してほしい。

> [*2] **虐待の否認**
> 人は、直面したくないこと、できればあってほしくないことが起こると、無意識に事実をなかったことにしようとする「否認」という防衛（ぼうえい）機制を働かせる。特に性的虐待は、性のタブー視のため特に否認されやすいので、要注意である。早期発見と早期介入が遅れてしまうと、抑うつ・境界性パーソナリティー障害・解離性障害など、長期にわたり深刻な影響を及ぼす。

5 虐待の子どもへの影響

表4のように，被虐待児には心身にわたって多くの困難や障害が現れる。近年進んでいる脳研究から，**虐待が子どもの脳の発達に大きな影響を与えている**ことがわかってきている。

表4　虐待が及ぼす子ども（～成人）への影響

- 運動，感覚統合，認知，ADLなど発達の遅れ
- 心理面：無差別的愛着傾向とディタッチメント（反応性愛着障害）
    攻撃性・怒りなど自己調整障害
    低い自己評価，「自分が悪い子だから」など自己概念の障害
- 対人関係の難しさ
- 遊びの発達：探索，想像，創造の難しさ
- 遊びのなかで虐待体験を再現する（ポストトラウマティックプレイ）傾向

補足　被虐待児の脳研究

- 被虐待児は，脳領域の形態や機能に多くの特徴があることがわかりつつある。
- 実行機能を司る前頭前野の問題が，特に大きいといわれている。前頭前野は，大脳辺縁系や脳幹網様体賦活系と強い相互連絡があるため，情動や覚醒とも影響しあう。よって，多動や見通し・衝動コントロールの困難がある注意欠如・多動性障害（attention deficit hyperactivity disorder：ADHD）などの発達障害や気分障害など，さまざまな精神科領域の障害につながりやすい。
- 皮質下も左右の半球を連絡する脳梁や記憶に関わる海馬の体積減少などが報告されている。

> **アクティブラーニング①**　被虐待児の脳について，友田明美『いやされない傷―児童虐待と傷ついていく脳』（診断と治療社，2011）などを用いて，さらに学びを深めよう。

6 被虐待児と関わる前に知っておくべきこと

■ リミットテスティング（limit testing：試し行動）

被虐待児にとってこの世界は常に不安定で，危険に満ちたものである。子どもは不安が増す新奇な場面などで，挑発的・攻撃的な言動をする。大人がどこまで受け入れてくれるか，安全かどうか**限界を試さざるをえない**のである。子どもから突然「バーカ」と言われたり，後ろから蹴飛ばされたりしても，嫌われている！などと認識せず，「おぉ，これがリミットテスティングか」と気を引き締めつつ，落ち着いて対応しよう。さらに知っておいてほしいのは，テストはこれでもかと繰り返される。関係が成立した，と喜んだ直後にまた…ということは日常茶飯事である。あなたはそのうち頭ではわかっていても，嫌悪感がわき傷つく。そして結局，試し行動に巻き込まれて「こんなにかわいくない子だから，親から叩かれるのだ」と思ったり，つい叩いて叱ったりしてしまう。これを**虐待的対人関係の再現**という。

試験対策Point

リミットテスティングとは異なり，ADHDなどの発達障害が虐待の誘因になることもある．発達障害の特徴には，しつけを超えた体罰などにつながりかねないことも少なくない．発達障害の特徴を丸覚えするのではなく，どういうことが起こりうるかを想定しながら，まとめていってほしい．

あなたがもし巻き込まれても，子どもも自分もこうなりやすいのだと客観視し，「自分はこの子をみる資格がない」などと思い込んで，**燃え尽きないでほしい**．根気のいることなのである．

それでは，どうすればいいのか．そのときは，**リミットセッティング**をする．例えば，「いやだと思ったら，叩かないで『ぼくはいやだ』と言おう」など，枠組み・ルールをはっきりと子どもに示す．そうして常に安心・安全な場に自分がいることを繰り返し体験してもらう．

それから，**1人で抱え込まない**こと．子どもと深くつきあうほどストレスもたまる．そのストレスを吐き出せる，自分自身の安全と安心のための場を職場などで必ず確保する．**チームアプローチ**が鉄則だ．

7 被虐待児の作業療法

被虐待児には，まず安心・安全な環境を保障し，発達を促しながら，自信をつけるためさまざまな経験をしてもらうことを目指す（**図1**）．そのために，これまで十分にできなかった体験を把握して，根気強く（何度も言うが）アプローチを行うことが大切な仕事になる．

虐待環境では，興味のあるものに手を出して触ってみる，試していろいろなイタズラをする，といった，子どもの発達にとってなくてはならない**探索活動**が圧倒的に乏しくなる．歩く，話す，箸で食べる，はさみを使う，落書きをするといった発達全般に遅れがある子どもが，落ち着ける場に保護されて，豊かな経験ができる環境におかれると，発達がみるみる**キャッチアップ**していくことはよくみられる．**粗大運動・日常生活活動**（activities of daily living：ADL）などは変化がみられやすいようだ．

一方，新奇な場面でかたまる，新しい遊びに発展しにくい，などの**情緒・対人関係の不安定さからくる問題には，じっくり待つ**．ADLの排泄も情緒と強く関係しているので，完全な自立までには時間がかかる．子どもに目に見える変化がないと，つい焦ってしまうが，大人がそうなればなるほど，子どもにもつらい時間となってしまう．子どものすべての土台となる**基本的信頼感**が育つには，情緒がどっしりと安定した大人とともに過ごす長い時間が必要である．子どもと"何をするか"よりも，"どう過ごすか"が大切なこともある．

虐待者から保護された被虐待児は，例えば乳児院から児童養護施設へ，施設から里親へなど，**生活環境が落ち着かない**という**二次的ストレス**をも経験することが多い．やっとなじんだ環境や安心できるようになった大人との関係を，また新たに築き直さなければならない．あなたの目の前にいる間だけでなく，子どもの生活の連続性を意識して，次の環境で少しでも新たな関係が築きやすくなるよう情報提供をする．

補足

「じっくり待つ」ということ

作業療法士が楽しむモデルになることを心がける．朗らかな笑顔や明るい声，躍動感あふれる動きなど，全身を使って大人が楽しむ姿を子どもに見てもらう．「こんなふうに遊んでもいいんだ」，「こういう楽しみ方があるんだ」ということがわかると，子どもは生き生きとしてくる．大人が言葉で指示するよりも楽しそうに，遊びに没頭する．子どもが，はじめはうまく遊べずリミットテスティングのように抵抗していても，こちらが「あなたを見ているよ」と視線や表情で示すと，時間を置いて遊びに入ってきてくれる．「じっくり待つ」とはじっと横に座っていることだけではない．

補足

過去の共有

筆者が以前働いていた施設で、ある夏休みの1日、起床から就寝まで、子どもたちの生活の様子をビデオ(動画)撮影させてもらった。講義の教材にするため、それぞれの子ども別に編集した。数年後、すでに他の施設に移っていた子どもたちに、ふとした思いつきで各自の映像を編集してプレゼントした。その施設の職員は子どもたちが繰り返し自分のビデオを観ていると教えてくれた。「あのとき私、お人形さんのおむつ替えていたね」、「朝、おはよう、って言っていたね」と繰り返し筆者に話してくれた。子どもはかつて暮らした場所、幼かった自分、仲のよかった友達、慕っていた大人の存在を繰り返し確認して、安心感を得ているのだろうか。これからも自分の人生はしっかり続いていくのだ、という確信をもつには、自分の過去を共有してくれる存在が必要なのかもしれない。

図1 被虐待児への作業療法（概観）

作業療法士の関わりは…

安心・安全な環境で…
睡眠リズム

感動運動体験

創造的あそび

栄養

Case Study

A子さん(7歳)は、骨形成不全症で、ネグレクトのため施設入所している。よくおしゃべりしていろいろ理解しているようにみえたが、新版K式発達検査の「雨が降ったらどうしますか？」という質問には、「いやだ」としか答えられなかった。車椅子自走なので傘がさせないこと以外にも、レインコートを着る、雨宿りをする、といった生活経験がそれまでほとんどなかったことに、筆者はそのとき初めて気がついた。特に、施設内学級に在籍していたため、雨をよける必要がなかったのである。

Question 1

A子さんには、どのような作業療法が考えられるだろうか。

☞ 解答 p.303

*3 **感覚統合**
3章1 p.70も参照。

8 感覚統合と快体験・目的的活動

被虐待児は**感覚統合**[*3]の発達に問題をもつことが多い。感覚統合に不可欠な快の感覚運動遊びの体験を、たっぷりとしてもらおう(**図2**)。

■触覚系

触られることを極端に嫌う一方で、人にベタベタするなど、触覚防衛的な状態を見せる子どもが多い。優しく触られた**快体験**が少なく、叩かれて痛い思いをした不快体験が多いと、外界から身を守るための原始的な触覚系が常に働いてしまう。なお性的虐待を受けた子どもには触覚刺激が性的な意味にならないよう、十分に注意する。

■前庭・固有受容系

リズミカルにゆっくり揺らされて泣きやんだり、高い高いをしてもらって興奮して笑ったりする体験や、興味のおもむくまま全身を使って未知の

遠いところ，高いところに向かっていくという移動の遊びのなかで前庭・固有受容系は発達していく。被虐待児にはそれらの体験が少ないため姿勢やバランスに問題のある子が多い。子どもにとって楽しい前庭・固有系の感覚運動体験をするが，例えばサンドバッグを思い切り叩く・蹴る活動は，社会に受け入れられる形でストレスや怒りを発散する機会にもなる。

■ 視覚系・聴覚系

視覚や聴覚を何かに定位し探索的・識別的に働かせて，じっくり取り組む**目的的活動**をする。常に外界の変化に注意を払わなければならない虐待環境では，経験がとても乏（とぼ）しくなる。ある被虐待児は，ストレスが強くなると自ら目をつぶって視覚刺激を遮断していた。

図2 感覚統合のゆたかな生活

感覚統合の
ゆたかな生活

Case Study

C子さん4歳。身体的虐待，中等度知的障害。施設入所当初は，四つ這いで移動していた。3歳半までいた乳児院では，2歳半につかまり歩きを始めていたのだが，自宅に外泊時，重度熱傷，上腕骨骨折を負った。母はC子さんが寝ぼけて転んだ，などと説明したが，その直後から動きが不活発になり，1週間は寝転がったままであった。3歳時に再びつかまり歩きをし始めたが，やはり外泊時に背部・顔面に擦過傷，円形脱毛，体重減がみられ，またもや立ち上がりを極度に嫌うようになった（**図3**）。母の前では話さず笑わないため，母による虐待が疑われ，乳児院から転院してきた。
つかまり歩きは，入所後まもなくから職員の励ましや他児の動きにつられて意欲的に行ったが，独歩を促すと大声で「いや！」と泣いてかたまっていた。

> **作業療法参加型臨床実習に向けて**
>
> 子どもの場合，模擬患者の設定は難しいので，ぜひ臨床実習前に，保育園などで多くの子どもを観察する機会をもつことをお勧めする。子どもの発達を身体や認知面とともに，情緒，対人関係面まで網羅して体験しながら理解すると，リミットテスティング，情緒と感覚の関係などについても感受性が高まるであろう。

Question 2

C子さんに，あなたはどのような作業療法を実施するか。

☞ 解答 p.303

図3 虐待により歩かなくなる

> **補足**
>
> **作業療法のポイント（図4）**
> - リミットテスティングにはリミットセッティングを！
> - 情緒，対人関係には時間が必要→待つ！
> - 豊かな生活体験を！
> - 感覚統合により快体験・目的的活動を！
> - 自信を育む作業活動を！
> - 1人で抱え込まない→チームアプローチ

図4 作業療法のポイント

家族・地域を含めた支援

【参考文献】
1) 池田由子：児童虐待の病理と臨床，金剛出版，1979．
2) 西澤 哲：子どもの虐待－子どもと家族への治療的アプローチ，誠信書房，1994．
3) 友田明美：いやされない傷－児童虐待と傷ついていく脳，診断と治療社，2011．
4) 三浦香織：被虐待児と家族への援助－症例を通して，都立医療技術短大紀要，5: 201-208，1992．
5) 岡田洋一 ほか：被虐待児の愛着・トラウマと感覚統合障害との関連性に関する研究，681-703，厚労科研費 子ども家庭総合研究事業「児童虐待等の子どもの被害，及び子どもの問題行動の予防・介入・ケアに関する研究」，平成19年度総括・分担研究報告書，2008．

✓ チェックテスト

Q
① 子どもの虐待とは何か（☞ p.282）。 基礎
② 子どもの虐待の分類を述べよ（☞ p.282）。 基礎
③ 子どもの虐待が起こる本質は何か（☞ p.283）。 基礎
④ 子どもの虐待の相談件数はどれくらいか（☞ p.283）。 基礎
⑤ 子どもの虐待を発見したらどうするのか（☞ p.284）。 基礎
⑥ 最も虐待の否認がされやすいのは何か（☞ p.284）。 基礎
⑦ リミットテスティングとは何か（☞ p.285）。 臨床
⑧ リミットセッティングとは何か（☞ p.286）。 臨床
⑨ 被虐待児に必要な環境とは何か（☞ p.286）。 臨床
⑩ 被虐待児に感覚統合アプローチは効果があるか（☞ p.287）。 臨床

家族，地域を含めた支援

2 保護者への対応

三浦香織

Outline
- 保護者に対して作業療法ができることを理解する。
- 虐待が心配される保護者へのアプローチについて理解する。

1 保護者にも支援が必要である

まず，すべての保護者に対して作業療法ができることを挙げる（表1）。特に**虐待が心配される保護者へは，被虐待児と基本的に同じ考え方でアプローチする**ことを意識してほしい。かつて被虐待児だった人は，大人になっても子ども時代の困難を抱えている。そのような人が，子育てに挑む大変さを想像してみてほしい。なかには，わが子にも虐待をすることも少なくない（**虐待の世代間連鎖**[*1]）。子育てをしている**保護者自身の育ちなおしも考えた関わり**が大切だ。

被虐待児を担当する作業療法士などの支援者が，「この子にこんな虐待をするなんて！」と，保護者を「加害者＝悪者」と思うのは自然な感情であるが，保護者もその視線を敏感に感じとるものである。しかし，それでは保護者と支援者の関係はなかなか深まらない。では，あなたにはどのような視点が必要だろうか。

そこで，**保護者も支援が必要な人**であるととらえれば，保護者への対応もおのずと変わってくる。保護者には子どもを養育する義務があると同時に，子どもと幸せに暮らす保護者になることを保障されるべきである，と筆者は考える。

＊1　虐待の世代間連鎖

虐待者は，その9割が子ども時代に虐待を受けた体験があるという。人は自分が体験したことをもとに生きていく。叩かれる環境で適応せざるをえなかった子どもは，それ以外の関係のとり方がわからないまま大人になる。こうして自分の子どもには絶対虐待をしない，と決意しながらも，叩かない子育てのしかたがわからず，虐待を繰り返してしまうことを「虐待の世代間連鎖」という。子どもの虐待の大きな問題の一つである。
その一方で，虐待を受けた体験のある人のうち，わが子に虐待をするのは3割ということもわかっている。つまり，たとえ虐待を受けたとしても，その後の環境や人との関わりによっては，虐待者にならずにすむ可能性がある，ということである。被虐待児への支援は，そのまま新たな虐待者が生まれることを予防している。世代間連鎖を断つことが最も重要な仕事になる。

表1　保護者に対して作業療法ができること

- 作業療法による子どもの変化が，保護者の不安な気持ちやショックを徐々に和らげる。
- 家庭での生活のしかたをアドバイスすることで，保護者一人で子どもをみるときの安心感を保障する。
- 保護者一人一人に合わせた接し方をすることで，信頼関係を築き，気持ちの支えとなる。
- 保護者の見落としがちな子どもの変化・個性や可能性を示すことで，保護者の考え方や価値観の変化が促される。
- 保護者同士が関わり合える場を提供することで，保護者の孤独感，不安を和らげる。

そのため，保護者に適切な支援をするためには，

- 過去に虐待された体験があるのでは？
- 子育てのスキルが育っていないのでは？
- 周りに子育てを手伝ってくれる存在がいないのでは？

など，**保護者中心の評価**も行う。

> **アクティブラーニング ①** 保護者中心の評価とアプローチについて，第3章で学んできた各疾患について，保護者の困難，必要な支援についてまとめよう。

2 保護者ががんばっていること，できるところをみつける

次に，保護者ができないことだけでなく，がんばっているところ，できていることを探り出し，そこに注目しよう。保護者はすでに「お子さんにもっと○○してあげてくださいね」と保健師，保育士，作業療法士など，あらゆる支援職から励まされ，がんばることを期待され続けている。しかし，がんばることは，**保護者自身の基本的信頼感と子育てのスキル**が育っていて初めてできるのである。保護者はがんばろうとしてもうまくできないかもしれない。できないことを十分に自覚しているかもしれない。期待にかえってイライラが募っているかもしれない。そのため，むしろがんばろうとしていること自体に対して，あるいはできているところに対して，「よくやっていますね」と伝えることから始める。「ほめられる＝承認されること」は，子どもにも，大人にも必要な心の栄養である。

3 子育ての成功体験を

それから，保護者に子育ての成功体験をしてもらう。

子育てには，多かれ少なかれストレスがつきものである。特に，以下のようなストレスの感じ方は要注意だ。

- 子どもが○○できないのは，「発達段階的に，また障害によりその子にはまだ難しいから」，ではなく「やる気がないから」と感じる。
- 例えば，「お子さんはこんなことができるようになりましたよ！」と作業療法士から報告されても，喜ぶよりも，「私とだとやらないのに…。私のことが嫌いなんだ」と自身を否定されたようにつらく感じる。

このような感じ方には，保護者の認知のしかたに問題があることがわかるが，だからといって「それは違いますよ！」と説得しても逆効果となる。実際に保護者自身が**子育ての成功体験**，さらにいえば**子育ての快体験**をもてる場をつくることが必要である。

Case Study

E子さん，自閉スペクトラム症（ASD），発達支援センターに通う5歳。職員の間では母親のネグレクトが心配されていた。そこで感覚統合アプローチを通して，E子さんの発達とともに母親との関係づくりを目標にした。
作業療法中，母親に，エアートランポリンを滑り降りるE子さんを下で受け止める役割をしてもらった。気がつくとお母さんは少し離れたところから見ている，また声をかけると近づくのだが，やはりいつの間にか離れてしまう，ということを繰り返していた。

Question 1

E子さんと母親にどのような作業療法を行うか考案しよう。

☞ 解答 p.303

4 "抱えられる"体験を

保護者自身にも，この人といるとほっとする，受け止められたと感じる，といった，いわゆる**安心して抱えられる体験**をしてもらう。作業療法士は**ゆったりと包みこむような視線，表情，姿勢や動き，話しかけ**を心がける。

ときには，実際に保護者とスキンシップをとってもいいかもしれない。保護者の触覚など感覚防衛の状況も評価しながら，大人同士で許容されるやり方として，例えば握手する，背中をそっと押す，肩をマッサージする，などを試してみてほしい。

支援者，ことに作業療法士は何か**作業活動をする＝doing**が作業療法だと思いがちだが，被虐待児や虐待者には，**その傍にあり続ける＝being**ということも安心を感じてもらうにはとても大切である。

5 支援時期別 保護者への作業療法の役割

保護者への作業療法の役割は，虐待の各支援時期別に挙げられる（**表2**）。

表2 支援時期別 保護者への作業療法の役割

- 虐待の予防：母子関係の確立，育児支援
- 虐待の早期発見・介入：虐待に気づける立場を生かす
- 治療：虐待者の作業活動，グループ活動が有効（補足参照），感覚統合療法など，母子共同の作業活動

補足

虐待者への作業療法の実際
かなり古い実践だが，虐待者に作業療法を行った例が海外であるので紹介する。
- 虐待者に社会技能，個人手工芸，個人療法，創造活動などの作業療法を行ったところ有効であった（1970年代，米国）。
- 性的虐待者にグループによる作業療法で構成的活動とディスカッションを行い，親業再教育を行った（1980年代，豪州）。
- 特に保護者同士のグループ活動には他のピアカウンセリングと同じく，次のような効果がある。
  - 孤独感↓
  - 育児負担感↓
  - 自己肯定感・自己の存在感↑
  - 自己の再構築

試験対策 Point

疾患別の評価，アプローチについてまとめる際，保護者が回答する質問紙，保護者が家庭で行うこと，保護者が保育園や学校に連絡依頼することなど，保護者視点でのまとめもしていくと，より重層的な学びになる。

作業療法参加型臨床実習に向けて

子どもだけでなく，保護者に対して作業療法士，病院，施設がどのように関わり支援するか，明文化されたものを確認するとともに，実際にどのようなアプローチがされているか，気づいたことをなるべく多く記載し，実習指導者と確認していくとよい。

◎補足　父親へも支援を

虐待者は実母：実父＝3：1と母親が多く，支援についても母親に焦点が当たりがちだ。しかし，母親が虐待者の場合であっても，実は**父親が母親を支えきれていない**ことが背景にあることがわかっている。

子育てを夫婦で協力して行う家庭も増えているが，現在の社会状況は父親にも大きなストレスを与えている。

筆者は以前，肢体不自由特別支援学校に通う子どもの父親へアンケート調査を行った。その結果，

- 入浴，排泄など，体力のある父親ならではの育児・介護を乳児期から行っていた
- 今後子どもの体が大きくなる一方で，自分の体力がついていかなくなることに大きな不安をもっている
- 福祉手当の打ち切りなど経済的問題は，子どもにかかる費用負担に直結している
- 厳しい経済状況のなか，家族を守らなければ，という強い役割意識がある

ことがわかった。

母親はもちろんのこと，父親への支援も視野に入れておいてほしい。

最後に，男子学生諸君！あなたたちは将来，あるいは現在の子育ての重要なキーパーソンであることを自覚して，妻をしっかりと支えてほしい，またお互いに支えあってほしい，と心から願っている。

◎補足　虐待をなくすために

- 虐待の世代間連鎖を断ち切る。
- 保護者中心の評価をする。
- 保護者を承認する。
- 保護者に子育ての成功体験をしてもらう。
- 保護者に安心を感じてもらう

・支援
・承認
・成功体験
・安心

【参考文献】
1) 斎藤 學：子どもの愛し方がわからない親たち，講談社，1992.
2) Colman W: Occupational therapy and child abuse. Am J Occup Ther, 29: 412-415, 1975.
3) Lloyd C, et al.: Parenting, A Group Programme for abusive parents. Aust Ther J, 36: 24-33, 1989.
4) 三浦香織：被虐待児と家族への援助――症例を通して（第2報）．都立医療技術短大紀要，8: 263-272, 1995.
5) 三浦香織，ほか 編著：父親の育児・介護の実態と支援のあり方．心身障害児(者)のライフサイクルガイドライン，33-58, 全国心身障害児福祉財団，2003.

✓チェックテスト

Q
① 虐待の世代間連鎖が起こる実際の割合はどれくらいか（☞p.291）。　[基礎]
② 保護者中心の評価とはどのようなものか（☞p.291，292）。　[臨床]
③「doingだけでなくbeingを」の意味は何か（☞p.293）。　[臨床]

家族，地域を含めた支援

3 作業療法士の基本的態度

三浦香織

Outline
- 現在の自分が理解している作業療法士の基本的態度をなるべく多く挙げる。
- 挙げたリストを智情意などで分類する。
- 自分にとっての作業療法士の基本的態度を定期的に見直す。

1 子どもの作業療法「あいうえお」

　作業療法士の基本的態度は作業療法技術と表裏一体である。作業療法の哲学といってもいいかもしれない。下に列挙したのは，子どもの作業療法の基本的態度で，筆者が心にとどめておきたいと考えた46の言葉である。「あいうえお」の頭文字というしばりを設け，一見，言葉遊びのようにしたが，言葉を思い浮かべることを通して，筆者のこれまでの体験や知識を通した作業療法技術と考え方・感じ方が，おのずと表れていると考える。

　あなたも自分の言葉で，無理やりでもいいので，つくってみてほしい。これまで子どもの作業療法について学んできたあなたの，今現在の子ども観，作業療法士観が表れるだろう。これから臨床実習を経て，あるいは作業療法士になって何年か経ってまた書いてみたら，どうだろう。変わるもの，変わらないものがあるはずで，それがそのままあなたが培ってきた作業療法士としての基本的態度であり，哲学である。

あ	遊ぶ
い	いつも見ているよとメッセージを送る
う	嬉しいことは嬉しいと表現する
え	笑顔で
お	大らかに
か	悲しいことも悲しいと表現する
き	気持ちのいいことをする
く	クリスマスをいくつになっても楽しむ
け	けんかもときには大事な作業活動
こ	困らせるのは，見て！のメッセージ
さ	さらりと受け流すことも大事
し	自然な流れを大切に
す	好きなことを見つける
せ	繊細に
そ	それでも人生は続いていく

た	楽しいことをする
ち	地球をしっかり感じる
つ	つらいときは人に相談する
て	手伝う
と	投影していることを自覚する
な	泣いても慌てない
に	煮詰まったら少し間をおく
ぬ	ぬりかべのようにたくましく
ね	猫のようにしなやかに
の	野へ出よう
は	はっきりと表現する
ひ	広い視野で
ふ	不安をしっかり受け止める
へ	変なことを面白がる
ほ	ほめる
ま	満足！を共感する
み	耳をすます
む	無理しない
め	目をみはる
も	もう1回！と言われるように
や	柔らかく
ゆ	ゆっくりと
よ	よく考える
ら	楽に
り	リズムよく
る	ルノワールは言った「楽しくなかったら絵なんか描きませんよ」と
れ	レンズをもとう
ろ	論より証拠
わ	笑って泣いて
を	子どもとの時間を
ん	いざ楽しまん（さぁ楽しもう）

試験対策 Point

国家試験の過去問題の正解の選択肢のアプローチが，作業療法士の態度によって効果が半減あるいは逆効果になることを考えてみよう。

作業療法参加型臨床実習に向けて

実習指導者の考える基本的態度を，まずは指導者の作業療法を見学して自分なりに考え，そのうえで質問してディスカッションすると，より実際の作業療法と態度が一致して体験され身につくであろう。

Case Study

Question 1

あなた自身をケースと想定して，子ども時代傍にどのような作業療法士がいたらよかった，と思うか，考えてみよう。障害の有無というより，生活を支援する存在が保護者や教員以外にもいたとしたら，とイメージしてみてほしい。
☞ 解答 p.304

アクティブラーニング ① あなたの言葉で「子どもの作業療法あいうえお」をつくってみよう。

チェックテスト

Q ①作業療法士の基本的態度は，作業療法技術と不可分であるか（☞ p.295）。 臨床
②作業療法士の基本的態度は，自身の作業療法士としての成長とともに変化しうるか（☞ p.295）。 臨床
③作業療法士の基本的態度は，実習指導者の実践から学ぶことができるか（☞ p.296）。 臨床

家族，地域を含めた支援

4 特別支援教育と作業療法

三浦香織

Outline
- 特別支援教育の考え方と仕組みを理解する。
- 特別支援教育で作業療法士が何をしており，何が期待されているか理解する。

1 はじめの質問

① あなたが小・中学生のとき，クラスに障害のある級友はいただろうか。
② あなたのクラスに，読んだり書いたりすることが苦手で，週に1,2回ほかの学校にある◇◇学級というところに通っている級友がいただろうか。
③ あなたの通う小・中学校に○○学級という障害児のためのクラスがあっただろうか。
④ あなたの住む地域に△△養護学校や□□特別支援学校という障害児のための学校があっただろうか。
⑤ あなたが小・中学生のとき，学校やクラスに作業療法士が来たことがあっただろうか。

はじめの4つのどれかがYESの人は多いだろう。それに比べて，⑤にYESと答えた人は，どうであろうか。多くの小・中学校で，⑤がYESとなるよう，現在各地域で作業療法士が活躍をしようとしており，作業療法士の新たな職域として期待されている。⑤は作業療法士が主に通常学級へ専門家チームの一員として巡回相談に行くことである。

本項では，特別支援教育の考え方と仕組みを学び，実例から作業療法の可能性を探ろう。ちなみに「はじめの質問」に挙げたのは，❶～❹までが特別支援教育の場である。

❶ 通常学級（通称）
❷ 通級指導教室
❸ 特別支援学級
❹ 特別支援学校

> **アクティブラーニング①** あなた自身が教育を受けてきた地域で現在作業療法士が特別支援教育に関わっているか，調べてみよう。

2 特別支援教育とは

まずはじめに，特別支援教育とは何か。文部科学省では次のように説明している。

- 障害のある**幼児児童生徒**[*1]の**自立や社会参加**に向けた主体的な取組を支援するという視点に立ち，幼児児童生徒**一人一人の教育的ニーズ**を把握し，その持てる力を高め，生活や学習上の困難を改善または克服するため，適切な指導および必要な支援を行うもの。
- 障害のある幼児児童生徒にとどまらず，障害の有無やその他の**個々の違い**を認識しつつさまざまな人々が生き生きと活躍できる共生社会の形成の基礎となるもの。

なお，太字は筆者が特別支援教育のキーワードとした。

> *1 幼児児童生徒
> 特別支援教育では，作業療法士にはなじみがなかったり，意味が異なる用語がけっこう使われている。幼児児童生徒もその1つだろう。学校教育法では子どもがどの学校に在籍しているかで呼び方を区別している。
> 幼児：幼稚園・特別支援学校幼稚部に在籍
> 児童：小学校・特別支援学校小学部に在籍
> 生徒：中学校・高等学校・特別支援学校中学部・高等部に在籍
> ちなみに児童福祉法の児童（18歳未満の子ども）とは意味合いが異なることも知っておこう。

3 特別支援教育への道のり

特別支援教育が本格的に実施されたのは2007年である。それまでの道のりを知ることで，特別支援教育の意義をよく理解できる（**表1**）。

表1 特別支援教育への道のり

時代	年	出来事
第2次世界大戦後	1947	教育基本法，学校教育法制定　**特殊教育始まる**　盲・聾・養護学校・特殊学級
	1948	盲・聾学校　就学義務制に
1960〜1970年代	1965	理学療法士および作業療法士法制定
	1973	養護・訓練教員免許の制度始まる
	1975	国連　障害者の権利宣言
	1979	養護学校義務化　訪問教育制度
1980〜1990年代	1980	国際障害分類　ICIDH
	1981	国際障害者年
	1983	国連「障害者の10年」スタート
	1996	サラマンカ宣言　（スペイン）特別ニーズ教育に関する世界会議
	1999	「精神薄弱」から「知的障害」へ
2000年代	2000	**養護・訓練から自立活動へ**
	2001	国際生活機能分類　ICF　文部科学省　特別支援教育課を設置
	2003〜	全都道府県教育委員会に委嘱事業
	2005	特別支援教育に関する中央教育審議会答申 特別支援教育の対象＝特殊教育の対象＋LD・ADHD・高機能自閉症児などに発達障害者支援法施行
	2007	**特別支援教育始まる**　自立活動教員免許試験　毎年から隔年に変更
	2009	ICF-CY（・・for Children and Youth）国際生活機能分類　児童版
2010年代	2012	共生社会の形成に向けた**インクルーシブ教育**システムの構築のための特別支援教育の推進
	2013	就学制度改正　認定就学制度を廃止，本人・保護者の意向を可能な限り尊重した就学へ
	2014	**障害者権利条約**批准　インクルーシブ教育システムの理念，合理的配慮の提供
	2016	**障害者差別解消法**施行　差別の禁止，合理的配慮の提供　等 改正児童福祉法施行　医療的ケア児の支援に関する保健，医療，福祉，教育等関係機関の連携の一層の推進
		改正発達障害者支援法施行　可能な限り発達障害児が発達障害児でない児童と共に教育を受けられるよう配慮しつつ，適切な教育的支援を実施すること，個別の教育支援計画及び個別の指導計画の作成の推進

＊2 合理的配慮
他の子どもと平等に教育を受ける権利を享有・行使するために，学校設置者・学校が必要かつ適当な変更・調整を行うこと。子どもの状況に応じて個別に必要とされるもの。

試験対策 Point
特別支援教育の歴史を，リハビリテーションの歴史と連動させて整理しておくと，理念と法律，実際の関係も理解しやすくなる。

この半世紀に，障害者についての考え方を変えていく大きな流れがあったことは，すでに他科目でも学んでいると思うが，改めて年表を見てみよう。何か気がつくことがあるだろうか？

- 教育や訓練を与える**対象者としての障害者**から，自立生活を送る**当事者**としての障害者へと障害者観が大きく変わってきていること。
- インクルージョンの理念を背景に，就学先選択や合理的配慮[＊2]が権利としてとらえられてきていること
- **そのひとのニーズ**に合わせる，**個人因子**を大切にすること

あなたが今まさに学んでいるリハビリテーションの理念をふまえた教育の制度へと動き続けていることがわかるだろう。すべては連動している，と実感してほしい。

4 特別支援教育では何をするのか

特別支援教育では，どのようなことをするのだろうか。

学習障害（LD），注意欠如・多動性障害（ADHD），自閉スペクトラム症（ASD）など，通常学級にもいる**特別な支援**（special support）が必要な子どもも対象にする。具体的には，以下のことを行う。

- 校内委員会や特別支援教育コーディネーターを設ける。
- 個別の教育支援計画を作成する。
- LD，ADHD児のための通級指導教室をつくる。
- 肢体不自由，知的障害，盲，聾などの障害別養護学校ではなく，**多様な障害にも対応できる**特別支援学校にする。また，特別支援教育のセンターの機能をもたせる。
- 開かれた学校運営システムにする。難しい課題をもつ子どもには，より詳しい専門的なアドバイスが必要なため，作業療法士など**外部の専門家**が巡回相談員として教育現場に出向く。

補足
養護・訓練教員の歴史
表1にあるように，特殊教育時代に養護・訓練（ヨウゴ ポツ クンレン と読まれた）教員免許制度が成立したのには，どのような背景があるのだろうか。作業療法士・理学療法士などリハビリテーション職種は，医療の場とともに特殊教育の場でも必要だ，と考えた当時の関係者が，教員免許をもつ人しか働けなかった当時の学校教育の現場への道を切り拓いてくださったという（故五味重春先生と仄聞する）。2000年に養護・訓練から自立活動に名称が変わったが，これも当事者中心への世界の大きな流れの一環といえる。作業療法士・理学療法士は肢体不自由の特別支援学校の自立活動教員免許を取得する際に，作業療法士・理学療法士資格があると二次試験での実技試験が免除される。

5 特別支援教育で作業療法士ができること／すべきこと

それでは，特別支援教育で作業療法士は何ができるだろうか。また，すべきだろうか。

■ 教育委員会システムへの参加

これまでも療育機関の作業療法士が保育所や幼稚園の職員に指導することはあったが，特別支援教育制度によって支援・連携がしやすくなっている。**教育委員会システム**により医療・福祉・教育の専門家チームが巡回相

家族・地域を含めた支援

談を行い，保護者や保育士・教員へアドバイスしている。なかには個別教育計画の作成の協力をしている作業療法士もいる。自治体の教育委員会システムに参加する作業療法士は，これからさらに需要が高くなると予想される。

■ 外部支援専門家，研修会講師

小・中学校の言語や発達障害の通級指導教室，特別支援学級から，外部支援専門家として子どもの評価と支援法のアドバイスが多く依頼されている。また感覚統合などに関する研修会が多く求められており，教員や保護者の作業療法や感覚統合への関心の高さがうかがわれる。また，後述のケースにもあるように，手の使い方について，作業療法士ならではの研修会を行っている作業療法士もいる。

■ 自立活動教員

肢体不自由の特別支援学校の子どもは，年々障害が多様化しているため，自立活動を担う作業療法士は技術や知識を幅広くもつことが求められる。ある作業療法士は，役に立ちそうだと感じる技術や情報は積極的に修得し収集して，**あらゆるニーズに応えられるよう常に自己研鑽**をしている。学校行事への参加や，全介助の子どもの教材や用具を考えるなど，多くの課題を同時処理する力も必要だ。

特に，**担任の教員との関係づくり**は大切である。一方的ではなく，担任自身が自分の気づきや指導に一層自信がもてるようにアドバイスをする。

> **補足**
> **発達支援事業の作業療法士として**
> 発達支援事業で働く作業療法士は，通所・入所する子どもが特別支援教育を受けている場合には，学校や教員との連携を目指す。計画書や報告書は，子どもの見方を教員に伝える大切なツールにもなる。相手が読んで理解しやすいように工夫する。もし，直接学校に出向く機会を得られるなら，最大限に活かして，教員と積極的にコミュニケーションをとり，その後の連絡をしやすい関係をつくる。

6 実際に作業療法士は何をしているか

多くの作業療法士は，直接特別支援教育の場で働いてはいなくても，保護者から就学先の選択や変更について相談を受ける，学校教員への情報提供，アドバイスを依頼される，といった形で必ずといっていいほど，特別支援教育と関わっている。このことを念頭に置いたうえで，数はまだ多くはないが，特別支援教育の場で働いている作業療法士が実際どのようなことをしているのか，いくつかの実例から知ってほしい。肢体不自由や発達障害だけでなく，視覚障害，聴覚障害といった分野でも活躍できる可能性があることを知ってもらえればと思う。

Case Study

Case 1　中学校の特別支援学級で専門家支援
障害の有無にかかわらず思春期真っただ中の中学生は，将来について漠然とした不安と期待をもっている。
中学校の特別支援学級では，小学校，通常学級でいじめなど辛い体験をした生徒もいて，障害そのものよりも，自信を失っていることが課題の中心になることもある。

また，コミュニケーションや感覚調整のためのスキンシップが小学生のころよりもどうしてもしにくくなる。卒業後の進路や職業について悩み始める時期でもある。そんな時期なので，学級内外の人的・物的環境は小学校よりもむしろ重要かもしれない。一層きめ細やかなマンツーマンの対応が必要な場面もある。教員どうしの連携がうまくいっている学級は，生徒も落ち着いている。

作業療法士は各生徒とマンツーマンで評価を行い，家族関係や将来などについてもインタビューしている。社会性が発達している女子生徒とはガールズトークになることもある。家族の複雑な事情や将来どのような仕事につきたいか語る生徒もいる。作業療法士と2人の場と教室ではずいぶん雰囲気が違うこともある。これもまた評価の大切なポイントとなる。

Case 2 視覚障害特別支援学校の教員として

視覚障害のある乳幼児は，触れることを嫌がったり怖がることがある。そこで，担任の教員でもある作業療法士はできるだけ幼い時期から触れることに興味をもつような活動をしている。

Question 1

視覚障害の幼児にできる作業療法を考案しよう。

☞ 解答 p.304

Case 3 視覚障害特別支援学校で専門家支援

作業療法士が視覚障害特別支援学校で研修会をするにあたり事前に訪問すると，箸の扱いが不安定であったり，茶碗の扱い，姿勢運動など食事動作がうまくできない子どもが多かった。手の不器用さは給食以外でもみられた。教員によれば，幼いころから周囲が必要以上に手伝いがちで，子どももそれに慣れてしまうという。ADLの経験の少なさと手の不器用さの関係が予測できた。

そこで，食事動作と手の不器用さとを関連づけるような研修会を企画した。晴眼者の手や運動の発達を基に，「手の機能性とは，モノの輪郭および表面の形状に合わせて形を変えてモノを操作すること」をまず伝えることにした。また，ふだん通園施設で行っている食事動作の実際の指導例と実技なども取り入れた。

受講した教員からは大好評で，次回の支援を強く要望され，継続的な支援につながった。

Case 4 聴覚障害児特別支援学校で事例検討会

言語の通級指導教室では専門家支援で作業療法士が関わることは結構あるものの，聴覚障害の特別支援学校では，そもそも聴覚障害の専門家として教員や言語聴覚士（speech-language-hearing therapist：ST）がいるので，他職種の介入は不要とされているという。

幼児教室の難聴の男児は，教員のいうことを聞かない落ち着きのない子だという。評価すると前庭覚低反応が推測された。担任のベテラン教員は保護者と関係がこじれており，なかなか作業療法士の説明にも同意できないようだったが，手話でおしゃべりしている周りの教員たちは，他の子どもにもあてはまる，と興奮気味に話しあっているらしかった。その後，若い教員がトランポリンをセッティングしたところ，「これがほしかったの！」というように聴覚障害の子どもたちが次々と乗ってはジャンプして遊び，遊んだ後はとても集中しやすくなったという。その後，教員たちは感覚統合の研修会に参加して，学校教育に取り入れるようになった。

Case 5 小学校における言語の通級指導教室で専門家支援

言語になんらかの問題がある子どもは，同時に感覚統合，家族間の葛藤，情緒的な問題なども抱えていることがままある。

ある男子児童は「乱暴な子」として通常学級の担任から厳しく指導され，ストレスを溜めていた。通級学級で初めて会った作業療法士の前でも，ボールをガラス窓に思い切りぶつけていた。教室ではいつも物をいじって握りつぶす，姿勢が保持できないことも母親との面談からわかり，乱暴な行動は心理的ストレスの発散と，固有受容覚の低反応による行動であるようだった。「子どもは何をやってもうまくできない」と嘆く母親に，意識的に固有受容覚を活用すると落ち着きやすくなると話したところ，「そういえば砲丸投げをやりたいと言っていました！」とのことで，子どもの行動に合点がいった様子だった。

作業療法参加型臨床実習に向けて

実習で見学，担当する子どもがどのような特別支援教育を受ける可能性があるか，あらかじめ情報を整理しておく。実習では情報を収集し，作業療法士が教育にどのように関わっているかを知ることで，その役割と可能性を理解することができる。

補足　学校チームの一員として作業療法士がうまく活用されるためには…

- "岡目八目"の立場を利用する。
- ちょっと違う視点を活用する。
- 作業療法士も教員から学ぶ姿勢をもつ。
- 情報の交換・共有の工夫をする。
- 用語の意味を理解する。
- 子ども・家族とともに教員へも作業療法アプローチを！

【参考文献】
1) 三浦香織，ほか編：特別支援教育の作業療法士．作業療法マニュアル40．日本作業療法士協会，2010．

✓ チェックテスト

Q
① 特別支援教育のキーワードは何か（☞p.298）。 [基礎]
② 特殊教育から特別支援教育に変わったのはいつか（☞p.298）。 [臨床]
③ 特別支援教育の場はどこか（☞p.299）。 [臨床]
④ 特別支援教育で作業療法士ができることは何か（☞p.299, 300）。 [臨床]

Case Study Answer

1 保護者への対応

Question 1

- 実際に雨の日に外出する体験をする
- 他にも経験できていないことがあるか調べる

施設入所が新たなネグレクトにならないよう，注意を払うことも作業療法士にとっては大切な役割である。

Question 2

以下はC子さんに実際に実施したことと経過である。子どもの状況に寄り添いながら，子どもが喜びと自信をもてる体験に誘うアプローチを考案できれば，正解である。

決して無理強いせず，リラックスした時間を他児らとともに過ごしながら，作業療法士と手をつないで歩くことにした（図1①）。半年後のある日，重症心身障害の乳児D君が大好きになっていたC子さんは，少し離れたところに寝ているD君のために玩具を運ぶという遊びに夢中になっていた（図1②）。C子さんは初め作業療法士と手をつなぎながら玩具を一緒に保持していたのが，次は作業療法士が持っている玩具につかまって歩き，最後は玩具を両手で抱えて，途中で作業療法士が手を離したことにも気づかないで歩いた。D君の元に玩具を運び終わって，1人で歩いてしまった（図1③）！ 自分で気づいたその瞬間，びっくりしたが泣くことはせず，結局そのままハイガード・ワイドベースで病棟までの帰り道，数十メートルを歩き通した。病棟の人たちから誉められて，その後から，1人で歩きまわるようになった。その姿は自信に充ち溢れていた。

こういった体験をあなた自身ができると，作業療法士としての自信をもてるのではないだろうか。

2 保護者への対応

Question 1

母親自身の評価を行い，子どもと母親の関係づくりに効果をもつアプローチを考案していれば正解である。
作業療法士は「お母さん，身体を使ったE子さんとの遊びが苦手なのかな」と感じた。そこで，母親にもエアートランポリンにE子さんと一緒に乗ってもらい，大勢の職員で，おみこしのようにワッショイワッショイと持ち上げた。トランポリンの上で跳びはねて思わずキャーと笑い声がはじける母親とE子さんは，気がつけばお互いに**楽しさを分かちあっている**ようにみえた（**図2**）。

図1 作業療法による変化
①ゆっくり過ごす　②D君に玩具を運ぼう　③歩いた！

図2 母親への対応

Case Study Answer

作業療法が終わって部屋を出ると，E子さんはすぐもとのASD児らしい様子に戻ってしまうのだが，楽しかった記憶はしっかり残っていたようで，次の作業療法場面では自分からトランポリンに乗ってきて期待に満ちた表情。母親はやはり自分からは乗らないものの，作業療法士がちょっと促すと乗ってくれ，また2人にとって楽しい時間となった。

母親はその後「E子は小さいころ，抱っこをとても嫌がっていたので，無理にしないできました。こんなに笑って遊ぶのを初めて見ました」と語っていた。E子さんのASDの特徴と，母親自身も揺れるものが苦手などの感覚のとらえ方に特徴がある可能性，初期の母子関係を育む抱っこを嫌がられるという子育ての失敗体験などが複合して，結果的にE子さんに直接触れて関わる機会が少なくなり，ネグレクトにつながっていたのかもしれない。

母子共同の感覚統合アプローチは，**快体験の共有を通した基本的信頼関係づくり**の第一歩になる。

3 作業療法士の基本的態度

Question 1

自分の書いたあいうえおとつきあわせてみよう。自分がしたいことと，してほしいことはかなり重なっていることに気づくのではないだろうか。作業療法士がすべきことと子どもがしてほしいことをすり合わせる作業が，実はとても大切である。

4 特別支援教育と作業療法

Question 1

これは実際に行われた作業療法である。このように具体的に考えられたら正解である。

その日の給食に出る食材に加工していない原形のままで触れて，食材の名前，形や香りを確かめたり，そのまま食べられるものは口に入れてみる活動を毎日行った。トウモロコシ，キャベツなど皮を剥くもの，豆類など中から取り出せるものは特に喜ばれる。触れるだけでなく操作するので興味が増すようだ。繰り返すことで，手の操作性が高まり，触れることへの抵抗も少なくなった。

事例集

事例1　自閉症スペクトラム障害，知的障害

主体的な行動の広がりが妨げられていたASD女児に対する遊びへの支援
小学校2年生，女子。幼児期は児童発達支援センターの日々通園に通う。児童発達支援センターでは，個別による発達支援活動と，集団による発達支援活動の提供を行ってきた。卒園後，知的障害教育部門の特別支援学校小学部に入学。就学後は，独自事業による個別での発達支援活動の提供を行う。筆者は2年生のときに担当となった

●主訴
　保護者の主訴は，「いつも紐を振り回している」，「主体的に遊ぶことが難しい」であった。特別支援学校において専門的な教育を受けることができているが，作業療法に相当する教育活動は少ないため，個別場面での作業療法を希望された。

●作業療法評価
　保護者からの主訴である「紐を振り回して遊ぶ」は，いわゆる感覚遊びの一つとして考えられる。この遊び方が好きであるという見方も可能であるが，他の遊具の遊びに興味がもてなかったり，遊ぶことが難しい場合にこのような感覚遊びが選択されることはよく見られることである。特に知的障害が重度の場合には，遊びを見つけたり，展開する力に制限があったり，他者の行っている遊びを模倣して自分の楽しみにすること，他者と遊びを共有することなどに制限が生じることが多いため，このような姿に結びつきやすい。感覚統合理論における行為機能の，特に観念化（Ideation）に課題があるものと考えられた。

●国際生活機能分類(International Classification of Functioning, disability, and Health：ICF)
　図1参照

●作業療法プログラム
　本児が楽しめる活動を紹介し，活動の楽しさを感じることができれば，紐遊びではなく，楽しい活動を選択できるようになるのではないか，という仮説のもと作業療法プログラムを提供した。本児が楽しめる活動としては，「大きなブランコで揺れて遊ぶ」という，紐遊びと同じ感覚遊びであるが，より全身で体験することができる活動を選択した。同様に，「スクーターボードを用いて，滑り台で遊ぶ」活動も選択した。

●作業療法再評価
　初期評価に基づく作業療法プログラムを2回提供したものの，期待したような変化は得られなかった。本児を活動に誘導し，活動を紹介する。本児はそれに応じて遊具には乗り，活動には参加するものの，セラピストの関わりや誘導を少し控えると，すぐに遊具から離れてしまう。楽しいという様子は見られず，まして，自ら選択する様子は皆無であった。
　あらためて再評価を実施した。そのなかで次のようなことがわかった。本人は，作業療法室の環境にある遊具などに対して興味をもって，働きかけようとしていたのである。しかし働きかけようとする瞬間に，ブランコが揺れてしまったり，近くにいる作業療法士が動いてしまうだけでも，働きかけをやめてしまう。遊具に乗ろうとするのだが，その高さまで足が上がらないと判断するのか，足を少しだけ上げてやめてしまう。一度経験できた遊具でも，次にセッティングが変わってしまうと，働きかけをやめてしまう。
　このような姿から総じてわかったことは，環境に自ら働きかけようとしていることが多いこと。一方で，環境のわずかな変化，もし

くは、自分の能力より少しでも難しいものに対しては、その働きかけをやめてしまう、ということであった。感覚統合理論における、観念化(Ideation)ではなく、プログラミング(Programming)における柔軟な対応策の組み替えが課題であると考えられた。

● **作業療法の再プログラム**

再評価に基づき、改めてプログラムを見直した。目標としては、本人が活動を楽しむことができれば活動を選択できるようになるのではないか、ということで変更はなかった。提供するプログラムを大幅に見直した。本人の働きかけと成功体験を大切にし、そして、そこからチャレンジする際の段階づけを行い、さらなる成功体験を期待した。特に、段階づけについてはとても丁寧に行うこととした。遊具の設定を5cm単位、10cm単位としてわずかずつ変化をもたらすようにした。そして本人が関わろうとしても手を引いてしまい、回避するときにはさらに変化の度合いを小さくした。このような繰り返しにより、一度トライして成功し、次に再チャレンジをし、さらに成功する、ということを繰り返し用意し、積み重ねていった。

● **結果**

作業療法場面では、回を重ねるごとに、自ら遊具に、環境に働きかける場面が圧倒的に増えていった。段階づけにおける変化の度合いが少し大きく、一瞬ひるみそうになっても、改めてトライしてクリアしていくことも少なくなかった。そして、遊具で用意したコースを一通りクリアすることができると、達成感を感じているような笑顔を見せることもあった。

生活の場面で、保護者から次のような変化が報告された。いつも行く公園で、自ら滑り台に上り、滑り降りてきたとのこと。これまでは、いつもの紐を手離すことができず、保護者が促すと、調子が良ければ遊具で遊べるが、調子が悪いと遊具遊びを拒否し、紐遊びに没頭していたとのこと。自ら選択し、働きかけるような姿は初めてとのことであった。

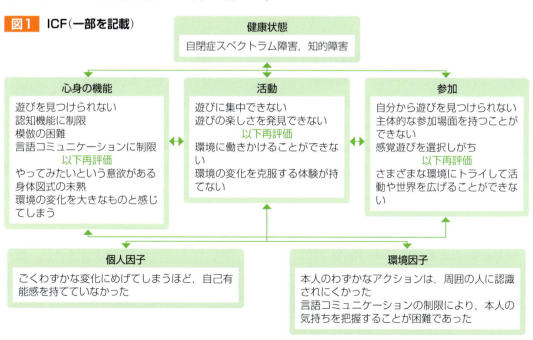

図1 ICF（一部を記載）

事例2　脳性麻痺（両麻痺）

「一人で着替えができるようになる」を目指した事例

5歳，女児．父，母，姉，本人の4人家族．在胎28週1,050gにて出生．切迫早産，頭位自然分娩で出生．呼吸切迫症候群が認められ大学病院NICUへ入院した．生後20日まで人工呼吸器管理を施行され，生後3カ月に退院した．生後10日目，頭部超音波により脳室周囲白質軟化症と診断された．大学病院入院中から痙性が目立つようになり，リハビリテーションを開始した．定頸4カ月（修正1カ月），寝返り9カ月（修正5カ月），座位12カ月．1歳時より，リハビリテーション施設において理学療法・作業療法開始．4歳時，母が病気のため家庭での生活が困難となり，施設に単独入所した．施設において，理学療法，作業療法，言語療法を受けている．また，施設内にある通園に通っている．

●作業療法評価

- ぽっちゃりしたおしゃべり好きな女の子．かわいいものが好き．
- 筋緊張：体幹は筋緊張が低く，四肢は高い．
- 粗大運動：室内移動は四つ這い．屋外は車椅子を使用するが，段差やスロープは介助が必要．車椅子への移乗にも介助が要る．床上では割座，背もたれのない椅子にも座れるが，バランスを崩しやすいため見守りが必要．立位は何かにつかまった状態で可能だが，膝は屈曲し，足部はつぶれる．
- 上肢機能：右が優位手．手指の分離運動は未熟だが，机上で手を使う活動は好む．クレヨンを3指持ち可能だが，動きはゆっくりで疲労しやすい．空間で上肢を大きく動かすことは難しい．
- ADL：食事時は車椅子や座位保持装置が必要．スプーンにて自食可能だが，次第に体幹が左側に傾いてくる．更衣動作は割座にて部分的に可能だが，バランスを崩しやすく時間を要すため，あまり自分でやりたがらない．排泄はトイレで可能，しかし移乗，後始末には介助が必要．

●国際生活機能分類（International Classification of Functioning, disability, and Health：ICF）

図1参照

●評価のまとめ

本児の今後の生活を考えると，自宅に帰るためには少しでもADLが自立していることが望ましい．食事は環境設定次第で自力で可能，排泄は自立に向けた課題が多すぎるため，まず初めに着手すべき課題として更衣動作を取り上げることとした．

●作業療法目標

- 長期目標：自分で着替えができるようになる．
- 短期目標：着替えが可能になるために必要なこととして次の3点を設定した．
  ①1人で座れる，手が離せる，両手を動かしても倒れない．
  ②両手を協調的に動かせる，手指を分離して動かせる．
  ③着替えることが楽しいと感じる．

●作業療法プログラム

プログラム①（短期目標①に対して）
身体を支える力，両手でダイナミックな動きをしても倒れない身体をつくるため，立位台を利用してボール投げなどを行う．

プログラム②（短期目標②に対して）
空間で左右が異なる動きをする遊び，塗り絵などの巧緻的な活動を行う．

プログラム③（短期目標③に対して）
あこがれのキャラクターに変身し，かわい

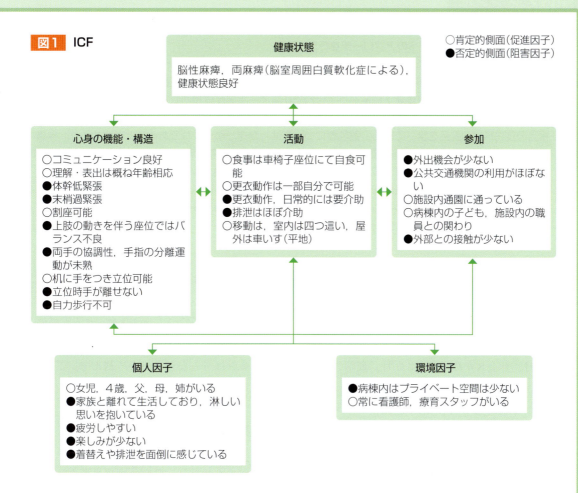

く（かっこよく）なる。

●作業療法経過

　上記の計画に従って，週1回，半年間，作業療法を実施した。

　短期目標①については，完全ではないものの，1人で座れる，背もたれのない椅子座位で手が離せる，両手を動かしても倒れないといった状況が増え，素材と形状によっては1人で上着の着脱が可能になった。

　短期目標②についても，両手の協調性や手指の分離運動が向上した。

　短期目標③については，作業療法の時間，児の好きなキャラクターに変身することは意欲的に取り組んだが，日常生活の中では大きな変化はなかった。

●その後

　母親が他界し，家族3人になった。短時間の留守番が1人でできたら自宅に帰れるとのことで，トイレの自立が次の課題となった。

事例3　ダウン症

ダウン症児の摂食嚥下機能へのアプローチを行った事例
2歳6カ月，男児，在胎38週。出生時体重2,670g，出生直後ダウン症候群の診断を受ける。1歳4カ月時に心房中隔欠損根治術実施。保護者から，食べるときに舌が出るのが気になる，水分が上手に飲めないという訴えがあり，摂食嚥下機能を促す目的で作業療法実施が依頼された。離乳食開始は生後7カ月時。生後10カ月時に離乳食中期相当，15カ月時に離乳食後期相当に移行し，現在は，離乳食完了期相当の食物形態の食品を食べている。離乳食については，発達がゆっくりであることを踏まえて，保護者なりに無理せず進めてきたとの認識である。乳児様嚥下が遷延していることについては，「舌が出ている」という形で気にはしているものの，異常発達の状態である認識はなかった。現在，食事方法は，自食と介助食べであり，すべての食品を処理することなく，乳児様嚥下にて丸飲みしている状態である。成人嚥下の獲得とともに，舌での押しつぶし，すりつぶし等，摂食嚥下機能発達を促すための介入が必要な状況となっている。週2回のグループ指導と週1回のOT実施。

●初回評価時の状態

母親に抱かれて入室。カウプ指数15.3（身長80cm，体重9.8kg）。乳幼児精神発達質問紙（津守）の結果は，運動1歳3カ月，探索・操作9カ月，社会8カ月，食事8カ月，理解言語9カ月であった。2歳4カ月時に独歩獲得したものの歩行は不安定で，屋内では四つ這い移動が主な移動方法になっている。主な遊びは，箱の中に物を入れたり出したりすること，あやし遊び，本をめくること，などである。2歳年上の姉がいるが，姉とは遊びを共有すること難しく，保護者との遊びが中心となっている。

食事以外の場面でも下顎のアライメントは前方に位置しており，口唇はわずかに開いた状態である。唾液は成人嚥下パターンで嚥下しているときもあるが，流涎も観察されている。

家庭では，介助食べに対する拒否は強くないものの，自分で食べたがる場面が増加してきており，その際には，保護者は自食させているとのこと。自宅での食事は，大人や姉の食事から食べられそうなものを取り分けて食べさせている。野菜は細かく刻んで食べさせている。保護者より，コロッケの中身，シチューの具，煮物の野菜，挽き割り納豆の納豆ご飯などはよく食べる。煮魚や焼き魚はご飯に混ぜて食べさせている。肉は，煮込みハンバーグは手元でつぶせば食べられるものの，薄切り肉やかたまり肉は食べられないので，キッチンばさみなどで細かく刻んで，ご飯に混ぜて食べさせているとのことだった。

●作業療法評価

アームレストがあるイスにカットアウトテーブルを装着し，実際の食事場面を評価した。

介助食べでは，捕食時は一時的に下顎のアライメントが修正され，不十分な捕食が観察された。しかし，食品が口の中に入った直後から下顎が前方に移動し，舌が口唇を超えて突出し，吸啜運動と乳児様嚥下にて飲み込んでいる様子が観察された。舌の側方運動や咀嚼運動は観察されなかった。

自食場面では，スプーンで食品をすくったりフォークで刺すことはできない。食品がすくってあるスプーンを目の前に置くと，スプーンの柄を円柱握りにて把持して，食品を口に運ぶ。口裂とスプーンの角度を調整することができないことや，スプーンをかなり奥まで挿入するため捕食はできない。スプーンを引き抜いたあとは，吸啜動作とともに乳児

様嚥下にて嚥下する様子が観察された。

コップによる水分摂取は介助にて行っているが、コップの縁は舌の上に乗っており、頻繁にむせる様子が観察された。

●国際生活機能分類（International Classification of Functioning, disability, and Health：ICF）

図1参照

●統合と解釈

本児は、吸啜動作と乳児様嚥下により食品を摂取しており、乳幼児期に成人嚥下を獲得することが重要なケースである。成人嚥下は、離乳初期に獲得する機能であるが、本児の場合は、保護者は口の中の食品が飲み込まれている様子から「食べられた」と判断し、成人嚥下未獲得であることに気づかないまま、離乳を進めてきていた。その結果、口腔機能は、哺乳時の吸啜と乳児嚥下を行う経口摂取準備期にもかかわらず、食物形態は自食準備期に食べることができる食品（離乳食完了期相当）のものを摂取していた。つまり、口腔機能発達にみあわない食物形態を摂取した状態であり、これにより、乳児様嚥下の遷延・固定化が発生し、摂食嚥下機能発達が阻害されたた状態となっていると解釈できる。

●目標設定と治療プログラム

短期目標として、介助下での捕食機能の獲得、成人嚥下の獲得を設定した。長期目標は約年1後に咀嚼運動の獲得、最終的にはスプーンやフォークを使用しての自食の獲得を目標とする。

治療プログラムとして、食べる機能の発達を促すアプローチは、保護者に多くの協力を得る必要があるため、治療的な介入のうち、どの範囲であれば保護者が実施可能か、また対象児が受け入れられるかを吟味する必要がある。以上を踏まえて、食事場面では、介助下での捕食機能向上と、顎が臼歯部とかみ

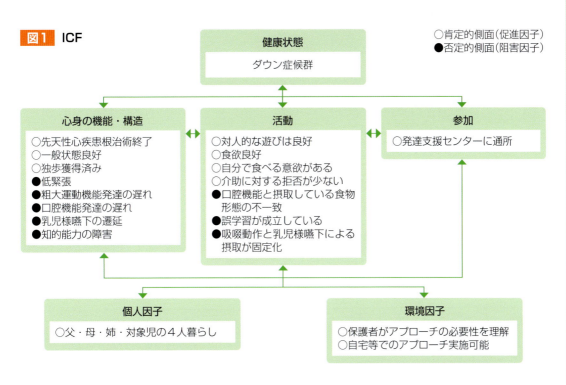

図1 ICF

合った位置に支えながらピューレ状食品を用いて成人嚥下を促通するアプローチを家庭の食事場面，グループ指導場面，作業療法場面で実施した．

●**作業療法経過**

　開始当初は，嚥下時に臼歯が噛み合った顎の位置を取ることに不慣れであったため，なかなかうまくいかないことがあった．時間経過とともに，少しずつ下顎コントロール下での捕食が可能となる頻度が高まっていった．1カ月後には，嚥下時に顎が安定した位置をとりつづけ，口唇閉鎖が容易となり，嚥下時はほぼ成人嚥下パターンが出現するように変化した．

事例4　デュシェンヌ型筋ジストロフィー

デュシェンヌ型筋ジストロフィーでの学習環境支援
3歳頃の転倒しやすいことで病院を受診し診断が確定する。小学校4年生で歩行消失。手動車椅子を導入するも，中学校1年生で簡易電動車椅子，中学校3年生で電動車椅子へと移行している。二次性心筋症と，閉塞性睡眠時無呼吸の合併症があり，心保護治療を開始し，夜間のみ非侵襲的陽圧換気療法（NPPV）を行っている。医学管理目的で在宅生活から入院生活になり，病院併設の特別支援学校の高等部1学年の入学となった

● 初回受診時の症状

机の上に両肘をのせ，机の上を這う指の動きで教科書をめくり，ノートを動かしながら筆記を行っている（図1）。教科書を見るために身体を起こそうとして，姿勢が崩れて元に戻せないことがある。授業中，ティルト操作で電動車椅子を倒して休憩することがなく，姿勢調整の介助を頼む場面もみられない。日常生活での会話に支障はないが，やりたいことがあっても，困りごとを教員に相談することはなく，実行できずにいることがあった。WISC ⅣでFSIQ：87と正常範囲であるが，下位検査で，言語理解（VCI：101）知覚推理（PRI：89）ワーキングメモリー（WMI：76）処理速度（PSI：86）と知的構造の不均衡さがみられる。

図1　授業中の机上動作

● 作業療法評価

電動車椅子操作以外のADLは全介助。上肢機能は，肩・肘関節でMMT 2，手関節・手指で3-4レベル。肘屈曲・前腕回内・手関節背屈位に関節拘縮がある。上肢運動機能障害度分類9段階法で8。脊柱は，S字カーブに変形し，頸部が伸展位で拘縮している。厚生労働省機能障害ステージはⅧ。座り方で，左坐骨神経部圧迫によるしびれが出現する。授業中，疲労や痛みの訴えはきかれないが，腰背部の皮膚が赤くなっていることがある。授業での教科書や書字などで，できない活動ではないが，作業工程ごとに課題を分解して確認したところ，部分的なしづらさがきかれ，授業環境の自己評価は，実行度5/10，満足度4/10であった。また，授業中の休息の自己評価が，実行度5/10，満足度8/10と，疲労感はないとの返答であったが，休息時間を授業中に取り入れて試行してみると，休息が容易にできない状況に対して，実行度1/10，満足度4/10と自己評価が変化した。「活動がやりやすくなるのであれば，道具の変更に対して特に抵抗はない。これまでの方法にこだわらない」と，授業環境の変更への意欲的な発言がきかれるようになった。

● 国際生活機能分類（International Classification of Functioning, disability, and Health：ICF）
図2 参照

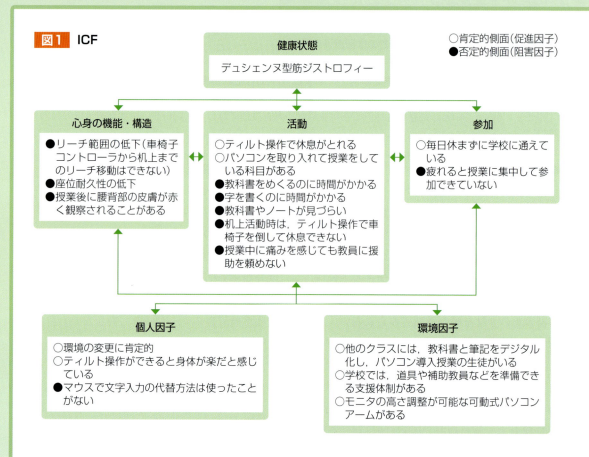

●統合と解釈

　休息できない長時間の活動姿勢は，呼吸・心不全への身体負荷を避けるために再検討が必要である。援助を頼む学習プログラムや，教師が適時に声をかけ時間を決めて休憩をとることも考えられるが，自分のタイミングでティルト操作ができる環境が望ましいと考えた。ティルト操作に必要な電動車椅子のコントロールレバーから，机上までのリーチ範囲が行えないため，筆記などの机上での学習環境の見直しが必要となる。現在，教科書閲覧，書字活動は代償動作で行えているが，この方法では，手指・手関節筋の筋破壊を助長する。そのため，二次障害を考慮し筋負荷の少ない手段の検討を見直す時期になる。移行期では，新しい環境に拒否を示す例もある。このようなトラブルを避けるためにも，一つ一つ確認して，学習環境の調整を進めていく。

●目標設定と治療プログラム

　授業中の休憩姿勢の確保を最優先にして，教材のデジタル化（教科書・プリント配布物・宿題）を中心に，各教科担任と学習環境の見直しをすることにした。筆記手段が，鉛筆からパソコン入力に変更になることから，マウスによる筆記手段の練習を行う。パソコン環境準備では特に，顔の正面に画面が設置されるように工夫するため，パソコンモニタアームを用いることにした（図3）。環境調整は，すでにパソコン授業が導入されている教科から試行し，他の教科へも段階的に移行する。

●作業療法経過

　授業中ティルト操作が行えることで腰部の

皮膚異変は観察されなくなり，痛みやしびれの訴えもきかれず，集中して授業へ参加できるようになった。学習方法をパソコンの導入でデジタル化することで，学習の効率性が改善した。教科書・書字等の自己評価は，実行度9/10 満足度10/10, 休息活動は，実行度8/10, 満足度10/10になった。今後，病棟での過ごし方，卒業後の進路などと，定期的に評価が必要である。

図3 再検討された学習環境

索引

あ

アームサポート ･････ 224, 227
アームレスト ････････････ 221
愛着障害 ･･････････････････ 285
アイデンティティ ･･･ 21, 23
アカシジア ･･････････････ 271
アクティブタッチ ･･･ 30, 204
アゴン ･･････････････････ 102
アスピリン ･･････････････ 264
アスペルガー症候群
･･･････････････････････ 2, 105
遊び ･･･････････ 27, 101, 177
圧迫痛 ･･････････････････ 223
アテトーゼ型四肢麻痺
･･･････････････ 144, 156, 160
アナルプラグ ････････････ 248
アニミズム ･･････････････ 22
アフォーダンス ･･････････ 116
アライメント ･･････ 108, 145
アレア ･･････････････････ 102

い

育児 ････････････････････ 158
育児放棄 ････････････････ 282
移乗介助 ･･････････ 223, 229
異食 ････････････････････ 164
イソニアジド ････････････ 265
痛み ････････････････････ 223
一過性伝導障害 ･･････････ 253
一側性麻痺 ･････････････ 253
遺伝カウンセリング ･････ 207
衣服の形状 ･････････････ 165
医療的ケア ････････ 177, 272
イリンクス ･･････････････ 102
因果関係 ･･････････ 81, 172
陰性症状 ････････････････ 270
インテーク面接 ･･････････ 52
咽頭期 ･･････････････････ 193

う，え

ヴィゴツキー ････････････ 175
ウイルス感染 ････････････ 124
ウェルビーイング ････････ 38
宇佐川浩 ････････････････ 175
運動企画 ････････････････ 89
運動年齢検査 ････････････ 59
運動発達 ････････････････ 8
エアーズ ･･････････････ 18, 74
エアハート発達学的視覚評価
･･････････････････････････ 60
エアハート発達学的把持能力
検査 ････････････････････ 59
エリクソン ･･･････････ 21, 175
エルプ型 ････････････････ 253
嚥下圧産出 ････････････ 198
嚥下機能 ･････････ 148, 197, 215
嚥下造影検査 ･･････ 163, 198
嚥下内視鏡検査 ･････････ 198
遠城寺式乳幼児分析的発達
検査法 ･･････････････ 58, 59

お

横隔神経麻痺 ･･････････ 252
嘔吐 ････････････････････ 164
大島の分類 ････････････ 147
親の視点 ････････････････ 43
音声認識 ･･･････････････ 230

か

カーリング ･････････････ 234
下位型 ･･････････････････ 253
開咬 ････････････････････ 162
介護者 ･･･････････ 219, 223
介護福祉士 ････････････ 51
介助 ･･････ 148, 149, 223,
225, 249
介助食べ ･･･････････････ 310
改訂大島の分類 ････････ 148
改訂日本版デンバー式発達
スクリーニング検査 ･･･ 58
改訂版随意運動発達検査
･･････････････････････････ 59
回転加速度 ･･････････････ 19
概念形成 ････････････････ 31
外胚葉 ･･････････････････ 238
外部環境 ････････････････ 87
開放性脊髄髄膜瘤 ･････ 238
カエル様肢位 ････････････ 152
下顎後退 ････････････････ 149
過可動域 ････････････････ 126
核黄疸 ･･････････････････ 268
学習障害 ･･･ 3, 110, 113, 299
学習性無力感 ･･････････ 216
覚醒 ･･････････ 115, 149, 151, 163
覚醒水準 ････････････････ 13
学童期 ･･････････ 180, 182, 223
過誤神経支配 ･･････ 253, 259
過去の経験 ･･････････････ 88
仮性肥大 ･･･････････････ 207
風に吹かれた股関節 ･･･ 152
家族 ････････････････････ 273
加速度刺激 ･･････････････ 19
家族の文化 ････････････ 48
肩周囲筋筋力低下 ･･････ 224
塊 ･･･････････････････････ 38
片麻痺 ･･････････････････ 156
楽器演奏 ･･･････････････ 234
学校生活 ････････ 180, 246
活動 ･･････････････････ 37, 65
葛藤経験 ････････････････ 22
活動制限 ････････････････ 65
過渡的喃語 ･･････････････ 25
過用 ･･････････････ 216, 224

カルテ ･･････････････････ 51
カルバマゼピン ･･････････ 269
ガワーズ徴候 ･･･････････ 207
簡易上肢機能検査 ･･････ 60
簡易電動車椅子 ････････ 222
感覚運動遊び ････････ 27, 287
感覚運動期 ･･････････････ 22
感覚回避 ････････････････ 74
感覚過敏 ･･･････････ 74, 86
感覚刺激 ･･････････ 79, 82, 105
感覚処理・行為機能検査
･･････････････････････････ 60
感覚探求 ･･････････ 74, 79, 82,
84, 87, 115
感覚調整障害 ･･････ 78, 95,
105, 114, 117, 176
感覚統合 ･････ 18, 70, 287, 293
感覚統合療法 ･･･････････ 105
感覚統合理論
･･････････････ 72, 86, 92, 306
感覚のフィードバック ････ 27
感覚発達チェックリスト改訂版
･･･････････････････････ 60, 74
感覚プロファイル ････････ 74
感覚防衛 ････････････････ 115
眼球運動 ････････････････ 30
環境 ･･････････････ 116, 177
環境因子 ････････････････ 65
環境支援 ･･･････････････ 224
環境調整 ･･･ 80, 85, 185, 225
緩下剤 ･･････････････････ 214
監護放棄 ･･･････････････ 282
観察 ･････････････････ 53, 88
肝初回通過効果 ････････ 266
関節可動域制限 ････ 126, 151
観念化 ･････････ 86, 87, 306
観念的な操作 ････････････ 23
カンファレンス資料 ･････ 51
陥没呼吸 ････････････････ 163
ガンマアミノ酪酸 ･･･････ 270
顔面筋 ･･････････････････ 149

き

キアリ奇形 ･････････ 240, 250
機会 ････････････････････ 43
機械による咳介助
･･････････････ 214, 218, 227
気管切開 ･･･････････････ 272
危険認知 ････････････････ 94
基準喃語 ････････････････ 25
気道クリアランス ･･････ 213
気道変形 ･･･････････････ 222
機能障害 ････････････････ 65
機能的要素 ･･････････････ 93
基本的信頼感
･･･････････････ 22, 286, 292
逆嚥下 ･･････････････ 162, 197

虐待 ･････････････････････ 5
虐待の世代間連鎖 ･･････ 291
虐待の通告義務 ･････････ 284
虐待の否認 ･････････････ 284
脚長差 ･･････････････････ 139
逆行性洗腸法 ･･･････････ 243
救急蘇生用バッグ
･･･････････････････ 218, 229
吸啜運動 ････････････････ 310
吸啜窩 ･･････････････････ 162
吸啜反射 ･････････ 12, 14, 15
臼磨運動 ････････････････ 13
教育委員会システム ････ 299
共感 ････････････････････ 29
強剛 ････････････････････ 126
行政用語 ･･･････････････ 147
協調的遊び ･･････････････ 29
強直間代発作 ･･･････････ 269
強迫神経症 ･････････････ 215
拒食 ････････････････････ 164
巨大児 ･･････････････････ 252
疑惑 ････････････････････ 22
近位筋 ･･････････････････ 207
筋緊張 ･･････････ 14, 126, 132,
145, 150, 159, 177, 308
筋腱移行術 ･････････････ 260
筋ジストロフィー ･････ 3, 206
筋性斜頸 ･･･････････････ 252
緊張性迷路反射 ･････ 127, 144
筋変性 ･･････････････････ 206
勤勉性 ･･････････････････ 23
筋紡錘 ･･････････････････ 19
筋力低下 ･･･････････････ 209

く

クーイング ･･････････････ 24
空間認知 ･･･････････････ 112
空気嚥下症 ･････････････ 164
具体的操作期 ････････････ 23
口呼吸 ･･････････････････ 163
屈曲拘縮 ････････････････ 150
屈曲パターン ････････････ 131
クライアント ････････････ 37
車椅子 ･･････････････ 221, 222,
228, 241
車椅子移行時期 ････････ 211
車椅子サッカー ･････････ 234
クルンプケ型 ･･･････････ 253
グレイ症候群 ･･･････････ 268
クロナゼパム ････････････ 164
クロラムフェニコール ･･ 268

け

経管栄養 ･･････ 163, 192, 272
経験 ････････････････････ 71
経口薬 ･･････････････････ 265
形式的操作期 ････････････ 23

継時処理 …………91, 112
痙縮 ……………………126
痙直型片麻痺 …………139
痙直型四肢麻痺
　…………131, 133, 165
痙直型両麻痺
　…………134, 161, 165
頸椎症 …………………144
頸部聴診法 ……………198
痙攣 ……………………269
ゲームデバイス ………231
血液脳関門 ……………268
血漿タンパク質 ………267
欠神発作 ………………269
血中酸素濃度 …………150
限局性学習障害 ………110
言語的コミュニケーション
　……………………………24
言語表出 ………………144
原コミュニケーション構造
　……………………………24
言語理解 ………25, 144
顕在性二分脊椎 ………238
原始反射 ……11, 14, 127
腱切離術 ………………260

こ

更衣 ………………………34
行為機能 ……86, 94, 104,
　　　　　　　115, 188
更衣動作 ………………165
高位レベル児 …………249
高機能自閉症 …………105
抗菌薬 …………………267
口腔期 …………………193
口腔機能 …………………33
後頸筋 …………………222
拘縮 ……………128, 132, 152,
　　　　　158, 210, 224
抗重力伸展活動 …………8
抗重力的活動 ……………34
厚生省筋萎縮症研究班の機能
　障害度分類ステージ
　………………………211, 227
抗精神病薬 ……………270
構成的な遊び ……………31
構造化 …………………106
拘束性換気障害 ………213
咬断 ……………13, 197, 199
巧緻性 ……………31, 165
巧緻動作 ………………243
抗てんかん薬 …………270
行動化 ……………………98
行動観察 …………………75
咬反射 …………………162
広汎性発達障害 …2, 105
合目的活動 ………………19
合理的配慮 ……216, 299
誤嚥 ……………149, 159, 163,
　　　　　　　213, 227

股関節脱臼 ……152, 165
呼吸機能 ………………148
呼吸ケア ………………218
呼吸障害 ………………159
呼吸抑制 ………………195
国際障害分類 ……64, 174
国際生活機能分類
　…………64, 174, 189, 307
子育て ……175, 186, 292
子育て相談 ……………204
コックアップスプリント …260
ごっこ遊び ………22, 25
骨成長抑制 ……………139
骨盤位分娩 ……………252
骨盤帯付長下肢装具 …241
こどものための機能的自立度
　評価法 ………………61
コミュニケーション
　…………98, 106, 109, 149, 222
固有感覚 ……71, 81, 108
固有受容系 ………………19
誤用 ……………216, 224
孤立化 …………………235
孤立感 …………………233
コントラスト ……………84

さ

座位 …………………8, 151
罪悪感 ……………………23
催奇性 …………………270
座位姿勢 ………………210
座位保持 …………16, 222
座位保持装置 …134, 152
作業 ………………………36
作業科学 ……………36, 37
作業学習 …………183, 184
作業活動 …………219, 220
作業所 …………………168
作業的アイデンティティ
　……………………………42
作業的存在 ………………37
作業の意味 ………………41
作業の基礎構造 …………38
作業の機能 ………………40
作業の形態 ………………38
作業の発達 ………………42
作業の変容 ………………43
作業表 ……………………39
作業分析 …………183, 113
作業療法 ………3, 34, 100,
　　　　　178, 291, 293
作業療法士 …6, 48, 73, 101,
　　　　　132, 147, 157, 171, 186,
　　　　　204, 250, 275, 295
坐骨神経圧迫 …………210
坐薬 ……………………266
サルファ剤 ……………267
参加 ………………………65
三角筋前部線維 ………209
参加制約 …………65, 233

残渣 ……………………197
残存筋 …………209, 210
三半規管 …………………19

し

ジアゼパム ……164, 269
シーティング …221, 223
ジェスチャー ……25, 75
シェマ ……………………21
視覚 ……30, 79, 87, 112
視覚刺激 ………………288
視覚障害 ………………301
視覚認知 ………242, 245
自我同一性 ………21, 23
弛緩 ……………………126
ジギタリス中毒 ………265
識別性触覚伝導路 ………30
視空間知覚 ……135, 136
自己効力感 ……206, 215
自己中心性 ………………22
自己導尿用カテーテル …243
自己の活用 ………………76
自己有能感 ………70, 133,
　　　　　　　180, 187
支持基底面 ……13, 14, 34
自主性 ……………………22
思春期 …………………184
自食 ……………10, 33, 197,
　　　　　　　200, 310
自助具 …………………161
ジスキネジア …………271
ジストロフィン ………210
姿勢 ……………145, 200
姿勢調整 ………………102
姿勢反応 ………………145
姿勢保持 ……34, 210, 220
耳石器 ……………………19
視線 ……………………222
指尖つまみ ………11, 256
視線入力デバイス ……230
自尊感情 ………206, 215
自尊心 ……………………70
肢体不自由児 …………130
舌での押しつぶし ……196
失禁 ……………………247
失調症状 ………………161
質的評価 …………………96
児童 ……………………298
自動化 …………………100
児童虐待 ………………282
児童虐待防止法 ………282
児童発達支援 ……………49
児童福祉法 ……………147
児童養護施設 …………286
自発運動 ……132, 149, 151
自発性 ……………………82
指腹つまみ ………11, 256
自閉症スペクトラム障害 …3,
　105, 113, 215, 293, 299, 306
脂肪腫 …………………240

ジャーゴン ………………25
社会参加 ………220, 235
社会性 ……………………29
社会的微笑 ………………25
尺側手掌把握 ……………10
シャラードの分類
　……………………240, 241
手圧排尿 ………………248
自由遊び場面 ……………88
集学的マネジメント …208
終糸 ……………………240
重症心身障害
　…………147, 160, 165
重心移動 …………………16
集団生活
　…………179, 284, 233, 249
重力 ……………………108
重力加速度 ………………19
重力への安心感 …………19
就労 ……………183, 184, 236
宿便 ……………………248
手指握り …………………10
手指の操作性 …………172
手掌回内握り ……………10
手掌把握反射
　………………10, 14, 15, 131
主体性 …………101, 184
出血傾向 ………………265
受容的遊び ………………29
腫瘤 ……………………238
巡回相談 ………………168
順次屈曲 ………………256
順序立て ………86, 89, 95
準備期 …………192, 199
除圧 ……………………150
ジョイスティックマウス …230
上位型 …………………253
障害児支援事業 ………274
障害児の包括的評価法
　マニュアル …………130
障害受容 ………186, 262
消化機能障害 …………214
症候性てんかん ………269
賞賛 ………………………29
上肢運動機能障害度分類
　………………………212, 227
上肢機能 …161, 242, 249, 308
上肢のW肢位 …………152
上肢把持用装具 ………227
情緒の安定性 ……………19
衝動性 …………107, 108
小児自閉症評定尺度 ……61
情報収集 …………………51
情報量 ……………………88
ショートオポーネンス
　スプリント …………260
初回面接 …………………52
食具 ……………13, 197, 201
食事動作 ……33, 225, 243
褥瘡 ……………21, 223

317

食道期 …………… 193	**せ**	**そ**	注意の配分 ………… 99
食物形態 …………… 200	生活機能 …………… 65	操作性 ……………… 173	注意の容量 ………… 99
書字 …………… 229, 236	生活障害 …………… 86	操作的遊び ……… 28, 31	中心静脈栄養 ……… 272
助詞抜け …………… 25	生活の質 …………… 40	早産児 ……………… 124	中胚葉 ……………… 238
食塊形成 ……… 196, 199	正期産児 …………… 124	喪失体験 …………… 216	聴覚 …………… 79, 87, 112
触覚 …………… 71, 79	清潔間欠（自己）導尿 …… 243	相反神経支配 ……… 144	聴覚障害 …………… 301
触覚防衛 …………… 287	成功体験 ……… 88, 216	側臥位 ………… 145, 150	超重症児 …………… 147
自力咳困難 ………… 218	正常筋緊張 ………… 13	足関節底屈 ………… 134	直線加速度 ………… 19
自律神経 …………… 34	成人嚥下 …………… 204	側腹つまみ ……… 11, 56	直感的思考段階 …… 22
自律性 ……………… 22	精神的緊張 ………… 144	側彎 …………… 152, 242	地理的要素 ………… 92
心機能障害 ………… 214	精神的なリスク …… 103	側彎変形 …………… 210	治療教育の介入 …… 190
心筋症 ……………… 214	精神発達遅滞 ……… 170	組織化 ……………… 72	チルト・リクライニング …… 223
神経移植術 ………… 260	正中指向 …………… 9	咀嚼 ……… 13, 196, 199, 215	
神経因性膀胱 ……… 247	性的虐待 …………… 282	咀嚼期 ……………… 192	**つ**
神経管 ………… 238, 239	静的情報処理 ……… 112	粗大運動	通級制度 …………… 243
神経溝 ……………… 238	生徒 ………………… 298	……… 8, 31, 126, 187, 308	通告義務 …………… 284
神経支配 …………… 241	声門閉鎖 …………… 195	粗大運動能力尺度	つかまり立ち ……… 16
神経板 ……………… 239	生理活性物質 ……… 264	…………… 59, 129	疲れ ………………… 236
神経ヒダ …………… 239	生理的微笑 ………… 25	粗大運動能力分類システム	伝い歩き …………… 16
人工呼吸器機器トラブル	世界作業療法連盟 … 36	（拡張・改訂版）…… 60	躓やすさ …………… 207
…………………… 218	咳介助 ……………… 218	粗大触圧覚伝導路 … 30	つまみ ………… 11, 256
人工呼吸器 …… 223, 227,	脊髄空洞症 ………… 240	反り返り …………… 160	津守式乳幼児精神発達質問紙
229, 272	脊髄形成不全 ……… 250		…………………… 59
心身機能 …………… 65	脊髄係留症候群 …… 240	**た**	
新生児 ……………… 267	脊髄髄膜瘤 …… 238, 239, 249	大学生活 …………… 236	**て**
振戦 ………………… 161	脊髄中心管 …… 239, 240	大学入試 …………… 229	低緊張 ……………… 134
身体イメージ ……… 135	脊髄披裂 …………… 238	体幹機能 …………… 244	デイケア …………… 4
身体概念 …………… 92	脊柱変形 ……… 210, 211,	体重支持 …………… 8	定頸 ………………… 16
身体構造 …………… 65	221, 223, 224	対称性緊張性頸反射 …… 144	定型発達 ………… 4, 25
身体図式 ……… 30, 87, 91,	脊椎後方矯正固定術 …… 227	代償動作	抵抗感 ……………… 225
92, 95, 113, 187, 245	咳のピークフロー … 213	……… 128, 224, 226, 314	低酸素性虚血性脳症 … 124
身体像 ……………… 92	舌下錠 ……………… 266	対人的な遊び ……… 29	ディタッチメント … 285
身体知覚 ………… 19, 34	摂食嚥下機能	体性感覚 …………… 97	低登録 ………… 74, 79, 85
身体的虐待 …… 282, 288	……… 11, 192, 310	第二次性徴 ………… 184	ティルト操作 ……… 314
人的環境 ……… 114, 158	摂食5期 ………… 33, 192	大脳基底核 ………… 124	適応反応 …………… 72
新版K式発達検査2001	舌尖 ………………… 12	対立運動 ……… 256, 260	摘便 ………………… 248
…………………… 58	舌突出 ………… 162, 204	ダウン症 ……… 204, 310	テコ ………………… 226
身辺処理 …………… 224	セルフケア …… 31, 33, 117,	立ち直り反応 …… 14, 15	手と口の協調
身辺自立 …………… 22	159, 186	脱臼 ………………… 253	……… 10, 33, 197, 204
信頼関係 …………… 29	セロトニン受容体遮断薬	多動性 ……………… 107	テトラサイクリン
心理社会的危機 …… 21	…………………… 270	田中ビネー知能検査Ⅴ … 59	…………… 265, 268
心理社会的発達理論 … 21	全型 ………………… 253	試し行動 …………… 285	手の操作能力 ……… 126
心理的虐待 ………… 282	前概念的思考段階 … 22	樽状胸郭 …………… 152	デュシェンヌ型筋ジストロ
	前傾型歩行器 ……… 156	短下肢装具 ………… 154	フィー ……… 206, 313
す	前言語期 …………… 24	探索行動 ………… 19, 98	てんかん …… 2, 125, 149, 268
随意運動相 ………… 193	潜在性二分脊椎 … 238, 239	単純部分発作 ……… 269	電動車椅子 …… 222, 313
遂行 …………… 86, 90	全身管理 …………… 208		
スイッチ操作 ……… 232	仙髄 ………………… 238	**ち**	**と**
水頭症 ………… 249, 250	前操作期 …………… 22	知覚障害 ……… 238, 242	同一性の拡散 ……… 23
髄膜炎 ……………… 124	洗体 ………………… 229	知的障害 ……… 2, 125, 139,	頭位分娩 …………… 252
髄膜瘤 ………… 238, 239	洗腸 ………………… 243	147, 165, 170, 215, 306	動機 …………… 86, 215
スキーマ構造 ……… 21	前庭感覚 …… 71, 79, 97, 108	知能能力 ………… 87, 110	統合 ………………… 11
スクリーンキーボード …… 230	前庭系 ……………… 19	チトクロームP-450 …… 268	登校拒否 …………… 233
ステッピング ……… 14	前庭脊髄反射 ……… 19	知能検査 ……… 170, 217	統合失調症 ………… 270
ステロイド …… 210, 217	前庭動眼反射 ……… 19	着衣 ………………… 166	橈骨頭脱臼 …… 253, 254
スプーン操作 ……… 133	洗髪 ………………… 229	着床前診断 ………… 207	同時収縮 …………… 144
スプリンター・スキル …… 77	全般発作 …………… 269	注意機能 ……… 96, 116	同時総合 ……… 87, 112
スプリント ………… 260	喘鳴 ………………… 159	注意欠如・多動性障害	橈側手指把握 ……… 10
スペックスイッチ … 233	前彎変形 ……… 222, 226	… 2, 107, 113, 215, 299	橈側手掌把握 ……… 10
			動的情報処理 ……… 112

登攀性起立……………207	脳性麻痺児のための手指操作能力分類システム……60, 129	**ふ**	ボディーイメージ………30
動揺………………159		フィードバック………27	ボトムアップ的注意……97
動揺性歩行………207, 222		腹圧排尿……………248	ボトムリフティング………8
特別支援学級………120, 181, 243, 249, 300	**は**	腹臥位…………8, 145, 150	ホルネル徴候…………252
特別支援学校………120, 168, 181, 234, 243, 236, 300	バークレー……………107	複雑部分発作…………269	**ま,み,む,め**
特別支援学校高等部……183	パーソナリティ障害……283	副腎皮質ステロイド……268	マイヤー………………39
特別支援教育……4, 120, 298	バードウィステル………24	福山型筋ジストロフィー……206	慢性肺胞低換気…………213
徒手筋力検査…………209	背臥位…………………8, 150	不信感…………………22	ミオクロニー発作………269
徒手による咳介助………214	背景因子…………………65	不随意運動……………144	見立て遊び……………22
突発性てんかん…………269	背景活動…………………100	不整脈…………………214	南カリフォルニア回転後眼振検査……………60, 75
トップダウン的注意………97	排泄………………34, 166	物理的環境……………86, 114	南カリフォルニア感覚統合検査……………60, 74
独歩………………………16	排泄回数…………………219	部分発作………………269	身振り……………………25
ドパミンD$_2$受容体遮断薬……………270	排泄動作…………228, 243, 248	プランニング………89, 108	ミミクリ………………102
	肺コンプライアンス……213	プログラミング……89, 306	無関心…………………215
な,に	排便動作…………………248	フロスティッグ視知覚発達検査……………138, 242	無差別的愛着傾向………285
内的欲求…………73, 100	廃用症候群……………210	分娩麻痺…………………3	ムセ……………………218
喃語………………………25	恥…………………………22	文脈………………………37	目と手の協調……………19
二関節筋………………151	発生……………………238	分離運動………………308	面接………………………52
2語文……………………25	発達課題…………………21		
二次障害……73, 125, 144, 216	発達質問紙……………117	**へ**	**も**
二重課題………………100	発達障害……………………2	並行的遊び………………29	目的的活動…………19, 81
日常生活活動………55, 179	発達障害者支援法…………2	平衡反応…………14, 15	文字入力………………230
ニトラゼパム…………164	発達相談………………204	閉塞性換気障害…………213	モチベーション…………43
ニトログリセリン………266	発達特性………………182	ペーシング……………199	モニターアーム…………231
二分脊椎……………………3	歯磨き動作……………220	ペニシリン……………268	模倣………………22, 255
日本作業療法士協会……36	パラシュート反応………14	変形………128, 152, 158, 210, 224	模倣的遊び………………28
日本二分脊椎症協会……250	バランス…………………39	便失禁…………………247	モロー反射…………14, 15
日本版感覚プロファイル……60	バルプロ酸……………269	ベンゾジアゼピン系……164	問題解決的介入…………190
日本版KABC-Ⅱ…………59	反射相…………………193	便秘……………219, 247	**や,ゆ,よ**
日本版青年・成人感覚プロファイル…………60	伴性劣性遺伝…………207	扁平胸郭………………152	薬剤師…………………265
日本版デンバーⅡ………57	半側臥位………………150	ペンホルダー……………10	薬物代謝………………268
日本版乳幼児感覚プロファイル…………60	反応性愛着障害…………285		薬物投与量……………267
日本版ミラー幼児発達スクリーニング検査……58, 74	反復性発作……………269	**ほ**	痩せ……………………223
乳児期…………………177	ハンフリー………………43	保因者…………………207	有意味語…………………25
乳児様嚥下……162, 197, 204, 310		ポインティングデバイス……230	遊具……………………103
入浴……………………229	**ひ**	ポイントタッチスイッチ……233	有能感……………………23
尿器……………………228	ピアサポート…………275	防衛反応……………79, 82	癒合不全………………238
認知期……………192, 199	ピアジェ……………21, 175	放課後等デイサービス……49, 274	指差し行動………………24
認知機能………135, 242, 249	被虐待児……283, 288, 291	傍観者的遊び……………29	養護学校………………168
認知発達段階説…………21	非言語的コミュニケーション……25	膀胱直腸障害…………238	葉酸……………………240
	微細運動…………10, 31, 245	膀胱尿管逆流…………247	幼児……………………298
ね,の	皮質形成異常…………124	萌出……………………13	陽性症状………………270
寝返り………………………9	非進行性病変…………124	報酬……………………109	腰痛症…………………144
ネグレクト………282, 287	非侵襲的陽圧換気療法……208, 214	ポータブル便座シート……166	余暇活動………………246
年月齢線…………………57	非対称性………………128	補高………………224, 226	横口蓋ヒダ………………12
脳血管障害……………124	非対称性緊張性頸反射……127, 144, 145	歩行消失………209, 217, 224, 229, 313	横地分類………………148
脳室周囲白質軟化症…124, 308	ビタミンK……………265	保護者………5, 94, 101, 175, 186, 240, 291	四つ這い移動……………16
脳室腹腔短絡術…………240	人-環境-作業……………63	ポジショニング…………223	**ら,り,る,れ,ろ**
脳性ナトリウム利尿ペプチド……214	一口量……………199, 201	捕食…………12, 195, 199, 204, 310	ライフステージ………3, 48
脳性麻痺………3, 124, 147, 308	人見知り…………………25	保存の概念………………22	ラベリング…………98, 118
	一人遊び…………………29	ホッピング………………14	リーチ……154, 165, 225, 226, 230, 248, 255
	ひとり親家庭…………274	ホッファーの分類………240	理学療法士………………51
	ピボットターン……………8		リスクマネジメント……103
	表出言語…………………25		離乳食…………11, 193
	ビリルビン……………267		
	疲労……………………225		

リミットテスティング …… 285	DV …………………… 282	Mimicry …………… 102
療育機関 ………… 4, 190	**E, F**	MMT …… 209, 220, 227, 255
両下肢内転 …………… 134	EDPA ………………… 59	motor planning ……… 89
両側性麻痺 …………… 253	EDVA ………………… 60	neurapraxia ………… 253
両側統合 …………… 95, 96	environmental factors	NICU ………………… 272
ルーティング反射	…………………………… 65	non-verbal
……………… 12, 14, 15	Erb型 ………………… 253	communication …… 25
ルフィニ小体 ………… 19	Erikson …………… 21, 175	NPPV
ルリア ………… 109, 175	execution …………… 90	……… 208, 214, 223, 227
レスパイトケア ……… 217	Frostig視知覚発達検査	NT-proBNP ………… 214
劣等感 ………………… 23	…………………………… 138	on elbows …………… 8
連合遊び ……………… 29	functioning ………… 65	on hands …………… 8
連合反応 ………… 128, 140	**G, H**	**P, Q, R**
論理的思考 …………… 22	GABA ……………… 270	participation ……… 65
わ	GMFCS ……………… 129	participation restrictions
ワーキングメモリー … 108	GMFCS-E&R	…………………………… 65
ワイズマン …………… 43	………………… 60, 61, 129	PEDI ……………… 61, 130
割座 ……………… 128, 165	GMFM …………… 59, 129	PEOモデル …………… 63
ワルファリン ………… 265	Gowers徴候 ………… 207	PEP-3 ………………… 61
ワロン ………………… 175	GPB ………………… 213	Piaget …………… 21, 175
腕尺関節脱臼 ………… 253	HKAFO ……………… 241	Pierce ………………… 37
腕神経叢麻痺 ………… 252	Hofferの分類 ………… 240	pivot turn …………… 8
A	Horner徴候 ………… 252	pointing ……………… 24
activity ……………… 65	Humphry …………… 43	PPSスイッチ ………… 233
activity limitations … 65	**I, J**	praxis ………………… 86
ADHD …………… 107, 113,	ICF ……… 64, 174, 189, 307	programming … 89, 307
209, 215	ICIDH ……………… 64, 174	PSB ………………… 227
ADL …… 151, 242, 308	Ideation ………… 87, 306	PVL ………………… 124
Agon ……………… 102	Ilinx ………………… 102	QOL ………………… 40
Alea ……………… 102	impairments ……… 65	RGO ………………… 241
ASD ……………… 209	independent SC …… 75	ROM …………… 255, 258
ATNR …………… 127, 144	inner drive ……… 73, 100	**S**
Ayres ……………… 18, 74	ITPA ………………… 78	SCPNT …………… 60, 75
B, C	JASPER …………… 130	SCSIT …………… 60, 74
Barkley …………… 107	JDDST-R ………… 58, 127	sensory communication
BFO ………………… 227	JMAP ………… 58, 74, 242	………………………… 75, 106
Birdwistel …………… 24	JPAN …………… 60, 74	sensory diet ……… 115
BNP ………………… 214	JSI-R ……… 60, 74, 80, 117	sensory integration
body functions …… 65	**K, L**	…………………………… 72
body structures …… 65	K-ABC ………… 59, 78, 112	sensory needs
bottom lifting ……… 8	KIDS ……………… 57, 58	……………… 78, 83, 102, 116
CARS ………………… 61	Klumpke型 ………… 253	sequencing ………… 89
chunks ……………… 38	Law …………………… 37	Sharrardの分類
CIC ……………… 243, 249	LD ………………… 113	………………………… 240, 241
Clark ………………… 37	limit testing ……… 285	short opponens splint
cock-up splint …… 260	Luria ……………… 109, 175	………………………… 260
CPF ………………… 213	**M, N, O**	SI ……………………… 72
CYP ………………… 268	MACS …………… 60, 129	SIPT ………………… 74
D	MARTA …………… 271	SLD ………………… 110
DAMグッドイナフ人物画知能	MAT ………………… 59	S-M社会生活能力検査
検査 ………………… 59	Meyer ……………… 39	第3版 ……………… 59
disability …………… 65	MI-E …… 213, 214, 218, 227	SP …………… 74, 80, 117
DMD ……………… 206	MIC ………………… 213	spina bifida ………… 238
DSM-5 …… 105, 110, 170	Milani運動発達評価表	STEF ………………… 60
DTVPフロスティッグ視知覚	………………………… 58, 127	STNR ……………… 144
発達検査法 ………… 59		

T, U, V	
Therapy should be FUN	
…………………………… 100	
TLR …………… 127, 144	
use of self ………… 76	
V-Pシャント ………… 240	
VE ………………… 198	
VF ……………… 163, 198	
Vineland-Ⅱ適応行動尺度	
…………………………… 61	
Vygotsky …………… 175	
W, X, Z	
W-sitting …………… 128	
waiter's tip position	
………………………… 253, 254	
Wallon ……………… 175	
WeeFIM ……………… 61	
WHO ……………… 174	
WISC-Ⅳ ……………… 59	
Wiseman …………… 43	
WPPSI-Ⅲ …………… 59	
X染色体劣性遺伝 …… 207	
Zemke ………………… 37	

第3版
作業療法学　ゴールド・マスター・テキスト
発達障害作業療法学

2011年　2月10日	第1版第1刷発行
2015年　1月25日	第2版第1刷発行
2021年10月　1日	第3版第1刷発行
2022年　8月30日	第2刷発行
2024年　3月10日	第3刷発行
2025年　2月20日	第4刷発行

- 監　修　長﨑重信　ながさき　しげのぶ
- 編　集　神作一実　かみさく　ひとみ
- 発行者　吉田富生
- 発行所　株式会社メジカルビュー社
  〒162-0845 東京都新宿区市谷本村町2-30
  電話　03(5228)2050(代表)
  ホームページ　https://www.medicalview.co.jp

  営業部　FAX　03(5228)2059
  　　　　E-mail　eigyo@medicalview.co.jp

  編集部　FAX　03(5228)2062
  　　　　E-mail　ed@medicalview.co.jp

- 印刷所　シナノ印刷株式会社

ISBN 978-4-7583-2047-4 C3347

©MEDICAL VIEW, 2021. Printed in Japan

- 本書に掲載された著作物の複写・複製・転載・翻訳・データベースへの取り込みおよび送信（送信可能化権を含む）・上映・譲渡に関する許諾権は，(株)メジカルビュー社が保有しています．

- JCOPY〈出版者著作権管理機構　委託出版物〉
  本書の無断複製は著作権法上での例外を除き禁じられています．複製される場合は，そのつど事前に，出版者著作権管理機構（電話 03-5244-5088，FAX 03-5244-5089，e-mail：info@jcopy.or.jp）の許諾を得てください．

- 本書をコピー，スキャン，デジタルデータ化するなどの複製を無許諾で行う行為は，著作権法上での限られた例外（「私的使用のための複製」など）を除き禁じられています．大学，病院，企業などにおいて，研究活動，診察を含み業務上使用する目的で上記の行為を行うことは私的使用には該当せず違法です．また私的使用のためであっても，代行業者等の第三者に依頼して上記の行為を行うことは違法となります．

第3版 作業療法学 ゴールド・マスター・テキスト シリーズ

監修 長﨑 重信　文京学院大学 保健医療技術学部 作業療法学科 教授

改訂のポイント

さらに学習しやすく教えやすいテキストになりました！
①紙面のフルカラー化
②試験対策がさらに充実
③考える力を養う囲み記事「アクティブラーニング」を新設
④新しい実習形式である作業療法参加型臨床実習の解説を新設
⑤事例提示（「Case Study」）内に，授業や自習で活用できる問題（「Question」）を追加
⑥事例などのWeb動画，事例集の追加
※Web動画，事例集については，収載されない巻もあります

全巻構成（全12巻）

作業療法学概論
■B5判・448頁・定価4,840円（本体4,400円＋税10％）

作業学
■B5判・392頁・定価5,280円（本体4,800円＋税10％）

作業療法評価学
■B5判・560頁・定価6,380円（本体5,800円＋税10％）

身体障害作業療法学
■B5判・568頁・定価6,160円（本体5,600円＋税10％）

高次脳機能障害作業療法学
■B5判・328頁・定価4,840円（本体4,400円＋税10％）

精神障害作業療法学
■B5判・388頁・定価4,840円（本体4,400円＋税10％）

発達障害作業療法学
■B5判・336頁・定価5,170円（本体4,700円＋税10％）

老年期作業療法学

地域作業療法学
■B5判・364頁・定価4,620円（本体4,200円＋税10％）

日常生活活動学（ADL）
■B5判・320頁・定価4,620円（本体4,200円＋税10％）

福祉用具学
■B5判・320頁・定価4,620円（本体4,200円＋税10％）

義肢装具学
■B5判・340頁・定価6,160円（本体5,600円＋税10％）

※ご注文，お問い合わせは最寄りの医書取扱店または直接弊社営業部まで。

〒162-0845　東京都新宿区市谷本村町2番30号
TEL.03（5228）2050　FAX.03（5228）2059
E-mail（営業部） eigyo@medicalview.co.jp